antonina kozłowska

....

kukułka

....

wydawnictwo otwarte
kraków 2010

Projekt okładki: **Adam Stach**

Fotografia na okładce: © **Luc Beziat / cultura / Corbis**

Fotografia autorki: **Jacek Lenczowski**

Redakcja: **Arletta Kacprzak**

Opracowanie typograficzne książki: **Daniel Malak**

Adiustacja, korekta i łamanie: **Zespół – Wydawnictwo PLUS**

ISBN 978-83-7515-075-9 (oprawa broszurowa)
ISBN 978-83-7515-136-7 (oprawa twarda)

www.otwarte.eu

Zamówienia: Dział Handlowy, ul. Kościuszki 37, 30-105 Kraków,
tel. (12) 61 99 569
Zapraszamy do księgarni internetowej Wydawnictwa Znak,
w której można kupić książki Wydawnictwa Otwartego: www.znak.com.pl

W POCIĄGU

Dziecko zapłakało przez sen.

Mężczyzna siedzący naprzeciwko podniósł wzrok znad laptopa. Grymas zniecierpliwienia na jego twarzy oznaczał, że nie po to wykupił drogi bilet pierwszej klasy, żeby teraz wysłuchiwać hałasów.

Kobieta wzdrygnęła się, wyrwana z drzemki, w jaką wprowadził ją monotonny stukot kół. Za przykurzonym, brudnym oknem przedziału przesuwał się jakiś anonimowy, przygnębiający krajobraz – szare pola przedzielone kępami bezlistnych drzew, szare niebo, szare chmury. Spojrzała na dziecko.

Dziewczynka spała dalej, wierciła się niespokojnie w gondoli od wózka ustawionej na siedzeniu. W przedziale było gorąco, jej mała, porośnięta ciemnymi włoskami główka była mokra od potu. Kobieta rozpięła guziki sweterka i odchyliła różowy kocyk, którym przykryła małą.

– Cichutko – wyszeptała w maleńkie, podobne do muszelki ucho. – Jeszcze tylko parę godzin, wytrzymaj, malutka.

Kobieta z sąsiedniego siedzenia uśmiechnęła się.

– Śliczną ma pani córeczkę – zagaiła.

– Dziękuję – odpowiedziała tamta i za chwilę zganiła się za to w myślach: „Po co się odzywam. Miałam się nie odzywać. Miałam milczeć. Czy naprawdę tak trudno jest milczeć przez kilka godzin?".

Wiedziała, że nie potrafi nie odpowiedzieć. Nie zareagować. Tak ją wychowywano przez długie lata: miała odpowiadać na powitania i zaczepki, prowadzić uprzejme rozmowy w poczekalniach lekarskich, pociągach i sklepach. Tak robią normalne kobiety.

Tylko że ona od teraz miała nie być normalną kobietą.

„Jeszcze nie jest za późno – pomyślała. – Jeszcze mogę to przekreślić, wymyślić jakieś usprawiedliwienie i wrócić. Wrócić, jak gdyby nigdy nic, jakbym wracała z malutką z długiego spaceru, położyć ją do łóżeczka, zdjąć płaszcz i buty, rozpakować walizkę. Rozpłakać się i wygłosić jakąś wzruszającą przemowę wyjaśniającą, dlaczego to zrobiłam, i poprosić o prawo do powrotu".

– Jak jej na imię?

– Słucham?

To najprostsze pytanie przeraziło ją. Podobnych pytań będzie więcej, każde następne mniej życzliwe, a bardziej wścibskie. Takie kobiety powinny prowadzić przesłuchania, kobiety w średnim wieku znudzone brakiem zajęć są o niebo skuteczniejsze od umięśnionych policjantów, jeśli chodzi o wydobywanie informacji. Jak jej na imię, a siada już, a co je, a nie ma wysypki, a kupki jakie robi, a po kim te śliczne oczka, a ile waży, a może chciałaby braciszka? Co, chciałabyś, maleńka, no to poproś mamunię, niech się postara.

– Kasia – wypaliła najszybciej, jak umiała.

Kobieta pokiwała głową.

– Piękne imię, normalne. Nie to co te wszystkie teraz, Oliwie, Nikole. A ja mam wnusię, trzy latka skończy na wiosnę...

Przestała słuchać. Odwróciła głowę do okna, za którym nic się nie zmieniło. Przez chwilę ogarnęło ją przerażające wrażenie, że tam niczego nie ma, a przesuwające się widoki to tylko film puszczany na okrągło: drzewa, pole, droga, chmury i nagranie stukotu kół z głośnika. A w rzeczywistości pociąg nigdzie nie jedzie, stoi w wielkim hangarze lokomotywowni na tyłach Dworca Zachodniego.

Dziecko ponownie zapłakało i tym razem się przebudziło. Mężczyzna naprzeciwko zamknął z trzaskiem laptop i demonstracyjnie wyszedł na korytarz.

Sięgnęła do torby po butelkę, wstrząsnęła, wylała kroplę płynu na nadgarstek, żeby sprawdzić temperaturę. Podniosła dziecko.

„Możesz wrócić, jeszcze nie wszystko stracone", powróciła natrętna myśl. Odgoniła ją. Na refleksje przyjdzie czas, kiedy dojadą na miejsce. Teraz najważniejszy był dotyk małej ciepłej rączki na jej policzku.

CZĘŚĆ I

PUSTE GNIAZDO

– Już po wszystkim, pani Marto.

Świadomość wraca powoli.

Zawsze najbardziej lubiła te chwile tuż po przebudzeniu, kiedy warstwa snu jeszcze izoluje od świata, od wszystkich problemów, kłótni, rzeczy niezrobionych i do zrobienia na już. Kiedy człowiek przez kilkanaście błogosławionych sekund nie pamięta, gdzie się znajduje, i usiłuje zatrzymać pod powiekami ostatnie kadry z oglądanego przez całą noc filmu.

A po chwili rzeczywistość wraca i uderza z pełną mocą, gwałtownie wskakując na miejsce.

Tak jak teraz.

Łagodne białe światło, które zaintrygowało ją przed chwilą swoim zimnym blaskiem, okazuje się jarzeniówką na suficie – nie jedną jarzeniówką, rzędem jarzeniówek przesuwających się nad głową w tempie szybkiego marszu. Niektóre mrugają, inne palą się równo. Głosy, jeszcze kilka sekund wcześniej dobiegające z oddali, jak gdyby z innego pomieszczenia, nagle rozbrzmiewają tuż przy uchu.

– Pani Marto! Proszę się obudzić! Równo oddychać! Proszę się obudzić, już po wszystkim!

Poderwała się, żeby usiąść.

– Co pani wyprawia? Proszę leżeć. Nie wstajemy jeszcze. Za trzy godziny pani wstanie, na razie leżymy.

Wózek zatrzymuje się raptownie, otwierają się jakieś drzwi, zakręt, i dwie postaci w bieli przekładają ją z wózka na łóżko. Chłodna, sztywna pościel, pachnie jak wszystko tutaj mokrą ligniną i lizolem. Po jednej stronie ściana, białe kafelki sięgają aż do sufitu, po drugiej coś piszczy miarowo, pip, pip, pip. Nie daje zasnąć. Mimo to rzeczywistość znowu odpływa, zastąpiona jakimiś obrazami, które nie mają nic wspólnego z tych chłodnym, białym, rozświetlonym miejscem.

Naprawdę obudziła się dopiero cztery godziny później i tym razem nie było przytłumionych głosów. Rzeczywistość już była na miejscu, czekała, aż Marta otworzy oczy, żeby zaprezentować się w pełni wszystkim jej zmysłom.

Popołudniowa szpitalna cisza po planowych zabiegach i po wyjściu lekarzy oraz studentów, a przed mierzeniem temperatury i lurowatą herbatą na kolację. Pielęgniarki w dyżurce oglądają *Złotopolskich*. Chore kobiety snują się po korytarzu w szlafrokach. Irytującego piszczenia nie słychać – Marta domyśla się, że monitor zabrano z sali albo ściszono. Godziny odwiedzin – przy łóżku obok, na stołeczku, siedzi kobieta około pięćdziesiątki i szepcze coś do młodszej, opartej o poduszki. Garb pod kołdrą zdradza wielki ciążowy brzuch. Młodsza kobieta nagle zerka na Martę, ożywia się.

– Mamo, pani się obudziła – aż podskakuje, jakby nadal była dzieckiem, znudzoną pięciolatką, która leży w łóżku z anginą i niecierpliwie wyczekuje jakiejkolwiek atrakcji. Ma ciemne kręcone włosy, przetłuszczone, jakby nie myła ich od wielu dni. Starsza kobieta wstaje, słysząc stukot kroków na korytarzu.

Wchodzi pielęgniarka.

– Nareszcie się pani obudziła, pani Marto – mówi. – Już po wszystkim. Proszę nie płakać, już naprawdę po wszystkim.

„Teraz już rzeczywiście, nieodwołalnie i naprawdę jest po wszystkim". Pielęgniarka ma rację, choć oczywiście nie wie, co myśli Marta. Z punktu widzenia medycyny to raczej początek niż koniec, za to z punktu widzenia Marty, leżącej na szpitalnym łóżku, to koniec.

W sali pojawia się jakiś lekarz, którego Marta nigdy przedtem nie widziała – młody, z wąsami, w grubych niemodnych okularach i z rozbrajającym uśmiechem, jednak ona nie potrafi się zmusić, żeby go odwzajemnić. Poddaje się badaniom, odpowiada na pytania automatycznie, monotonnym, cichym głosem, przechodzi jakoś przez upokarzający moment, kiedy pacjentka obok proszona jest o odwrócenie wzroku, a lekarz uważnie obserwuje zakrwawiony podkład, który pielęgniarka przed chwilą wymieniła na czysty. Lekarz wychodzi, dając pozwolenie na wypicie kilku łyków wody. Marta rzuca się łapczywie na plastikowy kubek z automatu podany przez siostrę. Kilka kropel nie gasi pragnienia, a dopiero uświadamia, jak bardzo, mimo kroplówek, chciało jej się pić. Ale na razie nie dostanie więcej, dopiero na kolację kubek herbaty. Na razie wolno jej wstać do łazienki, więc wstaje. Przed jej oczami tańczą przez moment jaskrawe fioletowe światła, ale po chwili wszystko się uspokaja. Powoli, jak staruszka, trzymając się poręczy łóżka i ścian, Marta idzie do toalety. Jej boleśnie pusty brzuch zwisa pod niepotrzebną już ciążową koszulą w biedronki, która miała być zabawna, a teraz jest tylko ohydna i nie na miejscu. Cały czas Marcie towarzyszy niewypowiadana na wszelki wypadek nadzieja, że kiedy wróci do sali po tym niewiarygodnie trudnym przedsięwzięciu, jakim jest wyprawa do łazienki, na stołku przy jej łóżku będzie czekał Filip.

Ale nie czeka.

Zadzwonił kilka godzin później, już po wieczornym kubku herbaty, że przeprasza, ale nie zdążył z pracy, i że gdyby jutro czegoś pilnie potrzebowała, niech zadzwoni do jego mamy, bo on ma bardzo wypełniony dzień i nie wie, czy da radę. Marta zasnęła, wpatrując się w zgaszone jarzeniówki, czekała z niecierpliwością na te kilka chwil następnego dnia rano, kiedy po przebudzeniu przez moment nie będzie wiedziała, kim jest i co się właściwie wydarzyło.

Obudziła się na szpitalnym łóżku, w środku nocy, obok pochrapującej ciężarnej z łóżka obok, i przez błogosławioną chwilę nie wiedziała, gdzie jest. Sięgnęła odruchowo na drugą stronę łóżka, spodziewając się znaleźć tam Filipa. Już miała powiedzieć mu, jak tysiąc razy wcześniej, że chrapie, ale... drugiej strony łóżka nie było. Zamiast niej była metalowa barierka, podniesiona, nie wiadomo czemu, i szpitalna spartańska szafka, a na niej kubek z resztką wczorajszej herbaty, tak słabej, że nie zostawiła nawet ciemnej obwódki osadu wewnątrz naczynia.

Marta czekała na wypis ze szpitala. Ciężarna obok, skazana na dalsze dwa czy trzy miesiące leżenia, obserwowała ją z mieszanką współczucia i zazdrości w oczach. Nie mogła się uwolnić od myśli, że oddałaby wiele za możliwość wstania i wyjścia choć na chwilę. Marta spakowała do podróżnej torby kilka kosmetyków i bieliznę na zmianę, kubek i sztućce, rozpoczętą książkę i telefon. Lekarz pojawił się chwilę potem, z wypisem, w biegu od jednej pacjentki do drugiej. Marta nie budziła już jego zainteresowania, została już obsłużona, naprawiona w takim stopniu, jak pozwalały możliwości, i zaopatrzona w kartkę z wypisem oraz skierowaniem na dalsze badania.

Marta stanęła przed drzwiami wyjściowymi ze szpitala, samotna, doskonale anonimowa. Równie dobrze mogłaby odwiedzać tu nowo narodzonego siostrzeńca albo matkę po usunięciu mięśniaków. Taksówka nie przyjeżdżała. Tymczasem w drzwiach szpitala ukazała się rodzina – on, przejęty nową rolą, niósł fotelik samochodowy, w którym spoczywało zawiniątko, dostrzegła śpiącą czerwoną buzię schowaną pod warstwami kocyków i czapeczek, za nim świeżo upieczona mama podtrzymująca opadającą, za luźną już spódnicę ciążową, dalej babcia, matka jego albo jej, tak gruba, że ledwie mieściła się w wejściu. Marta odczekała, aż przejdą, po czym z ulgą i poczuciem winy, teraz już bezsensownym, zrobiła coś, czego nie robiła od siedmiu tygodni – zapaliła papierosa. Dym wzniósł się w jesienne niebo.

Taksówkarze, którzy jeżdżą na osiedle, znają już nazwy ulic. Na początku, kilka lat temu, kiedy Marta i Filip się wprowadzali, musieli pracowicie i szczegółowo tłumaczyć, gdzie mieszkają i jak tam dojechać. Dzisiaj rzadko się zdarza, żeby ktoś o to pytał.

Trzeba przejechać obok centrum handlowego, a później obok niezliczonych biurowców i hurtowni, którymi obrastają wszystkie główne trasy Warszawy – miasta rosnącego dziko, bez planu. Dworzec, ugór, biurowiec, hurtownia, setki stłoczonych billboardów walczących o uwagę kierowców, tak jak rośliny w dżungli walczą o światło. Na ruchliwym skrzyżowaniu skręcić w prawo i wjechać w kawałek miasta jakby wyjęty z przedwojennych pocztówek – kamieniczki, piętrowe domy ze sklepami spożywczymi i kwiaciarniami w narożnikach, wreszcie skrzyżowanie, na którym zielone światło trwa tylko tyle, żeby zdążył przejechać jeden autobus, a za tym wszystkim bloki. Lokalny deweloper wykupił od okolicznych chłopów wszystkie pola i zastawił je po kolei klockowatymi konstrukcjami. Słoneczna Dolina, osiedle Marty, wyrosło jako pierwsze, na skraju pola kapusty. Okrawki pól wciąż jeszcze trwają dookoła, roztaczając późną jesienią niepowtarzalny zapach gnijącej kapusty, ale teraz jest na to jeszcze za wcześnie. Główna ulica wypuszcza mniejsze odnogi, niczym drzewo młode pędy, które następnie giną w kolejnych bramach do kolejnych ocynkowanych płotów. Gdy skręci się z drogi głównej, na końcu bocznej uliczki widać bramę i budkę ochroniarza. Zaraz za płotem cztery bloki ustawione w kształt latawca zamykają podwórko. Przybysz z zewnątrz, jeśli pokona bramę z domofonem, musi jeszcze przecisnąć się przez prześwit w najdłuższym z tych bloków, by znaleźć się ostatecznie na podwórku w kształcie równoległoboku. Ze sztucznej góry na jednym jego krańcu tryska woda ze sztucznego źródełka, spływa kamienną kaskadą do betonowego koryta, którym, udając strumyk, płynie aż do studzienki na drugim końcu przestrzeni między blokami. Po obu stronach tej rzeczki ozdobne krzewy maskują drewniane płotki otaczające dwa place zabaw – dla dzieci młodszych i starszych. Na bawiące się maluchy można spoglądać z tarasów parteru albo z balkonów pięciu kolejnych pięter. Balustrady balkonów tworzą dekoracyjne pasy drewna i szkła na biało-zielonych fasadach – z biegiem lat nieco zszarzały, lecz nadal wydają się pełne świeżości.

Szesnaście klatek, trzysta dwadzieścia siedem mieszkań, kilkuset lokatorów – na niewielkiej przestrzeni stłoczona ludność średniej wielkości wioski, upchnięta piętrowo jedni nad drugimi. Splunięcie z balkonu szóstego piętra mija pięć mieszkań w drodze do ogródka tych z parteru, dym papierosa wypalonego na parterze wznosi się w górę, zatruwając życie mieszkańcom pięciu kolejnych poziomów, do których wdziera się niczym toksyczna chmura. Ktoś, kto skoczyłby z najwyższego piętra, zanim roztrzaskałby się o ziemię, musiałby minąć pięć balkonów zastawionych dziecinnymi rowerkami, suszarkami z praniem i doniczkami, w których powoli schną pelargonie.

– Ale tu porosło tych domów – dziwi się taksówkarz.

Marta kiwa głową, w gardle jej zaschło i nie ma ochoty na rozmowy. Ale taksówkarz jest jednym z tych miejscowych, którzy lubią pochwalić się przed obcymi znajomością okolicy i jej historii.

– Kiedy byłem chłopakiem, to nic tu nie było, pola, pola po horyzont – mówi.

– Aha, naprawdę? – Marta dziwi się uprzejmie, choć słyszała to już setki razy od innych taksówkarzy. Ma jednak nadzieję, że ten nie będzie ciągnął tematu i opowiadał jej o latach dorastania na polach kapusty. Na szczęście są już bardzo blisko, dojeżdżają.

– Trzydzieści cztery pięćdziesiąt – mówi taksówkarz, przyjmuje czterdzieści złotych i z uśmiechem dziękuje, kiedy słyszy, że reszty nie trzeba. Marta wysiada, wciska na domofonie kod, przechodzi przez bramę i staje przed wejściem do klatki. Bezradnie grzebie w torbie, szukając kluczy.

Kiedy przeprowadzali się na osiedle, właśnie gwałtownie zaczynała się jesień. Jak później miało się okazać, najzimniejsza jesień od wielu lat, z przymrozkami we wrześniu i śniegiem tuż po Święcie Zmarłych.

Drzewa miały jeszcze liście – drzewa „po drodze", bo te na osiedlu, świeżo zasadzone drzewka, przypominały raczej wyrośnięte chwasty. Cieniutkie patyczki z koroną wiotkich gałązek chwiały się przy każdym podmuchu wiatru. Wiatr wiał nieustannie, wywiewając sierpniowy upał i zastępując go powietrzem zimnym i szeleszczącym jak folia.

Bloki ustawione w podkowę wyglądały jak dekoracja do filmu – nowiutki biały tynk, poprzecinany pasami zieleni i drewnianej okładziny, odbijał światło słońca. Trwały prace wykończeniowe – robotnicy układali ostatnie metry chodników z kostki, ktoś sadził niewielkie iglaki przy ogrodzeniu z ocynkowanych prostych prętów. To ogrodzenie nadawało całości nieprzyjazny, odpychający charakter. Tak miało wyglądać, miało przecież zniechęcać złodziejaszków i meneli z gorszej, zbudowanej pięćdziesiąt lat wcześniej części dzielnicy, z zakładowych bloków pomalowanych na różowo i z walących się domków, których właściciele jeszcze nie zdążyli sprzedać poletek pod budowę nowych osiedli. Ale odpychało też nowych lokatorów, którzy grupkami kręcili się pod furtką, niepewni, czy na pewno dobrze pamiętają kod otwierający te drzwi do lepszego świata.

Przedstawiciel dewelopera pojawił się przy furtce i natychmiast otoczył go tłumek zainteresowanych. Filip i Marta wysiedli z samochodu. Ona niepewnie. To było do przewidzenia – gdziekolwiek kłębił się tłumek, zawsze w jakiś niewytłumaczalny sposób wypychał ją na obrzeża, z dala od centrum. Jeśli trzeba było stanąć w kolejce, Marta nieodmiennie lądowała na samym końcu, przesunięta przez energicznych, przepychających się ludzi. Chyba wtedy Filip zauważył to po raz pierwszy. A może jego uwagę przykuł wyraz ledwie powstrzymywanego przerażenia na twarzy żony, trzymającej się z dala od tłumu? Zirytowało go to, ale nic nie powiedział, zamiast tego ujął ją pod rękę, poczuł pod palcami prążki sztruksowego żakietu i poprowadził ją jak dziecko, albo jak niewidomą, w stronę furtki.

Młody człowiek w niedrogim garniturze i dawno nieczyszczonych butach ze sztucznej skóry wyczytywał nazwiska z listy. Gdy wyczytani się zgłaszali, dostawali klucze i protokół odbioru mieszkania. Nazwiska były zagłuszane przez pytania wykrzykiwane przez co bardziej niecierpliwych uczestników zgromadzenia. Tęgi facet z wąsami dopytywał się:

– I jak, wiadomo już, po ile wychodzi za ten płot?

– Ten płot to jest, proszę państwa, skandal! – krzyczała wysoka dziewczyna w długiej spódnicy, nie zwracając uwagi na dziecko popłakujące w nosidełku na jej brzuchu. – Nie dam grosza za ten płot, nikt mnie nie uprzedził, że to będzie wyglądało jak w więzieniu!

– Racja! – podchwyciła druga, o głowę niższa, ale tak szeroka, że tamta mogłaby się za nią schować, gdyby przykucnęła.

Po chwili cokolwiek przestało być słyszalne, głosy zlały się w hałas charakterystyczny dla zebrań w Polsce, gdzie wszyscy usiłują mówić naraz i wszyscy do wszystkich mają o coś pretensje.

– A ty, co myślisz o płocie? – Filip nachylił się do Marty.

Potrząsnęła głową, zamyślona, jakby nie słyszała całej dyskusji, pochłonięta czymś ważniejszym, co działo się tylko w jej głowie. Później, z tą denerwującą, prawie autystyczną obojętnością, z jaką reagowała na większość rzeczy, wzruszyła ramionami.

– Płot jak płot. Przynajmniej będzie bezpieczniej.

To swoje zachowanie nazywała trybem przetrwania. Nauczyła się tego jako dziecko, w szpitalu. Kiedy miała jedenaście lat, samochód prowadzony przez jej dziadka roztrzaskał się o drzewo w rozpaczliwej próbie uniknięcia zderzenia z ciężarówką. Na krętej podmiejskiej drodze gdzieś w Lubelskiem. W epoce sprzed poduszek powietrznych i fotelików dla dzieci. Marta, siedząca na przednim siedzeniu („Jesteś dużą dziewczynką" – powiedział dziadek Felicjan i były to jego ostatnie słowa skierowane do wnuczki, zanim zginął), nie mogła wyjść z tego cało. Spędziła kilka miesięcy w szpitalu, z połamanymi nogami, na wyciągu, jak zepsuta lalka posklejana niedbale plastrem.

Wtedy się tego nauczyła: kiedy działo się coś nieprzyjemnego albo po prostu zbyt inwazyjnego, wycofywała się w głąb własnej głowy, gdzie nie istniało nic poza nią i jej myślami. Dużo spała, budziła się tylko na zabiegi, a później na rehabilitację – przynajmniej tak to wyglądało z zewnątrz. W rzeczywistości za przymkniętymi powiekami odtwarzała z fotograficzną dokładnością całe swoje dotychczasowe życie, moment po momencie, snuła plany na przyszłość, układała historie podobne do tych, które znajdowała w czytanych wtedy książkach. Dla jedenastoletniej Marty świat mógł nie istnieć, z wyjątkiem tych rzadkich chwil, kiedy odwiedzało ją jedno z rodziców. Gdy wychodziła ze szpitala po trzynastu tygodniach, o kulach, nie znała imienia ani jednej osoby, z którą dzieliła ośmioosobową salę na oddziale ortopedii, nie umiała przypomnieć sobie żadnej twarzy.

Szok pourazowy – mówili później psychologowie, ale dla niej nie był to szok, tylko strategia przetrwania w nieprzyjaznym świecie.

Filip najczęściej przebijał się przez tę zaporę, co oznaczało, że jest mile widzianym elementem jej świata, bywały jednak chwile, kiedy wydawało mu się, że Marta znajduje się tysiące mil od niego, choć stała tuż obok. W pracy i wśród znajomych potrafiła doskonale funkcjonować, jej wycofanie uchodziło za roztargnienie, ignorowanie innych za nieśmiałość i wnikliwą obserwację – zawsze go to dziwiło. Gdy usłyszał jej odpowiedź w sprawie płotu, miał ogromną ochotę złapać ją za ramiona i potrząsnąć, żeby popatrzyła wreszcie na niego, nie przez niego.

– Płot... – powtórzyła, wyrwana z zamyślenia. – No niech już będzie taki, przecież nie wykopią go z powrotem, no nie?

Klatka schodowa lśniła nowością. Unosił się w niej zapach świeżej farby, stalowe drzwi windy bezszelestnie rozsuwały się i zasuwały. Marta obracała w dłoni niepozorny kluczyk typu Yale. „Klucz do reszty życia", pomyślała, ważąc go delikatnie w dłoni. Czerwona plastikowa zawieszka z numerem mieszkania nadawała mu wygląd klucza do pokoju w tanim nadmorskim pensjonacie. Mieli go później wymienić na bardziej zaawansowane, imponujące wielkością i ciężarem klucze do zamków antywłamaniowych, ale na razie ten musiał wystarczyć. Miał otworzyć przed nimi drzwi do pierwszego naprawdę własnego mieszkania, do miejsca, w którym będą sami – bez rodziców Filipa w pokoju obok, bez właścicieli wynajmowanej kawalerki wpadających bez zapowiedzi. Własny dom, własne życie. Za to mieszkanie na dwadzieścia pięć lat sprzedali duszę diabłu o gładko wygolonej twarzy bankowca.

Drzwi się uchyliły, gdy Marta przekręciła ten klucz w zamku.

Nowe mieszkanie jest jak nieznany kontynent. Początkowa pustka obiecuje niezmierzone przestrzenie i nieskończone możliwości. Biel ścian wabi, a lekko popiskujące pod nogami panele są jak nietknięte ludzką stopą lądy. Za oknem rozciąga się zupełnie nowy widok, który trzeba oswoić, aż wreszcie, po paru miesiącach, wyryje się pod powiekami i przestanie zaskakiwać. Nowe ścieżki, które dopiero trzeba wydeptać, a za kilka lat będzie można przejść nimi z zamkniętymi oczami, bo będzie się znało na pamięć wszystkie chwiejne płytki chodnikowe i kałuże. Nowe życie, którego obietnica czai się w tych białych ścianach i kontaktach, na których żadna dłoń nie zostawiła jeszcze tłustych odcisków palców.

Tuż po tym, jak się poznali, Marta na kilka miesięcy wprowadziła się do kawalerki wynajmowanej wtedy przez Filipa. Tam jednak życie przez lata zostawiało swoje ślady, a przestrzeń aktywności Marty ograniczała się do kilkucentymetrowych przesunięć mebli i bibelotów albo zmiany koloru zasłon. Ślady cudzego życia, cudzych stóp wżarły się w dębową klepkę sprzed czterdziestu lat. W starych mieszkaniach jest stare życie, trudne do wyrzucenia, czepiające się kurczowo obłażących z farby framug okiennych i obitych linoleum poręczy schodów. Możliwości nowych mieszkańców dawno się skurczyły, ścieżki wydeptał ktoś inny, można tylko za nim podążać. Tu, na tych dziewięćdziesięciu pięciu metrach, przed Martą otwierał się nieznany świat.

Znowu się zamyśliła. Mąż tego nie lubił, wiedziała o tym, dlatego uważała, żeby nie odpływać zbyt często w jego obecności. Zadał jej jakieś pytanie i patrzył na nią wyczekująco. Zamrugała oczami.

– Myślałam właśnie o tym, że jeśli postawię na parape-
cie kwiatek doniczkowy, to będzie mógł tu stać przez naj-
bliższe trzydzieści lat. Jak palma u cioci Elżbiety. Czy to
nie cudowne? – zapytała go.

– Cudowne – powiedział i uśmiechnął się do niej.

– Nasze dzieci będą tu dorastać, ten widok z okna będą
nosić w sobie przez resztę życia, jak ty swoją kamienicę.
Będą mieć lepszy świat dla siebie. Tylko żeby wreszcie
udało nam się zajść w ciążę...

– Uda się. Na pewno się uda – odparł. Jego pewność
doskonale pasowała do tego nowego mieszkania.

Kiedyś osiedla nie było, tylko pola kapusty. Iwona pamiętała te czasy, choć trudno jej było uchwycić moment, kiedy to się zmieniło. Pewnie po zmianie ustroju, to wtedy chłopi zaczęli sprzedawać kawałki pola pod nowe bloki, to wtedy horyzont zasłoniły dźwigi. Wcześniej zakładowe osiedle z wielkiej płyty kończyło się jak nożem uciął, a tuż za ostatnim blokiem rozpościerały się pola. Jesienią smród gnijącej kapusty nie pozwalał otworzyć okien.

Iwona wróciła do mieszkania jak pies z podkulonym ogonem. Suka przybłęda, wykopana lata wcześniej na mróz, najpierw postanowiła udowodnić rodzicom, że sobie poradzi, a potem wróciła.

– Tylko bachory potrafisz rodzić – powiedział ojciec. Nie krzyczał. Nie musiał. W jego głosie była wyłącznie pogarda. – Każda głupia potrafi zajść w ciążę. Każda umie urodzić. Każda. Nie po to cię chowałem, nie po to tyrałem całe życie... – zawiesił głos.

Nie po to tyrał całe życie na zakładzie, żeby jego jedyna córka miała mu teraz urodzić wnuka bękarta. Przecież nie po to ją chował. Do wielkich celów ją chował, do studiów i pracy biurowej, do garsonki i teczki, do pierwszego w rodzinie dyplomu magistra, który miał powiesić na ścianie obok jej obrazka z Komunii. Nie po to prowadzał do kościoła, nie po to kupował chińskie kredki na talon, nie po to pilnował, żeby wracała do domu przed dziesiątą, nawet jeszcze w klasie maturalnej.

– Nie po to dostałaś się na studia, żebyś mi się tu teraz puszczała z pierwszym lepszym i zrobiła sobie brzuch, zmarnowała sobie życie i przyszłość, zamieniła książki na gary i pieluchy! – wrzeszczał.   ,

Iwona czekała na ten moment. Kiedy wrzeszczał, to jakby uchodziło z niego powietrze napompowane przez te długie minuty, gdy mówił spokojnie. Żyła na czole pulsowała, pryskał śliną, pięść jak żylasty supeł waliła w politurę na stole.

– Nie-po-to!

Matka wyszła z kuchni, stanęła w drzwiach, mnąc w ręku ścierkę. Jej twarz była szara ze zmęczenia. Kobieta stała tak bezradnie, chcąc przeczekać to walenie pięścią, jakby licząc w myślach, czekając, aż skończy. Skończył, opadł z sił, zaniósł się kaszlem palacza.

– Nie z pierwszym lepszym – wycedziła Iwona, korzystając z przerwy. – Nie z pierwszym lepszym. Ma na imię Darek i skoro tatuś mnie tu nie chce, to wynoszę się do niego.

– A wynoś się, wynoś – burknął ojciec – jeszcze wrócisz, zapamiętaj to sobie, jeszcze wrócisz i będziesz przepraszać. Błagać będziesz, żeby tu wrócić. – Spróbował jeszcze ostatni raz uderzyć w stół, ale gniew już się wypalił, więc zamienił uderzenie w machnięcie ręką, lekceważące, jakby muchę odganiał.

Wtedy już stały nowe bloki, za oknem nie było już tego spokojnego horyzontu, bladej kreski oddzielającej pola kapusty od nieba. Coś tam za oknem rosło, nabierało kształtu, zamieniało prosty horyzont w łamaną krechę. Szło nowe i lepsze, kolorowe i bogate, coś, co przekreślało i ośmieszało wszystkie starania rodziców o lepszą przyszłość, pokazując im wyraźnie, jak są żałośni i przestarzali ze swoją nową rozkładaną kanapą i zakładowym mieszkaniem dwupokojowym z kuchnią.

Teraz, kiedy Iwona patrzy przez okno na siódmym piętrze, czuje się jak dziecko przyklejające nos do szyby sklepu z zabawkami. Dziecko, które kiedyś weszło do tego sklepu, wybierało pracowicie klocki, lalki i skakanki, a kiedy dotarło do kasy, zorientowało się, że zgubiło portfel.

Mieszkanie rodziców stało się mieszkaniem matki, która kiedy ma gorszy dzień, to od rana do nocy leży w dawnym małżeńskim łóżku i dyryguje córką: „Wody, herbaty mi zrób, leki podaj, gazetę kup i bułki, niech no Piotrek ściszy ten jazgot, bo nie idzie wytrzymać, nawet nie dadzą człowiekowi spokojnie umierać we własnym domu, tyle lat ciężkiej harówy na zakładzie, a na łożu śmierci muszę się od własnej, rodzonej córki o wszystko dopominać!". Kiedy matka ma lepszy dzień, to wstaje, coś tam pomału ogarnia, chodzi za córką ze szmatą, wkłada nos w garnki, wącha: „Znowuż vegety nie dałaś? Co za sos bez śmietany, to pies by nie zjadł takiego sosu! Przez te twoje nowomodne wynalazki Piotrek taki zabiedzony, a Julka to szkoda gadać, taka malutka na swój wiek. Ojcu do śmierci smażyłam kotlety na smalcu i nie od tego umarł".

– Pewnie, że nie od tego, tylko na wylew, a wylew niby z powietrza dostał, jak się mamusi zdaje? – odcina się Iwona, a wtedy matka wzdycha ciężko, że najlepiej by ją oddać do domu starców, skoro rodzona córka z jej zdaniem się nie liczy. Wtedy wiadomo, że następnego dnia znowu będzie leżała, czytała nekrologi i sensacje w „Fakcie", jojczyła o herbatę. Chyba że następnego dnia jest niedziela. Niedziela to co innego, w niedzielę matka zawiesza umieranie na parę godzin, wkłada do kościoła garsonkę – popielatą ze złotymi guzikami, co jej Iwona sprawiła w dziewięćdziesiątym czwartym, kiedy jeszcze z Darkiem stali na progu pięknej, dostatniej przyszłości z katalogu dla młodych małżeństw. Potem się jednak okazało, że za tym progiem nic nie ma: nie ma nowego osiedla za płotem, nie ma czterech pokoi z aneksem kuchennym, nie ma studiów z marketingu i reklamy. Za progiem było znowu mieszkanie rodziców, dwa pokoje, szafki z laminatu i zgniłoróżowe linoleum w szare i zielone mazaje w kuchni, jakby ktoś rozlał zupę jagodową i pozwolił jej tam pleśnieć przez lata.

Po śmierci ojca było trochę kołomyi z wykupieniem tego mieszkania od spółdzielni, ale Darek wziął kredyt, wtedy jeszcze były na to pieniądze, ostatnie, jak się potem okazało, matka dołożyła z emerytury i teraz przynajmniej mieli ten kąt na siódmym piętrze, czwarta klatka, ostatni balkon po lewej.

A za oknem, za ulicą, która jak nóż wbity w pożółkłe masło rozdziela stare od nowego, slumsy, kajzerówkę (od ulicy Kajzera, Jerzego Kajzera, przedwojennego działacza narodowego, żołnierza Armii Krajowej, którego podobno zagazowali w tunelach przy Dworcu Zachodnim, a naprawdę nikt nie wie, co się z nim stało, ba, niektórzy twierdzą nawet, że w tunelach nikogo nie gazowano) od nowych osiedli o nazwach poetyckich, jak Słoneczna Dolina i Jutrzenka Park; za paroma metrami asfaltu i płotem z cynkowanej blachy pomalowanym na zielono toczy się drugie, niedoszłe życie Iwony.

Bo Iwona czasem ma wrażenie, że tutaj tylko śni, a tak naprawdę żyje tam, gdzie miała żyć, gdzie jej było przeznaczone. Za płotem, za domofonem i starszym panem z ochrony, za altanką śmietnikową z klinkierowej cegły obrośniętej winobluszczem. Tam gdzieś mieszka prawdziwa Iwona z Darkiem. Prawdziwa Iwona rano parzy kawę w aneksie kuchennym, budzi Piotrusia do szkoły, a Julkę do przedszkola. Wkłada dzieciom ubranka kupione specjalnie dla nich – ubranka, których nie nosiło wcześniej żadne szwedzkie ani holenderskie dziecko, żadna matka o wielkim sercu nie oddała ich podczas zbiórki w kościele, żeby jeszcze ktoś biedny ponosił w Trzecim Świecie. Kanapki dzieciom robi, zawija w folię, dokłada do szkolnego śniadania baton z reklamy albo jajko z niespodzianką, potem wkłada płaszcz z H&M, szary i mięciutki w dotyku, wsiada do srebrnej skody i odwozi dzieci, a w tym czasie Darek bierze prysznic. Z przedszkola ta prawdziwa Iwona jedzie do pracy, siada przy biurku, wita koleżanki w pokoju i wpisuje w komputer na przykład: plan kampanii reklamowej dezodorantu antyperspiracyjnego.

Tamta Iwona martwi się, że nie schudła po ciąży, i biega na aerobik, tamta Iwona gotuje dla rodziny weekendowe obiady, do których z mężem piją wino, a potem obejmują się i śmieją, idą się kochać w łóżku z Ikei. Latem latają na greckie wyspy, z biurem podróży, czarterowym samolotem, przywożą stamtąd zdjęcia całej czwórki stojącej pod połamanymi kolumnami i opalającej się na kamienistej plaży.

Tamta Iwona jest z katalogu mieszkańców nowego osiedla, jej twarzy aksamitnej od kremu nie marszczy żadne zmartwienie. Zaprasza matkę na obiad, wysłuchuje utyskiwania na nowomodne gotowanie, a potem odwozi rodzicielkę do domu.

Tamto życie, równoległe i niedoszłe, wydaje jej się czasem tak realne, że ma wrażenie, że mogłaby spotkać na osiedlu tę drugą Iwonę, swoje lustrzane odbicie. Może ta druga będzie siedziała na ławce przy piaskownicy, może będzie wracać z zakupów w centrum handlowym, ładnie ubrana, umalowana, o wybielonych zębach i piersiach podniesionych odpowiednio dobranym stanikiem? Wtedy Iwona stanie jej na drodze, tamta nie będzie jej widziała i wejdzie prosto w swoją bliźniaczkę, i stopi się z nią, wniknie do środka, żeby zaprowadzić Iwonę do przeznaczonego jej świata.

Ten świat dzieli przecież od Iwony tylko cieniutka szyba – zbudowana z nawarstwionych „gdyby" – podobnie jak szyby samochodowe złożone z cienkich jak folia warstw pleksi naklejonych jedna na drugą. Gdyby wspólnik nie narobił długów, gdyby deweloper nie zmył się z pieniędzmi, gdyby Darek został w Polsce, gdyby nie przysłał tamtego listu, gdyby Piotruś tyle nie chorował, gdyby nie druga ciąża, gdyby nie kredyt...

Szyba trzyma mocno i nie pęka nawet pod uderzeniami pięści.

Choinka stała na trawniku oddzielającym jeden plac zabaw od drugiego – smutna, szara i zmoknięta na tle nieba, po którym przewalały się grudniowe chmury plujące rzadkim deszczykiem. Wyglądała groteskowo, jakby ktoś pomylił pory roku.

Obok drzewka, na szarożółtym trawniku pokrytym warstewką wilgoci stały grupki ludzi. Ogłoszenie już od paru dni zapraszało mieszkańców Słonecznej Doliny na „rodzinne ubieranie choinki". Mieszkańców proszono o przyniesienie z domu ozdób, a szczególnie serdecznie zapraszano najmłodszych. Kartka, ozdobiona jednym z rysunków dostępnych za darmo w każdym programie do edycji tekstów, w katalogu *holidays and celebrations*, została powielona w dziesiątkach kopii i rozwieszona na drzwiach wejściowych do klatek, obok ogłoszeń z numerami telefonów do administracji i przypomnieniem o terminie oddawania informacji o wskazaniach wodomierzy. Zarząd osiedla postanowił ożywić ducha wspólnoty, pomóc stworzyć sąsiedzkie więzi, zintegrować obcych sobie ludzi mieszkających w trzystu dwudziestu siedmiu mieszkaniach w czterech blokach ustawionych w czworokąt.

Minęło kilka miesięcy, odkąd Marta i Filip się tutaj wprowadzili. Puste pokoje obrosły meblami, dywanami, halogenkami zawieszonymi na drucikach rozpiętych pod sufitem. Marta siedziała na wysokim stołku przy kuchennym blacie i spoglądała przez okno na tłumek ubierających choinkę. Mikołajki wypadały w tym roku w sobotę, więc dzieciaki na trawniku z entuzjazmem opowiadały sobie o prezentach, jakie znalazły rano pod poduszką czy w butach zimowych, wyczyszczonych i ustawionych porządnie przy łóżku. Empetrójki, zestawy lego, gameboye i lalki MyScene o wydętych, jakby silikonowych ustach czekały w domach na stęsknionych właścicieli, którzy po kilku dniach mieli położyć je gdzieś i zapomnieć o ich istnieniu na długie miesiące, dopóki ich matki nie znajdą zabawek w czasie wiosennych porządków.

Filip poszedł na siłownię. Wspominała o ubieraniu choinki, o tym, że miło byłoby kogoś poznać, ale wzruszył tylko ramionami:

– Nie sądzisz, że jesteśmy na to za starzy? Może kiedy będziemy mieli dziecko – dodał.

Wtedy była to jeszcze kwestia „kiedy", a nie „jeśli" – subtelny niuans gramatyczny odróżniający prawdopodobne od niemożliwego.

– Jest Niki – zaoponowała. – To też dziecko. Twoje.

– Moje, moje, ale Niki też jest za stary. Poza tym idzie z kolegami do kina.

Niki, syn Filipa z pierwszego związku, nie był za stary na ubieranie choinki. Był w tym strasznym gimnazjalnym wieku, kiedy człowiek jest za stary na wszystko, co rodzice mogą mu zaproponować. Wszystkie pomysły na spędzanie tych weekendów z ojcem, które Filip wywalczył w sądzie rodzinnym, Niki torpedował albo kwitował krótko: „Nuda. Dziecinne. Głupie. Tato, daj mi już spokój". Od niedawna nocowanie u ojca traktował jako pretekst do prowadzenia życia towarzyskiego w stolicy: wstawał w sobotni ranek, przez godzinę esemesował i dzwonił, po czym wrzucał w siebie śniadanie i znikał – w Arkadii, w Złotych Tarasach, w kinie, na kręglach, wszędzie tam gdzie w tygodniu miał za daleko z domu swojej matki w Otwocku. Wracał po południu, grzebał widelcem w talerzu, najedzony popcornem, chipsami i pizzą, po czym zamykał się w swoim pokoju i siadał przed komputerem.

W nocy Marta wstała i wsunęła mu pod poduszkę prezent mikołajkowy od ojca – najnowszy tom książki o małym czarodzieju w okrągłych okularkach, po angielsku, bo wydanie polskie miało ukazać się dopiero w przyszłym roku. Przejrzał przy śniadaniu, zmusił się do podziękowania. Widziała, że starał się udawać, jak bardzo się cieszy. Po jakimś czasie napomknął: „Matka ma dzisiaj jechać z Rudym po playstation dla mnie". Filip się skurczył, zmalał. Marta wiedziała, że na Gwiazdkę będzie próbował przelicytować to playstation czymś droższym i lepszym. Niekończąca się spirala rywalizacji dwojga rodziców o względy małego księcia. Rodzice mieli zasoby, to znaczy Filip miał zasoby, a Nina, matka Nikiego, miała „Rudego" – holenderskiego narzeczonego o niemożliwym do wymówienia imieniu, stąd przezwisko – z wypchanym portfelem. Niki, o ile rodzice nie zbankrutują, miał do dorosłości cieszyć się rosnącymi stertami gadżetów, markowych ubrań, sportowych butów, płyt z grami i muzyką i książek kupowanych na zagranicznych portalach aukcyjnych.

Sobotnio-niedzielna obecność Nikiego nie była jednak dla Marty męcząca. Chłopak nadawał im pozory bycia rodziną, taką pełnowartościową. Matka, ojciec, dorastający chłopiec. Kilka lat wcześniej, krótko po ślubie, popatrzył na nią badawczo, zmrużył oczy i zapytał:

– To teraz jesteś moją macochą czy jak?

– No tak – uśmiechnęła się. – Tak jakby.

– Supcio! – wyszczerzył się. – To mam teraz dwa komplety rodziców!

Rodzice, rodzina. Marta nie wierzyła w rodzinę bez dziecka. Już samo słowo było tak mocno powiązane z innymi: rodzić, ród, poród, rodzice. Gazety mogły sobie pisać, co chciały, o nowoczesnych modelach rodziny, o DINKS--ach i luźnych związkach singli, a ona i tak nosiła w sercu obrazek dwojga dorosłych trzymających za rączki dziecko. Widziała ten obrazek „na żywo", teraz, na podwórku, gdzie spojrzenia dorosłych, niezależnie od ich świadomości, biegły niewidocznymi nitkami krzyżującymi się zawsze dokładnie w miejscu, gdzie akurat stały ich dzieci.

Podwórkowe drzewko obrastało coraz to nowymi ozdobami. Uroczo eklektyczne – przynoszone z piwnicy i z firmowych pudełek, przywiezione do stolicy z rozmaitych miasteczek na północnym wschodzie i kupowane na promocji w Tesco albo ze straganu na Starówce – nadawały drzewku cudownego bałaganiarskiego ducha tych choinek, które Marta lubiła najbardziej: nie dwukolorowych, designerskich, gdzie pierniczki współgrały kolorystycznie z łańcuchami, a tych zapamiętanych z dzieciństwa, dekorowanych przez dzieci potrzebujące zajęcia, które skróci im niecierpliwe oczekiwanie na święta.

Dorośli przytupywali na mokrym trawniku, podczas gdy dzieci, w kapturach na głowach i nieprzemakalnych jesiennych kurtkach, podbiegały do drzewka, wieszając swoje skarby. Niektórzy z dorosłych sprawiali wrażenie zaprzyjaźnionych, a przynajmniej dobrych znajomych:

stali parami, rozmawiali, przytakiwali, co jakiś czas nawet tu, na szóste piętro, dolatywał wybuch śmiechu.

Marta im pozazdrościła. Sama do tej pory nie wyszła poza „dzień dobry" rzucane na schodach i w garażu. Rozpoznawała kilkoro sąsiadów, ale nie znała ich imion. Po raz tysięczny zastanawiała się, jak ludzie to robią, że przebijają ten niewidzialny mur i z zupełnie obcych stają się znajomymi, przyjaciółmi. Od dawna podejrzewała, że błąd tkwi w niej, nie w innych.

Powodowana impulsem wstała od dawno wystygłej kawy i przeszła do przedpokoju. Otworzyła drzwi od garderoby, gdzie w nienagannym porządku jedne przy drugich wisiały garnitury Filipa i jej, dalej koszule i spódnice. Z najwyższej półki zdjęła pudełko po butach i na chybił trafił wyjęła jedną z bombek zawiniętych w gazetę sprzed lat.

Piecyk. Jako dziecko uwielbiała piecyki. W karbowanym wgłębieniu bombki odbicie świata marszczyło się i falowało, wciągane w malutki wir. Odłożyła ozdobę delikatnie na półkę, narzuciła puchową kurtkę, delikatnie włożyła piecyk do kieszeni i wyruszyła na dół.

Spóźniła się. Zanim winda dowlokła się na szóste piętro i zjechała z powrotem, po tej denerwującej chwili czekania na zamknięcie drzwi, kiedy ze złością naciska się guzik, zanim Marta pokonała drogę od wyjścia z klatki na trawnik, między osuszonym na zimę betonowym korytem strumyka a paroma niziutkimi wiecznie zielonymi krzewami, tłumek już prawie się rozszedł. Kilkoro dzieci ganiało się po trawniku, maluchy dopiero uczące się chodzić z determinacją uciekały matkom próbującym je zapakować do wózków, kilkuletnie dziewczynki biegały wokół drzewka z piskiem przeszywającym na wylot. Marta stanęła na skraju trawnika i poczuła znajomy strach.

Czuła się tak jak przed laty na szkolnym korytarzu, naprzeciwko kilkunastu zwróconych w jej stronę obojętnych twarzy – nie wrogich, nie nienawistnych, nawet nie wykrzywionych szyderczo, po prostu obojętnych. Stała wtedy o kulach, ale już bez gipsu, a te dzieciaki najpierw obrzucały ją spojrzeniami, potem, gdy wzrok natrafiał na szwedki, szybko się odwracały, po czym znowu zerkały ukradkiem, żeby sprawdzić. Nikt się nie odezwał, a ona nie znalazła w sobie siły, żeby rzucić odważnie: „Cześć, jestem Marta".

Tak samo było tutaj – kobiety i mężczyźni na chwilę odrywali się od rozmów, patrzyli na nią jak na mało istotny element wystroju, niektórzy bez słowa kiwali głowami na powitanie, inni wracali do przerwanej pogawędki. Czuła się obco i nie na miejscu z tą idiotyczną bombką po babci w kieszeni płaszcza. Brakowało jej dziecka – alibi. Gdyby je miała, mogłaby udawać, że przyszła tu tylko po to, żeby mu towarzyszyć. Stała niezdecydowana, trzymając w dłoni ozdobę.

Z grupki stojącej najbliżej dobiegały pojedyncze słowa: planowe szczepienie... wizyta u neurologa... bunt dwulatka. Rozmawiali o dzieciach. Dzieci były jedynym tematem łączącym tych obcych sobie ludzi, którzy przybyli do Warszawy ze wszystkich krańców Polski, dostali dobrą pracę w stolicy, kupili mieszkania i parkowali służbowe auta w podziemnym garażu. W weekendy i popołudniami spotykali się przy piaskownicy i obok drabinek, dyskutując o zdrowiu, karmieniu, wychowaniu, pożyczali sobie książki o rodzeństwie bez rywalizacji i diecie alergika, bo bycie rodzicem to jedyne łączące ich doświadczenie, poza tym ich życia były zbyt od siebie oddalone, by mieć jakiekolwiek inne punkty wspólne. Księgowa, dyrektor, stewardesa, pilotka wycieczek, sprzedawczyni telefonów, tłumaczka i właścicielka sklepu z firmowymi ubraniami, zredukowane do podstawowej, biologicznej roli matek, nawiązywały wspólnotę jak z pradawnego czerwonego namiotu* dla miesiączkujących żon biblijnych patriarchów. Marta do nich nie pasowała. Jeszcze nie teraz. Skinęła sąsiadom głową na powitanie, ale nie podeszła do drzewka. Stanęła z boku, przyglądając się ozdobom.

Po chwili została sama. Jakaś kobieta przechodziła obok dróżką, miarowo kołysząc głęboki wózek na trzech pompowanych kołach. Z gondoli dobiegał niecierpliwy, urywany wrzask niemowlaka. Kobieta szła i huśtała coraz szybciej, wózek trząsł się na wszystkie strony. Coś pacnęło miękko o ziemię. Marta odwróciła głowę, na tyle szybko, żeby dostrzec kolorową zabawkę, która wypadła z wózka na chodnik. Podbiegła w tamtą stronę, ale nagle pośliznęła się na placku kleistego błota i wylądowała brzuchem na trawie. Bardziej poczuła, niż usłyszała, chrzęst tłukącej się bombki.

Kiedy dotarła do zabawki, ubłocona i mokra, kobiety z wózkiem dawno już nie było. Na szarej kostce leżał jaskrawopomarańczowy żółwik z mięciutkiego welwetu, z absurdalnie zieloną szyją i głową. Z jednej strony z wnętrza zabawki wychodził sznurek zakończony kółkiem. Pociągnęła na próbę, sznurek się wysunął, stawiając pewien opór, a pozytywka ukryta wewnątrz zaczęła grać jedną z tych amerykańskich kołysanek zglobalizowanych przez chińskich producentów zabawek. Nikt już nie śpiewa niemowlętom *Ach, śpij, kochanie*, wszystkie matki powtarzają za chińskimi pozytywkami melodię *Go to sleep, go to sleep, go to sleep, little darling*, tak samo jak

---

* *Czerwony namiot* to tytuł powieści Anity Diamant o życiu kobiet w czasach biblijnych patriarchów (tłum. K. Kaliska, Poznań 2003). Czerwony namiot był miejscem, gdzie kobiety spędzały wspólnie dni menstruacji.

White Christmas wyparło *Lulajże, Jezuniu*. Świat jest pełen niemowląt *made in Tajwan* śpiewających amerykańskie piosenki z chińskich pozytywek. Marta stała przez chwilę z zabawką w ręku, rozglądając się bezradnie dookoła, a kiedy upewniła się, że nikt na nią nie patrzy, ukradkiem wsunęła zabawkę pod płaszcz, jak ktoś, kto znalazł na ulicy banknot, który przed chwilą wypadł komuś innemu z kieszeni, i pobiegła w stronę drzwi do klatki.

Tamto Boże Narodzenie było ostatnim dobrym okresem w życiu Iwony.

Wtedy oczywiście tak nie myślała.

Nigdy przecież tak nie myślimy. Gorliwie przytakujemy, gdy mądrzejsi od nas każą nam cieszyć się chwilą i doceniać to, co mamy, ale w głębi duszy i tak wiemy swoje – najlepsze dopiero czeka: za rogiem, po przeprowadzce, po Nowym Roku. Gdzieś tam czeka na nas przygotowane już i zapakowane w błyszczący papier z kokardką nasze nowe, lepsze życie, a to, co mamy dziś, to tylko poczekalnia.

Tydzień przed Wigilią Iwona czekała na powrót Darka. Wyjechał trzy dni wcześniej po samochody do Niemiec, z pracownikiem. Wspólnik znalazł gdzieś pod Düsseldorfem tanie źródło używanych „japończyków" i nalegał, żeby załatwić wszystko przed świętami. Wyjechali więc jak zawsze o czwartej nad ranem po mocnej kawie i z zapasem red bulli oraz papierosów na drogę. Darek wyszedł, nie budząc Piotrka, śpiącego w łóżeczku ze szczebelkami, w drzwiach cmoknął żonę w policzek na pożegnanie.

Przez kolejne dni Iwona siedziała w jednym z dwóch pokoików na piętrze domu teściów, próbowała zabawiać znudzonego synka i czekała na powrót męża.

Pokój był jeszcze sypialnią Darka z lat szkolnych. Kiedy wprowadziła się do niego po ślubie (do wyboru był ten pokój albo mieszkanie jej rodziców, ale ojciec postawił stanowcze weto), dokonali tylko niewielkich zmian: wynieśli biurko z płyty wiórowej, żeby zrobić miejsce na łóżeczko, zamienili rozpadającą się wersalkę na kanapę z wysuwanym dołem, zerwali plakaty Iron Maiden i Metalliki straszące ze ścian, a pozostałe po nich białe prostokąty na pożółkłej tapecie zakryli hawajskimi plakatami (palmy, plaża, turkusowe morze) w antyramach.

Wkrótce mieli się stamtąd wyprowadzić. Warsztat samochodowy prosperował, ludzie chcieli kupować podreperowane stare auta sprowadzane z Niemiec. Przed wyjazdem Darka jeździła z nim oglądać nowe bloki, powstające w różnych dzielnicach Warszawy. Najczęściej na peryferiach takich jak jej osiedle, gdzie nie było wiele poza dojazdówką do miasta i polami kapusty. Wszystkie te bloki rosły podobne do siebie, jasnożółte albo jasnozielone, z dekoracyjnymi pasami tynku w innym kolorze, ze sklepami spożywczymi, pralniami i aptekami na parterach. Zwykle od razu wokół osiedla wznoszono wysokie ogrodzenia ze stali, ustawiano budki dla ochrony, instalowano czujniki na karty magnetyczne i nowoczesne domofony.

Piotrek, który skończył dwa lata i całkiem nieźle już mówił, uwielbiał te wizyty na placach budowy, ceglane ściany, w które dopiero wstawiano plastikowe okna, budynki stojące na błotnistych bezdrożach, na których gdzieniegdzie, dla ułatwienia klientom oględzin, deweloperzy przerzucali przez kałuże prowizoryczne kładki z desek czy płyt chodnikowych. Dojeżdżało się tam równie prowizorycznymi ulicami z betonowych płyt albo wysypanymi kruszywem, parkowało pod płotem placu budowy. W kolorowych broszurach widać było zawsze to samo – wielopiętrowe budynki w pastelowych barwach, pod sztucznie niebieskim niebem, na którym dla większej naturalności umieszczono kilka białych cumulusów. Wokół komputerowo wygenerowane drzewa i sylwetki ludzi przemieszczających się po idealnie równych chodnikach. W rzeczywistości kolorowe tynki dopiero nakładano, drzewa, o ile rosły, były mizernymi sadzonkami, które potrzebowały kilku lat, żeby osiągnąć wzrost dorosłego człowieka, w miejscu przyszłych chodników z kostki rozpościerały się połacie mazistego błota, a wszystko to na tle niskich deszczowych chmur. Mimo to, patrząc w puste okna obramowane siatką rusztowań, widzieli za nimi kolorowe zasłonki ich pierwszego prawdziwego mieszkania, jasne panele podłóg i pokoik dziecinny pomalowany na żółto i niebiesko.

– Tam jest nas domek? – pytał Piotruś, wyciągając pulchną łapkę w stronę któregoś z wyższych pięter, a ojciec targał go wtedy za czuprynę.

– Tam będzie nasz domek, synku.

Wracając z kolejnego osiedla, zatrzymywali się w którymś z centrów handlowych na lody. Piotrek przyjeżdżał do domu z buzią umazaną czekoladą, a babcia narzekała, że rozpieszczają jej wnuka i znowu nie będzie chciał paróweczki na kolację. Zabierała malucha na dół, na bajkę w telewizji i parówki, które wkładała mu do buzi, kiedy był zajęty oglądaniem dobranocki, z monotonną litanią wszystkich babć na świecie: „No, jeszcze kawałeczek... bądź grzecznym chłopcem... za mamusię... o, pięknie, a teraz za tatusia... i za dziadzia... i za Tinky Winky". Korzystając z pół godziny wolnego, Iwona i Darek kochali się na rozsuwanej kanapie, szybko, prawie nie zdejmując ubrań, wyobrażając sobie, jak w nowym mieszkaniu syn będzie miał własny pokój, a oni więcej prywatności.

To musiało się zdarzyć właśnie wtedy, gdy byli przez chwilę sami na górze, a dziadkowie zajmowali się małym. W każdym razie Iwona czekała na przyjazd męża tym bardziej niecierpliwie, że miała dla niego dodatkowy prezent gwiazdkowy. Prezent, dla którego na razie sama była opakowaniem. Prezent powoli dojrzewał w jej wnętrzu, a jedynym dowodem jego istnienia były dwie różowe kreseczki na teście ciążowym.

Dziecko miało się urodzić latem. To dobrze. Miała nadzieję, że uda jej się ukończyć podjęte na nowo studia. Co drugi weekend chodziła na zajęcia i uczyła się, jak prowadzić księgi rachunkowe, co wpisywać w bilans i jak naliczać podatek. Po skończeniu studiów, za dwa lata, miała zastąpić starszą panią prowadzącą księgi w firmie męża. Na razie czasami przychodziła pomagać jej w rachunkach i przy okazji uczyć się, jak ta praca wygląda w praktyce. Nie przepadała za panią Wandą, za jej farbowanymi czarnymi włosami, za mocnym makijażem i smrodem papierosów zmieszanym z wonią staroświeckiej wody kolońskiej, który zawsze ją otaczał, ale lubiła te chwile spędzane za biurkiem – dawały jej przedsmak prawdziwej pracy, tak odmienny od tego, kiedy przed poznaniem Darka przez kilka miesięcy stała za ladą perfumerii, żeby zarobić na studia, i witała wchodzące kobiety formułką: „Czy mogę pani w czymś pomóc?". A one patrzyły na nią z góry, zawsze z góry, z tą pogardą, jaką dają pieniądze.

Piotruś nagle wybuchnął płaczem – autko uwięzło mu między wersalką a łóżeczkiem. Szarpał, bił piąstkami w szczebelki, wreszcie – wrzask, który zmusił Iwonę do przerwania rozmyślań, wrzask dwulatka niosący się daleko i wibrujący w uszach jeszcze przez parę chwil po tym, jak się skończył. Iwona wyszarpała autko i pomyślała tak jak pięćdziesiąt razy dziennie: „Trzeba się wreszcie stąd wyprowadzić, gdzieś, gdzie będzie miejsce". Przytuliła synka i wyszeptała mu do ucha:

– A wiesz? Będziesz miał niedługo braciszka. – W odpowiedzi płacz rozległ się na nowo.

– Nie cę! – wrzeszczał chłopczyk, uderzając miarowo autkiem w rękę matki.

Darek też nie ucieszył się z tej wiadomości tak, jak powinien. Wrócił z Niemiec zmęczony po długiej jeździe, jakiś taki skwaszony, zjadł i położył się spać. Powiedziała mu, kiedy się obudził, następnego dnia z samego rana. Odburknął coś nieuważnie, a potem, kiedy wiadomość do niego dotarła i uruchomiła odpowiedni przełącznik w głowie, oczy mu się rozszerzyły:

– Naprawdę? – zapytał.

W jego oczach widać było więcej strachu niż szczęścia. Po chwili obejmował ją, pytał Piotrka, czy woli brata czy siostrę, ale jakoś sztucznie, bez przekonania.

Przy wigilijnym stole siedzieli wszyscy, sztywno wyprostowani, w najlepszych ubraniach. Tuż po ślubie uzgodnili, że święta będą na zmianę u jednych i drugich rodziców. W tym roku wypadło u rodziców Darka. Stół w salonie został specjalnie rozstawiony. Na nim obrus plamoodporny we wzory świąteczne i lepsza gościnna zastawa z arcopalu w kwiaty – arcopal był niebiesko-żółty, co gryzło się z obrusem i czerwonymi świecami. Bardziej pasowałby na śniadanie wielkanocne, ale jak tu podać wigilię na codziennych talerzach, które są jeszcze z Peerelu, białe z wytartym złotym szlaczkiem naokoło? Nie wypada, na święta to, co najlepsze. Siedzieli więc wokół tego arcopalu, telewizor na tę okazję ściszono, migały tylko obrazki z amerykańskiego filmu, w którym Chevy Chase rozpakowuje choinkę tak, że uwolnione gałęzie strzelają przez okna; można to było oglądać bez dźwięku, bo wszyscy już to widzieli tyle razy, że znali dialogi na pamięć. Zapowiadano też koncert wigilijny, w którym wystąpią finaliści Maratonu Tańca. Przy koncercie się pogłośni, wypadnie akurat na mak i prezenty.

Rodzice Iwony położyli na stole opłatek, kupiony od anioła w Tesco przy okazji szukania prezentów. Matka trochę wybrzydzała, że opłatek powinien być z kościoła, nie z supermarketu, ale ojciec wzruszył ramionami:

– To samo przecież, chodzi o symbol, a nie o to, gdzie kupiony.

Matka na święta zrobiła sobie trwałą i nowy, bardzo rudy kolor włosów, teściowa podobnie. Przez chwilę wymieniały się komplementami: „Pani Irenko, pani Halinko, jak pani do twarzy w tym kolorze", potem teściowa wycofała się do kuchni. Po chwili weszła do salonu z salaterką popisowego karpia w galarecie – dzwonka ułożone na kształt kwiatu wokół kompozycji z marchewek i liści pora, wszystko zatopione w żółtawym, połyskującym krysztale.

– Kochani, czas na życzenia – rzuciła, omiatając zebranych spojrzeniem. – Podzielmy się opłatkiem.

Niezręczna chwila, kiedy wszyscy usiłują przepchnąć się między stołem, wypoczynkiem, meblościanką i telewizorem, hurgot odsuwanych krzeseł. Iwona i Darek wymienili życzenia, po chwili przed Iwoną stanął młodszy brat męża, ich sąsiad z drugiego pokoju na pięterku. Uczeń technikum. Naburmuszony i pełen pretensji do świata, objął bratową i wymamrotał: „Wszystkiego najlepszego". Iwona recytowała litanię przygotowaną wcześniej (zawsze ma problem, czego życzyć tej obcej rodzinie, a przecież chce im życzyć jak najlepiej, od dwóch lat są jej rodziną, więc przygotowuje formułki na długo przed świętami, ćwiczy je i zmienia, kiedy nikt nie słyszy):

– Ja ci, Mariuszku, życzę powodzenia na maturze i szczęścia w miłości... – nie dokończyła, młody już się odsunął, bo porwała go matka Iwony, a on chciał mieć to wreszcie za sobą. Cmoknięcie w policzek, następny proszę.

– Niech wam się darzy, córciu – wymruczał jej ojciec bez przekonania. Na policzku miał ślad szminki Ireny, intensywna czerwień.

– A tatusiowi pociechy z wnuków życzę – powiedziała.

Powoli. Dopiero po chwili dotarła do niego liczba mnoga w tych życzeniach, odsunął się, zmierzył córkę spojrzeniem, które zatrzymało się dłużej na jej brzuchu, pytająco zmarszczył brwi.

– Latem – odpowiedziała na to nieme pytanie Iwona.

Ojciec pokręcił głową z lekką dezaprobatą.

– Zrób coś ze swoim życiem, córeczko – powiedział. – Każda umie rodzić, każda głupia dostanie kąt u teściów, ale nie tego dla ciebie chciałem.

– No, kochani, usiądźmy! – w tej samej chwili słychać komendę teściowej. Jest w swoim żywiole, rozsadza ich naokoło stołu, parami. Iwona wciśnięta między Darka a teścia, naprzeciwko ojca, sama Irena na końcu stołu, bo nie posiedzi przecież, będzie biegać do kuchni cały wieczór.

Za głową ojca Iwona widzi telewizor, akurat błyska w nim jakieś światło.

– A to dobre jest! – Mariusz klepnął się po udach. – Dobre, pamiętacie, jak im te lampki strzeliły!?

Wszyscy wybuchnęli śmiechem.

Każdy ma swoją szufladę. Trzymamy tam przedmioty, o których chcemy zapomnieć, ale nie jesteśmy w stanie ich wyrzucić. Otwieranie szuflady sprawia ból. Choć zgromadzone tam rzeczy mogą wydawać się całkiem zwyczajne – ot, podniszczone drobiazgi, to jednak z każdą z nich wiążą się wspomnienia, które nas tworzą, nasze postrzeganie świata łączące się z naszymi smutkami i radościami.

W szufladzie Filipa znajdują się zdjęcia i listy. Marta wie o tym, bo mimo wielokrotnych zapewnień o szacunku dla prywatności nie powstrzymała się od zajrzenia tam. Szuflada mieści się w biurku, na którym stoją komputer i drukarka, i gdzieś tam, między fakturami za internet a kolorowymi mazakami ukrywa się Nina. Młodziutka, niespełna dwudziestoletnia, ostentacyjnie ciężarna w przykrótkiej koszulce odsłaniającej ogromny, idealnie okrągły brzuch z wystającym pępkiem. Na brzuchu szminką namalowana buzia dziecka, które w nim pływało, a kilka tygodni później miało otrzymać imię Nikodem. Nina i Filip, młodszy o kilkanaście lat, pchają ciężki granatowy wózek. Pozują w Łazienkach, na tle drzew mieniących się barwami jesieni. Rok później ona zdradziła go po raz pierwszy, zostawiła syna z opiekunką z agencji i wyjechała z kochankiem. Dwa lata później na sali sądowej walczyli o prawo do opieki nad tym pulchnym bobasem, który śpi w wózku. Piętnaście lat później Nina pojawia się z hukiem, niczym meteor, w obłoku iskier i rozgrzanego powietrza, wrzuca Nikiego do mieszkania Filipa, rzuca tradycyjne: „Zadzwoń do mnie", i znika w samochodzie, w którym czeka Rudy. Znika, zanim zdążyła wejść, zostawia po sobie wzburzone, naelektryzowane powietrze – jak piorun, który przeszedł, uderzył, a chmura potrzebuje chwili, żeby się zamknąć po jego przejściu. Nina to ruch i niepewność, hałas i śmiech, całkowite przeciwieństwo wycofanej, milczącej Marty.

Marta wie, że jej mąż wita byłą żonę z irytacją, a żegna z ulgą, że jedyne, co ich łączy, to ten wyrośnięty chłopak o przydługich szaro-blond włosach. (Prawdopodobnie to naturalny kolor odziedziczony po matce, która jednak pokrywa go tonami granatowoczarnej farby, z wyjątkiem okresów, kiedy zmienia czarny na blond z ogniście rudymi pasemkami). Kilkakrotnie jednak zauważyła Filipa, jak podejrzanie długo szukał czegoś w szufladzie, myśląc, że ona nie widzi. Ona jednak widzi wszystko, tylko rzadko o tym mówi.

Zresztą, jakie ma prawo mówić i się dopytywać? – sama ma swoją szufladę w komodzie przy łóżku. Oficjalnie trzyma tam starą biżuterię, buteleczki po ulubionych perfumach i kilka pamiątek z dzieciństwa. Jest tam jednak też fotografia chłopaka, który w klasie maturalnej zawiózł ją do ginekologa, i wypis z gabinetu lekarskiego: „Poronienie w toku, wyłyżeczkowano".

– To nawet nie jest żadne dziecko, to parę komórek – mówił tamten chłopak, prowadząc swojego opla kadetta trochę za szybko i odrobinę zbyt gwałtownie hamując przed każdymi światłami. – Starzy by cię zabili, moi zresztą mnie też, a tak powiesz, że miałaś polipy czy coś, a na dziecko przyjdzie czas.

Zawsze tak jeździł, nieostrożnie i za szybko. Marta, która po wypadku nigdy nie wyleczyła się ze strachu, jaki wzbudzała w niej jazda samochodem, kuliła się, zaciskała oczy i ze świstem wciągała powietrze przy każdym hamowaniu. Tamtego dnia marzyła o wypadku, który uniemożliwiłby dotarcie do gabinetu, gdzie czekał już opłacony, polecany i absolutnie dyskretny ginekolog, ogłaszający się w gazecie pod hasłem „wywoływanie miesiączki". Jednak wbrew wszystkiemu dotarli bezpiecznie, przed czasem, Sebastian zapalił camela, podał jej paczkę.

– Zaszkodzę dziecku – wyszeptała.

– Jakiemu, kurwa, dziecku! – zniecierpliwił się. – Raz, że to nie jest jeszcze żadne dziecko, a dwa, za godzinę i tak go nie będzie! Co mu szkodzi, jak zajarasz!

Przyjęła od niego papierosa, zapaliła. Dym drapał w gardle. Kiedy obudziła się po zabiegu, oprócz zawrotów głowy miała kaszel i dreszcze. Chłopak odwiózł ją pod dom rodziców, cmoknął w policzek i na tym skończyła się ich kilkumiesięczna znajomość. W szufladzie zostało zdjęcie i kartka z gabinetu.

Dołączył do nich pomarańczowy żółwik znaleziony na podwórku. W końcu nie zdecydowała się na poszukiwania właścicielki zabawki, a kiedy położyła żółwika na murku otaczającym plac zabaw – na którym zimą zawsze zakwitają zgubione rękawiczki, czapki i watowane butki niemowlęce, zbierane później przez roztargnione matki – wyglądał tam tak samotnie i smutno, że na przekór zdrowemu rozsądkowi Marta schowała go z powrotem do torebki i zaniosła do domu. Włożyła go ostrożnie do pudełka, obok drewnianych korali, ręcznie malowanej spinki do włosów, naszywki na plecak z napisem „The Doors" i innych pamiątek z czasów licealnych, sprzed wizyty w gabinecie ginekologicznym z dzieckiem, które według jego ojca jeszcze, kurwa, nie było żadnym dzieckiem.

– Czy to jakaś kara za to, co zrobiłam? – pyta Marta swoją przyjaciółkę.

Baśka siedzi naprzeciwko niej. Umówiły się w sieciowej kawiarni, gdzie kawę podaje się w papierowych kubeczkach, a miesza ekologicznym drewnianym patyczkiem. Do pięćdziesięciu rodzajów kawy można zjeść ciastko, kanapkę albo sałatkę, wszystkie lokale mają taki sam wystrój, więc nieważne, czy siedzi się przy Nowym Świecie, czy w mrocznym wnętrzu wielkiego centrum handlowego. One akurat siedzą w centrum handlowym. Na szczęście daleko od sklepu z ubrankami dla niemowląt.

– Kara? – przyjaciółka niepewnie mruga oczami i pociąga łyk mlecznej pianki, by zyskać na czasie.

– Tak, kara – Marta nalega, jest zniecierpliwiona. Chce odpowiedzi. Po to umówiła się tu z Baśką, jedyną osobą na świecie, którą zna tak długo, żeby się przed nią nie wstydzić tego, co zrobiła kilkanaście lat temu. – Może tamto, wtedy, to była moja jedyna szansa na dziecko, a ja ją zmarnowałam? Wylałam do zlewu, nie zastanawiając się, i teraz, za karę, już nigdy nie będę miała dziecka?

Zapada cisza.

Baśka nie wie, co powiedzieć. Znały się już wtedy, czasem wydaje jej się, że znały się zawsze. Niekiedy nie wie, które wspomnienia związane z Martą są prawdziwe, a które fałszywe. Czy rzeczywiście, mając po dziewięć lat, wchodziły na czubek czereśni w ogrodzie rodziców Marty, czy przymierzały ubrania jej matki i dostały za to karę? A może to tylko sen albo sztuczne wspomnienia wyprodukowane przez nudzący się mózg? Baśka czuje wyrzuty sumienia, bo wtedy, kiedy Marta pakowała się w skazany na porażkę związek z Sebastianem, nie zrobiła wiele, żeby ją powstrzymać. Sama przeżywała swój pierwszy związek z chłopakiem, samotna przyjaciółka przeszkadzała jej w tym, napełniała poczuciem winy za własne szczęście, więc niemal popchnęła ją w objęcia tamtego faceta. Zresztą na oko wydawał się wspaniały – typ, za którym dziewczyny w pewnym wieku szaleją, typ „mroczny i zły", w skórzanej kurtce, z długimi skołtunionymi włosami opadającymi na czoło, typ upijający się na ponuro i gwałcący piszczące ze szczęścia dziewczyny w sypialni rodziców na imprezach. Mogła przewidzieć, że okaże się typem znikającym na pierwszy sygnał problemów, typem unikającym odpowiedzialności, typem „ja zapłacę, a ty sobie z tym poradź". Ale nie przewidziała. A kiedy Marta wyszła z prywatnego gabinetu lżejsza o trochę krwi i dziesięciotygodniowy płód, Baśka ograniczyła się do telefonu z pytaniem, jak się czuje. Niewiele potem o tym rozmawiały. Teraz więc, po namyśle, Baśka potrząsa głową pofarbowaną w modne, wielokolorowe pasemka w odcieniach brązu i starego złota, i mówi:

– Nie sądzę, żeby to tak działało. Nie ma czegoś takiego jak kara. Nie możesz wiedzieć, ile masz szans w życiu na dziecko, na miłość, na szczęście.

– A jeśli jednak? – Marta nalega, ale bez przekonania. W głębi duszy też uważa tę myśl za irracjonalną, klasyfikuje ją jako resztki nawykowego katolicyzmu wpojonego jej w dzieciństwie: za każdy grzech należy się kara.

– Jak długo już się staracie? – pyta przyjaciółka, zmieniając temat.

50

– Osiem miesięcy – odpowiada Marta, boleśnie świadoma tego, że na przyjaciółkę czekają w domu dwie córki, ośmio- i czteroletnia. Dwie małe kopie Basi o modnych imionach Oliwia i Wiktoria i jasnych kitkach na głowach. Obie poczęte, jak to Basia określa z wrodzoną bezpośredniością, „od pierwszego strzału".

– To jeszcze nic. Podobno do roku to normalne – mówi Baśka, a Marta czuje narastającą złość. Łatwo wyrokować o tym, co normalne, a co nie, kiedy samemu zachodzi się w ciążę z łatwością splunięcia. – Badaliście się?

– Jeszcze nie.

– To się zbadajcie, może coś jest nie tak. Wtedy im wcześniej zaczniecie się leczyć, tym lepiej.

Kiedy się rozstają, Marta, jak tyle razy wcześniej, zostaje z poczuciem, że o wielu sprawach nie powiedziała.

Nie powiedziała o żółwiku znalezionym na podwórku, którego zupełnie bez sensu nosi w torebce jak talizman – po paru dniach wyjęła go z szuflady i przełożyła do swojej pakownej torby, w której zabawka obija się o dokumenty, telefon, kartki i kosmetyki.

Nie powiedziała o tym, że ilekroć patrzy na swojego pasierba, widzi tamto dziecko, które mogła mieć, gdyby potrafiła się sprzeciwić i postawić na swoim.

Nie powiedziała, że Filip wydaje się zmęczony tym ciągłym „staraniem o dziecko", że coraz częściej w łóżku odwraca się plecami albo poddaje jej zabiegom bez entuzjazmu, na poły mechanicznie.

Filip jest spełnionym ojcem nastolatka, stara się wykonywać swoje obowiązki z odpowiednim zaangażowaniem, ale czasem wydaje się jej, że opieka nad synem raz na tydzień zupełnie mu wystarcza. Układ idealny: dziecko jest, ale nie przeszkadza, nie zajmuje zbyt wiele czasu, ot, tyle żeby zmierzwić mu włosy, pogadać o szkole i kolegach, zabrać do kina i na pizzę, a potem przekazać w ręce właściwej opiekunki. Marta tymczasem czuje dziwną obcość wobec tego chłopaka, krew z krwi męża, który bez skrępowania rozprawia przy niej o swojej matce i jej narzeczonym, zwracając się przy tym do niej poufale: „Marta". Kiedyś mówił „ciociu", teraz na samą myśl wybucha śmiechem:

– Ciociu? To już wolę: macocho, to poważniej brzmi.

Marta śmieje się wraz z nim przy rodzinnym stole, cieszy ją ta namiastka rodziny, jaką tworzą razem, ale słowo „macocha" kłuje coraz bardziej. Pragnie, żeby ktoś mówił do niej „mamo".

– Ja tu nie widzę żadnego problemu. – Lekarz, który właśnie zbadał Martę, polecany przez uczestniczki internetowego forum, okazuje się wcale nie taki ciepły i przyjazny, jak w relacjach na ekranie komputera. Jest najwyraźniej znudzony po kilkugodzinnym dyżurze wypełnionym rutynowym zaglądaniem w kobiece pochwy i obmacywaniem brzuchów. Za godzinę wyjdzie z gabinetu i jak w tym starym, nieśmiesznym dowcipie rozejrzy się po ulicy, wzdychając z ulgą: wreszcie twarze...

– Ale, panie doktorze... – Marta chce jeszcze zapytać, ma wątpliwości, ma setki pytań o badania, o zespół antyfosfolipidowy, zakrzepicę, PCOS, puste jajo płodowe, posiew spermy i inne fachowe terminy, których nauczyła się z nocnych lektur internetowych encyklopedii i list dyskusyjnych. Ale lekarz macha ręką niecierpliwie, wzdycha.

– Proszę na razie o tym zapomnieć. To są poważne problemy, dotykające niewielki procent populacji. O tym będziemy rozmawiali, kiedy po roku starań nie zajdzie pani w ciążę albo ciąża zakończy się niepowodzeniem. Na razie proszę po prostu starać się o dziecko, tak jak do tej pory.

Marta wychodzi z gabinetu, odprawiona, bez skierowania na badania, bez recepty na cudowną pigułkę, bez ziarnka groszku, które smutna kobieta z bajki dostała od czarownicy i zasadziła w ziemi, a po kilku miesiącach z ziarenka wyrosła maleńka dziewczynka o złotych włosach. Poczekalnia jest pełna ciężarnych w różnych fazach – od tych bladych z oczami podkrążonymi od porannych mdłości, przez te kwitnące w drugim trymestrze, po te napęczniałe jak balony, o spuchniętych twarzach i obrączkach wrzynających się głęboko w ciastowate palce. Obok każdej siedzi mężczyzna. Partner. Kobiety dwudziestego pierwszego wieku są już tak wyzwolone, że w ramach zemsty za stulecia ucisku postanowiły teraz obarczyć facetów tą całą tradycyjnie kobiecą, fizjologiczną stroną życia. Mężczyzna kobiety nowoczesnej ma obowiązek bez cienia wstydu kupować tampony w aptece, wiedzieć, co oznacza skrót PMS, musi uczestniczyć w badaniach USG, a następnie, w zielonym chirurgicznym fartuchu, przecinać pępowinę przy aplauzie położnych, popłakać się i zamieścić wzruszający wpis na swoim blogu na temat rodzinnego porodu. Mężczyzna godny tych kobiet z poczekalni musi sam być w dużej części kobietą. Czerwony namiot otworzył szeroko drzwi, sanktuarium kobiet zaprasza mężczyzn do środka, opornych zawlecze się tam za włosy.

Marta jak zwykle jest jedyną samotną kobietą w poczekalni i jak zwykle zastanawia się, co myślą o niej pozostałe. Czy zastanawiają się, jak nieczułego i zimnego typa poślubiła – typa, który zamiast wspierać ją przed gabinetem lekarskim, ogląda mecz z puszką piwa w ręku, w siatkowym podkoszulku i spodniach od dresu? Czy wyobrażają sobie, że jest samotną, zgorzkniałą kobietą cierpiącą na mięśniaki, polipy, wypadanie macicy i skręt jajnika czy inną przypadłość, o której starsze panie tak chętnie opowiadają przy rodzinnym stole? Czy myślą, że przyszła tu ze słoiczkiem spermy pozyskanej od znajomego geja, żeby dokonać sztucznego zapłodnienia?

Jednak Marta niesłusznie podejrzewa te kobiety o takie wyobrażenia. Jak zwykle mierzy innych własną miarą. To ona stale żyje w świecie wyobrażonych historii, to ona na widok kobiety w kolorowym płaszczu spotkanej w autobusie układa wzruszające opowieści o miłości, stracie i rozpaczy. A kobiety w poczekalni zajmuje głównie własna fizjologia, rozmaite plumknięcia, burknięcia i kopniaki wewnątrz rozdętych brzuchów. Te kobiety śnią sny o lotosowych porodach, prywatnych szkołach, aerobiku dla matki z dzieckiem, znieczuleniu zewnątrzoponowym i zostaje im jeszcze tylko tyle energii, żeby zarejestrować wyjście nieznajomej, szczupłej i ciemnowłosej trzydziestolatki z gabinetu, i głos lekarza: „Proszę!".

Filip czeka już w domu, nad filiżanką herbaty. Kiedy Marta parkuje micrę w podziemnym garażu i wjeżdża windą na górę, wie, że on tam jest. Witają się jak zwykle, pocałunkiem, z biegiem miesięcy coraz bardziej zdawkowym. Marta rzuca aktówkę na podłogę w przedpokoju, idzie się przebrać z kostiumu w coś wygodniejszego, on tymczasem szczęka naczyniami, podgrzewa dla niej wczorajsze spaghetti z obiadu. Sam już zjadł, zaraz po powrocie z pracy, więc kiedy żona zasiada do stołu, on dopija resztki wystygłej herbaty.

– I jak, co lekarz powiedział?

– Nic. Wszystko ze mną w porządku, mamy przyjść, jeśli się nie uda po roku starań.

– To mamy jeszcze parę miesięcy. Jak to: „mamy przyjść"? – dziwi się nagle. Uniesione brwi, szklanka w połowie podniesiona do ust.

– Taka jest zasada, przychodzi się razem.

– Co do mnie chyba nie ma wątpliwości... przecież mam już syna.

– Ale to było piętnaście lat temu...

– Daj spokój – Filip niecierpliwie macha ręką – Niki jest z wpadki, od pierwszego strzału, jak to mówią, do tego Nina się zabezpieczała. Jeśli w tych warunkach mogłem spłodzić syna, to i teraz mogę.

– A czy ty... w ogóle chcesz dziecka? – Marta wreszcie zadaje to pytanie. sama nie do końca wierzy, że wypowiedziała te słowa, po prostu wymknęły się jej z ust, bez namysłu. Do tej pory zakładała przecież, że skoro ona tego chce, to i on, nie słyszała sprzeciwu, kiedy odstawiła tabletki.

– Jeśli ty chcesz, to i ja chcę – odpowiada Filip, nieuważnie, jak na kolejne pytanie kilkulatka zaczynające się od „a dlaczego...". Całuje ją w czoło, wstaje od stołu.

Darek nie chciał drugiego dziecka, ale stało się.

Może nie tyle nie chciał, ale nie tak szybko po pierwszym i znowu z wpadki. Chciał drugiego dziecka w nowym mieszkaniu, nie w tym kącie u rodziców. Za parę lat, nie teraz, kiedy wszystko zaczynało się walić. Nie mówił o tym Iwonie – nie miało to sensu teraz, kiedy dziecko już było w drodze. Może i nie był wierzący – chodził do kościoła tylko z przyzwyczajenia, kiedy był w domu, na wyjazdach z ulgą spędzał niedzielne ranki gdzie indziej, praktykował na tyle, żeby nie mieć kłopotu z załatwieniem papieru z parafii, gdyby ktoś go prosił na chrzestnego czy świadka, i żeby matka się nie czepiała – jednak gdzieś tam w głębi duszy miał wewnętrzne przekonanie, że dziecko poczęte to już dziecko, potencjalny człowiek, i trzeba dać mu żyć.

Nie mówił żonie też o innych sprawach. O tym, że wspólnik narobił długów i teraz warsztat zarabiał w dużym stopniu na spłacanie kredytów. O tym, że młodszy brat planował się żenić zaraz po maturze, a matka naciskała, żeby się wreszcie wyprowadzili na swoje, żeby Mariuszek mógł swobodnie dorastać na pięterku. O tym, że już dwa banki odrzuciły wniosek o kredyt hipoteczny, bo jako osoba prowadząca działalność gospodarczą nie był wystarczająco wiarygodny. Na myśl o tym, że będą we czwórkę gnieździć się w tej klitce i stołować u rodziców, ogarniała go bezsilna złość. Ale nie mógł przecież powiedzieć o tym Iwonie, która w przerwach między porannymi mdłościami i wizytami u lekarza urządzała na papierze ich nowe mieszkanie, przeglądała katalogi sklepów meblowych i grube gazety pełne kolorowych fotografii wnętrz.

Dziecko, według wszystkich badań, rozwijało się prawidłowo. Iwona postanowiła cieszyć się ciążą mimo niepewnych perspektyw na przyszłość. Ludzie wychowują dzieci w gorszych warunkach niż dom teściów, pocieszała się. Tu przynajmniej mieli kawałek ogródka, nie to co u niej w domu. Przecież w końcu znajdą odpowiednie mieszkanie i odpowiedni bank, który da im kredyt. Już od kilkunastu tygodni nie chodziła pomagać w firmie, dlatego nie miała okazji zajrzeć do ksiąg rachunkowych pani Wandy, nie widziała więc słabnącego strumyczka dochodów i stałych wypływów pieniędzy. Wierzyła, że jest dobrze.

Nadal jeździli oglądać mieszkania. Bloki rosły w całym mieście i na obrzeżach, zastępowały pola i wciskały się między wiejskie domki. Rosły tak szybko jak dziecko w brzuchu Iwony, jakby i w nich namnażały się komórki, tworząc nowe elementy.

Wreszcie znaleźli.

Darek zatrzymał opla na drodze z niedbale ułożonych betonowych płyt. Padało – zima powoli ustępowała miejsca wiośnie, śnieg poczerniał i niknął w oczach, zamieniając się w kałuże. Pachniało mokrą ziemią. Na końcu drogi, w pewnym oddaleniu od skupiska domków jednorodzinnych, za blaszanym płotem wznosiły się ceglane ściany. Jaskrawożółty dźwig powoli podnosił betonowe elementy i ustawiał je na miejscu.

– To tutaj. – Darek wypiął synka z samochodowego fotelika. Piotruś wpatrywał się z fascynacją w ogromny żuraw i krzątaninę robotników na rusztowaniach.

Biuro dewelopera mieściło się w niewielkim baraku przytulonym do ogrodzenia budowy, obok pomieszczeń dla robotników. Na widok klientów dziewczyna w granatowej garsonce zakrzątnęła się, przysunęła krzesła, zaproponowała kawę. Rozłożyła plan, na którym czarne linie rysowały ich przyszłą wspólną przestrzeń – pokoje, łazienkę, balkon.

– Drugie piętro, aneks kuchenny, oddzielna toaleta, stan surowy – Iwona słuchała rozmowy, próbując jednocześnie utrzymać na kolanach wiercącego się niecierpliwie synka („Mamo, kiedy zobaczymy dźwiga?"). – Do odbioru w październiku, w sam raz na święta będzie gotowe – zakończyła pracownica.

Darek uścisnął jej dłoń i wyszli, zabierając z sobą umowę rezerwacji lokalu 62 w bloku o roboczej nazwie A6.

Kiedy Iwona pojechała tam z ciekawości wiele lat później, kiedy Julka już chodziła do szkoły, barak dewelopera nadal stał przy płocie, za którym ceglane ściany łypały pustymi oczodołami okien. Tylko dźwigu brakowało i robotników. Ktoś zdjął tabliczkę z nazwą firmy, zamiast niej przykręcono wielkie żółte tablice ostrzegawcze: „Teren niebezpieczny. Wstęp wzbroniony!". Żeby odstraszyć amatorów mocnych wrażeń i dzieciaki, które chciałyby pobawić się w ruinach. Drugie piętro już stało, brakowało tylko trzech najwyższych kondygnacji. Płyty balkonów sterczały, moknąc w ulewnym deszczu, a gąszcz chwastów rosnących pomiędzy prętami zbrojeniowymi i połamanymi deskami rusztowań sięgał okien pierwszego piętra. Wokół wyrosły inne bloki, które zaczynały już przypominać obrazki z folderów reklamowych: przy płocie przechodzili ludzie, matki z wózkami, dzieci wracające ze szkoły, staruszki z dawnej części osiedla, z łaciatymi pieskami na krzywych chudych nóżkach. Nie zwracali uwagi na ruinę straszącą na samym środku nowego osiedla, wrosła w ich krajobraz jak słupy telegraficzne i kominy elektrociepłowni, omiatali ją nieuważnie wzrokiem, czasem tylko zastanawiając się, dlaczego nie udało się dokończyć budowy. Iwona też tego nie rozumiała. Pamiętała tylko wiadomości, jakie dostawali od miłej młodej kobiety z biura obsługi – o przesunięciu terminu oddania na grudzień, potem na lato następnego roku i wreszcie, kiedy Julka już chodziła i mówiła, artykuły w gazetach o ludziach oszukanych przez nieuczciwą firmę budowlaną. Nigdy nie dostali z powrotem wpłaconych pieniędzy. Wspólnik Darka przyznał się do „drobnego problemu" z hazardem kilka dni przed tym, kiedy do firmy wszedł komornik, żeby zająć wszystko, co się dało. Kiedy żadne przeprosiny i opowieści o terapii nie mogły już pomóc. Darek, po wielu miesiącach pracy u syndyka, w firmie dawniej będącej jego własnością, dostał ofertę wyjazdu za granicę, a Iwona, przerażona perspektywą dalszego wegetowania w pokoiku u teściów, zdecydowała o przeprowadzce do niedawno owdowiałej matki na czas jego nieobecności. I tyle.

I utknęła w tym życiu-nieżyciu samotnej matki. Utknęła w chwili, kiedy Darek na Skype'ie powiedział niewyraźnie, cicho, bez przekonania: „Wiesz, poznałem tu kogoś, w tej Irlandii. Sam byłem tak długo, zdarzyło się. Poznałem ją na polskiej imprezie, ja już raczej do was nie wrócę".

Płakała po tej rozmowie, kiedy już wyłączyła komputer i wiedziała, że on na pewno nie usłyszy.

– Trzeba było z nim jechać, zabrać dzieciaki i jechać. Pracę byś znalazła – radziły poniewczasie koleżanki.

– Jak miałam jechać? Mamusię zostawić samą, chorą? – oburzała się.

Prawda była taka, że nie chciała jechać. Matka była wymówką. Wierzyła, że Darek wyjeżdża na rok–dwa, byleby zarobić na spłatę długów, na lepsze życie, na kolejne mieszkanie, tu, w Polsce. Kredyt za wykup mieszkania matki, niespłacony kredyt za tamto, nigdy niezbudowane, długi, raty – to wszystko miało zniknąć dzięki dobrej pracy, o ironio, na budowie za granicą. Tymczasem zniknęło i małżeństwo, i miłość.

Dała mu rozwód.

Przyjechał na parę dni, wyściskał dzieci, przywiózł kolorowe zabawki. Nie walczył o opiekę, od razu zapowiedziała, że nie da mu dzieci, nie pozwoli im wyjechać, bo boi się, że ich nie odzyska. Nie oponował. Ta nowa miała własne dziecko, panieńskie, z nieudanego związku. Mały miał pięć lat i mówił do Darka tatusiu, a on nie wyprowadzał go z błędu. Obiecał tylko przysyłać pieniądze, o ile coś mu zostanie.

Gdzieś, w innym, lepszym życiu za szybą, Iwona z mężem siedzą i popijają herbatę w aneksie kuchennym mieszkania na drugim piętrze, dzieci śpią w swoich pokojach, samochód zaparkowany w podziemnym garażu. W tym świecie, w tym gorszym życiu, Iwona niecierpliwie przegląda koperty – rachunek za prąd jest, to się opłaci z emerytury mamusi, zostanie na dentystę dla Julki; dobrze, że kuzynka przysłała buty i kurtki po swoich dzieciach, jeden wydatek mniej. Na dentystę dla Iwony już w tym miesiącu nie starczy, pensja woźnej nie starcza na luksusy, więc znów kupi panadol i będzie uśmiechać się z zamkniętymi ustami, tak żeby nie było widać.

Kawa w szklance wystygła. Pod kopertami czeka wczorajsza gazeta, jeszcze nieprzejrzana. Ogłoszenia o pracę jak co tydzień kuszą ofertami dla młodych, dynamicznych, z dyplomem wyższej uczelni. Praca w młodym zespole, okazja do sprawdzenia się w międzynarodowych projektach, poszukujemy sprzedawców, dla których handel to styl życia, przebojowych i kreatywnych do działu marketingu, dyspozycyjnych z dyplomem do działu analiz i tak dalej... Nikt nie czeka na trzydziestoletnią woźną, która po maturze przez półtora roku studiowała rachunkowość, a później zabrakło jej na czesne i okazało się, że matura na piątkę wystarcza akurat do tego, żeby zmywać podłogi i wrzeszczeć na biegające dzieciaki, a po godzinach dorabiać w sklepie z zabawkami i artykułami papierniczymi u sąsiada.

Iwona wzdycha, przerzuca kartki i trafia na artykuł ilustrowany zdjęciem tęgiej blondynki trzymającej na ręku dorodne dziecko. Pierwsza w kraju agencja kojarząca niepłodne pary z matkami zastępczymi – podtytuł pod wydrukowanym wielkimi czerwonymi literami tytułem: DZIECI NA SPRZEDAŻ! Blondynka się wypowiada: „Nie robimy nic złego, pomagamy kobietom, które nie mogą urodzić dziecka, i pozwalamy zarobić tym, dla których nie jest to problemem, to zgodne z prawem". Obok w ramce oburzony ksiądz: „To sprzeczne z prawem naturalnym, dziecko jest darem Boga, a nie towarem na półce".

„Każda może urodzić dziecko".

„Pani powinna mieć jeszcze pięcioro, każda kobieta chciałaby tak łatwo i szybko rodzić".

„Każda głupia potrafi urodzić dziecko".

Iwona zastanawia się i zapisuje numer telefonu do agencji. To nie jest ogłoszenie o pracy, ale zawsze coś.

Kiedy zapragniesz różowego słonia, różowe słonie nagle pojawią się wszędzie dookoła – będą wabić cię z każdej wystawy sklepowej i okładki gazety, będą wysuwać trąby ze wszystkich kątów i wachlować się różowymi uszami na skraju twojego pola widzenia. Kiedy zapragniesz takiego słonia z całego serca i z jakiegoś powodu okaże się, że nie możesz go dostać, zaczniesz mijać na ulicy setki osób prowadzących takie zwierzaki na smyczy, przytulających je, noszących na rękach, choć wcześniej przez całe lata mogłaś nawet nie zdawać sobie sprawy z istnienia różowych słoni. Marta ma wrażenie, że różowe słonie otaczają ją ogromnym stadem. Wszędzie dookoła są ciężarne, matki, wózki i niemowlęta, osiedle rozbrzmiewa płaczem, śmiechem, nawoływaniami i piskliwymi melodyjkami wygrywanymi przez pozytywki.

Marta zaszła w ciążę po raz pierwszy w małżeństwie pod koniec rocznego okresu starań. Do dziś pamięta ten pierwszy raz, pełen tak nieskazitelnej nadziei i radości, jeszcze nieskażonej przewidywaniem najgorszego.

Obudził ją apetyt na naleśniki – naleśniki z dużą ilością cukru, twarożku i sosu czekoladowego. Prawie czuła ich zapach przez sen, a kiedy otworzyła oczy, wydawało jej się, że talerz ze smakowitym daniem już czeka na nią na kuchennym stole. Oczywiście nie była to prawda. O siódmej rano tylko niepracujące matki mogą pozwolić sobie na szykowanie wyszukanych śniadań dla domowników. Marta musiała zadowolić się kanapką z masłem orzechowym. Ale to był pierwszy sygnał. Nauczyła się już doskonale odczytywać wiadomości, jakie jej organizm przesyłał sznureczkami nerwów, wiadomości sprytnie kodowane w hormonach i smakach, bardziej wiarygodne niż wskazania termometru zapisywane każdego ranka na specjalnej karcie. Zawsze w tych dniach cyklu miała apetyt na słodycze, ale nigdy wcześniej nie zdarzyło jej się śnić o jedzeniu, o górach słodkiego, tłustego i sycącego jedzenia.

W czasie przerwy na lunch zaspokoiła ten apetyt w barze na parterze biurowca. Menedżerowie w garniturach jedli ryby i sałatki, recepcjonistki szybko pochłaniały pierogi ruskie albo talerz zupy, prawnicy z kancelarii na ostatnim piętrze zaśmiewali się nad kotletem z jakiegoś zawodowego dowcipu, podczas gdy ona usiadła w kącie przy oknie i zjadała namiastkę wizji ze snu – dwa blade placki wypełnione farszem z chudego twarogu i polane czekoladą z butelki. Nie smakowały jej. W zasadzie były ohydne, zalatywały starym tłuszczem i skwaśniałym mlekiem. Bar korzystał z pozycji monopolisty w wielkim biurowcu i nikt nawet nie starał się o to, żeby potrawy były smaczne – korporacyjne szczury nie miały wyboru, w ciągu godzinnej przerwy na lunch nie były w stanie dotrzeć do miejsca ze smaczniejszym jedzeniem, więc wrzucały w siebie dania dnia i obiady po absurdalnie wysokiej cenie, byleby dostarczyć organizmowi kalorii potrzebnych do przetrwania kolejnych kilku godzin w pracy.

Kiedy wracała wieczorem, naleśniki boleśnie ciążyły jej na żołądku, ale to nie one zaprzątały całą jej uwagę, a niewielkie tekturowe pudełeczko ukryte w torebce.

Różowa kreska pokazywała się powoli, słaba i blada, ale widoczna w świetle łazienkowych halogenów. „Teraz druga, proszę, proszę" – Marta zaciskała dłonie tak bardzo, że paznokcie odbiły krwawe półksiężyce w ich wnętrzu. Pięć minut czekania – co można robić przez pięć minut? Snuła się nerwowo po kuchni, przekładając naczynia z miejsca na miejsce, włączyła telewizor: tu polityk opozycji, tam znany aktor, na innym kanale prognoza pogody, wysłuchała jej uważnie i nie zapamiętała ani słowa. W łazience na niewielkim kartoniku ważyły się jej losy. Wreszcie minuty minęły, długie jak wieczność. I różowa kreska była tam, naprawdę tam była, jeszcze bledsza od tej pierwszej, ledwie widoczna pod światło i rozmyta na białym tle, ale bez wątpienia była!

Marta nagle bardzo wyraźnie przypomniała sobie oczekiwanie sprzed lat na tę samą kreskę. Te same paznokcie wbite w dłonie, to samo oglądanie pod światło, tylko słowa bezgłośnej modlitwy inne: „Boże, spraw, żebym nie była w ciąży! Proszę, proszę, nie teraz, następnym razem, po maturze, błagam. Zrobię wszystko, tylko żebym nie była". Jak różny był tamten strach od tego, zmieszanego z nadzieją. Tamta kreska nie pozostawiała wątpliwości, rozpychała się w okienku gruba i różowa, nie dając Marcie nawet tych pięciu minut niepewności, pojawiła się od razu i ciemniała, w miarę jak papierek nasiąkał moczem. Ta, blada i jakby niepewna, wydawała się odzwierciedlać strach przed karą.

„Może jednak kary nie będzie – pomyślała Marta, ściskając w dłoni plastikowy prostokącik. – Może zostało wybaczone, może jednak się uda".

Przez cały wieczór i cały następny dzień co chwila ukradkiem spoglądała na test, jakby w obawie, że kreska zniknie, gdy tylko odwróci od niej wzrok. Że okaże się równie nierzeczywista jak wyśnione naleśniki z czekoladą.

Kiedy Filip podnosił test pod lampę w kuchni, żeby uważnie mu się przyjrzeć, poczuła znów ukłucie strachu: „A co, jeśli tej kreski tam nie ma, jeśli tylko ją sobie wyobraziłam? Jeśli jest jedną z tych plamek czy smug, jakie widzimy przed oczami, będących w rzeczywistości tylko martwymi komórkami pływającymi w ciele szklistym oka, jak zdechłe ryby w skali mikro, widocznymi tylko wtedy, kiedy przepływają przez soczewkę?". Ale kiedy Filip zmrużył oczy i wreszcie dostrzegł różowy ślad, strach ustąpił miejsca radości.

Tym razem wybrali się do lekarza obydwoje. Marta nalegała.

– Czy to naprawdę konieczne? – Filip nie widział potrzeby. – Do czego ja ci tam właściwie będę potrzebny?

– Po prostu będziesz – odpowiedziała.

Nie mogła przecież powiedzieć: „Chcę, żebyś tam był, żebym była taka jak inne, z mężem, na swoim miejscu, taka sama jak wszystkie kobiety w poczekalni".

Tamtego dnia było niewiele pacjentek, pary siedziały przytulone, rozmawiając półgłosem po kątach. Na ścianach, w olbrzymich antyramach z pleksi, zawieszono kolaże zdjęć niemowląt. Noworodki jeszcze ze szpitalnymi opaskami na rączkach, większe niemowlęta już w domu – jak katalog dzieci do wyboru, do koloru: łyse, blond i czarnowłose, wszystkie o podobnym, zdziwionym spojrzeniu ciemnoniebieskich oczu. Głębia tego spojrzenia wynika tylko z tego, że tak malutkie dzieci nie potrafią jeszcze skupić wzroku. Oczywiście Marta doskonale o tym wiedziała, ale w głębi duszy wyobrażała sobie, że może te maleństwa mają jakąś wiedzę niedostępną dorosłym, wyniesioną jeszcze z życia przed życiem. Wspomnienia z innego świata, które potem zacierają się pod wpływem wrażeń z tej rzeczywistości, która nie pozostawia ani odrobiny miejsca na nic innego, bombardując te zdziwione oczy kolorami i kształtami.

– Proszę.

Tym razem lekarz był bardziej zainteresowany, a może bardziej wypoczęty, zareagował uśmiechem na wiadomość o pozytywnym wyniku testu.

– Cieszę się, czyli wygląda na to, że wreszcie się państwu udało – uśmiechnął się. – Panią zapraszam za parawan, a pan, no cóż, proszę zaczekać.

Dopiero po badaniu, kiedy przyszła pora na wywiad, Marta pożałowała, że wzięła męża ze sobą. Lekarz zakładał jej kartę ciąży, zadając mnóstwo pytań, aż wreszcie padło to jedno, którego obawiała się od początku.

– Pierwsza ciąża?

Zapadło milczenie. Marta gorączkowo zastanawiała się, co powiedzieć. Filip podniósł wzrok znad przeglądanej broszurki.

– Pierwsza ze mną, to pewne – zażartował bez powodzenia, żadne z nich nie zareagowało uśmiechem.

– Druga – powiedziała wreszcie Marta cicho. Za cicho, ale i tak miała wrażenie, że to słowo odbija się echem od ścian gabinetu.

Lekarz pochylił się nad biurkiem w jej stronę, w jego oczach zabłysło zainteresowanie.

– Czy za pierwszym razem były jakieś komplikacje?

– Poroniłam. – Znowu to samo echo i dodatkowo rumieniec zalewający twarz, gorąco rozpływające się aż do koniuszków uszu.

– Samoistnie?

„Ile jeszcze tych pytań, niech to się wreszcie skończy, błagam!", Marta czuła wzrok męża wbijający jej się w plecy. Teraz nie oglądał już ulotki o magazynowaniu krwi pępowinowej, nie, był czujny i skoncentrowany.

– Czy poronienie było samoistne czy wywołane?

– Wy... wywołane.

Koniec. Powiedziała najgorsze. Powiedziała to, czego do tej pory nie mówiła nawet na spowiedzi. Właściwie z tamtego powodu od trzynastu lat nie była u spowiedzi, nie była w kościele. Nie było takiego Boga, który potrafiłby to wybaczyć, nie było w Warszawie ani na świecie księdza, któremu mogłaby o tym opowiedzieć, a opowiedziała łysiejącemu ginekologowi ze znudzonym wyrazem twarzy. Powietrze wydawało się ciężkie jak ołów, a jednocześnie, paradoksalnie, czuła ulgę. Lekarz jednak nie wyglądał na szczególnie zdziwionego, nie dostrzegła też potępienia w jego oczach.

– Kiedy to było?

– Trzynaście lat temu. Miałam osiemnaście lat. – Nędzne usprawiedliwienie. Nie wszystkie zbrodnie się przedawniają.

– Dobrze, wobec tego proszę w pierwszym trymestrze szczególnie na siebie uważać. Gdyby cokolwiek się działo, jakieś skurcze albo krwawienia, proszę natychmiast jechać do szpitala i powołać się na mnie. Wypiszę pani zwolnienie z pracy na miesiąc i chciałbym, żeby starała się pani leżeć, unikała dźwigania, sprzątania i wszystkich cięższych prac.

Miesiąc później miało się okazać, że żadne zwolnienie ani unikanie dźwigania w niczym nie pomogło. Miesiąc później na twarzy lekarza pojawiło się jeszcze większe zainteresowanie. Należał do tych ludzi, którzy lubią komplikacje i wyzwania. Nie lubił nudnych, łatwych przypadków, kobiet, które przez całą ciążę nie skarżyły się na nic więcej poza lekką zgagą i hemoroidami. Lubił, kiedy mógł zrobić coś więcej poza ułatwianiem naturalnego biegu spraw. Marzył o ratowaniu życia, tamowaniu krwotoków i leczeniu bezpłodności. Dlatego polubił Martę.

Ale to było później. Teraz Marta siedziała na fotelu pasażera, obok męża, który prowadził w milczeniu przez warszawskie korki, obserwując drogę przez okulary, wybijając na kierownicy rytm starego rockowego przeboju puszczanego w radio. Nucił pod nosem: *We are the sultans... yeah, the sultans of swing.* Mimo to Marcie wydawało się, że cisza w samochodzie jest nie do wytrzymania, pomimo grającej muzyki i szumu silnika.

– Dlaczego nigdy nie powiedziałaś, że straciłaś dziecko? – zapytał wreszcie, kiedy stali na czerwonym świetle przy placu Zawiszy, w olbrzymim korku, który wydawał się wieczny, nigdy nie znikał.

– To było tak dawno... – Marta wzruszyła ramionami. – Jeszcze w szkole. Było, minęło.

Zapaliło się zielone światło i ruszyli w stronę osiedla.

To pierwsze dziecko urosło dopiero po latach, w wyobraźni Marty.

Podobno kiedy człowiek dorasta, jego mózg nie funkcjonuje prawidłowo, obszary odpowiedzialne za racjonalne podejmowanie decyzji nie zdążyły się jeszcze rozwinąć, stąd u nastolatków tendencja do głupich, ryzykownych zachowań, z których skutków nie do końca zdają sobie sprawę. Trzynaście lat temu przeszła nad tym, co się wydarzyło, w pewien sposób do porządku dziennego. Jakoś nie potrafiła powiązać tego krwawienia i bólu brzucha po zabiegu z obrazem różowego, pulchnego niemowlaka fikającego nóżkami w kojcu. Dopiero po latach dziecko zaczęło nawiedzać ją w snach, coraz starsze – jakby gdzieś w równoległym, wirtualnym świecie rozwijało się nadal, jakby tamta Marta pozwoliła mu urodzić się i dorastać. Czasem było dziewczynką o jasnoblond włosach związanych w kitkę, innym razem chłopcem jeżdżącym na trzykołowym rowerku albo Nikodemem, synem Filipa, naburmuszonym i hałaśliwym. Zastanawiała się nieraz, jakie imię by mu nadała, gdyby się urodziło. Może Adelajda, po babci, a może Ignacy, dostojnie i staroświecko. Ale dziecko nabrało człowieczeństwa dopiero wiele lat po zabiegu.

Drugie dziecko było inne, od początku czuła je wewnątrz jako osobę. Zamieszkał w niej ktoś żywy i konkretny, komu można było wybrać imię i zastanawiać się, jak będzie wyglądał – czy odziedziczy jej ciemne włosy, czy raczej Filipowe, bardzo jasne i cienkie, wypadające od dwudziestego piątego roku życia, tak że po trzydziestce miał już wyraźne zakola? Czy będzie dobre z matematyki? Jak gdyby to dziecko ze snów zmaterializowało się wreszcie, zyskało szansę na pełnoprawne zaistnienie w rzeczywistym świecie.

Na obrazku z pierwszego USG to drugie dziecko miało już zawiązki rączek i nóżek, wyglądało jak ziarnko fasoli „Jaś" z wypustkami. Zrozumiała, dlaczego na wszystkich forach ciążowych do znudzenia odmieniany jest wyraz fasolka – nie było innego skojarzenia, to pierwsze narzucało się zbyt mocno. A może odwrotnie, po przeczytaniu tysięcy postów o fasolkach jej umysł odmawiał już używania jakichkolwiek innych określeń?

Było białą plamką na ekranie monitora, fasolką, obrazkiem, któremu jej wyobraźnia dodawała rysy twarzy, włosy, uszy i paluszki.

Dlatego tak ciężko było je stracić.

Nawet nie miała czasu pojechać do szpitala. Skurcz wyrwał ją ze snu, w którym pchała wózek przez jesienny park, liście sypały się z drzew, a po niebie frunęło, przeraźliwie krachcząc, stado wron. Biegła z wózkiem coraz szybciej, chcąc uciec przed ptakami. Wreszcie podniosła żółty kocyk zakrywający dziecko – a pod nim było pusto. Dziecka nie było. Wtedy ból szarpnął nią, budząc gwałtownie. Usiadła na łóżku, jeszcze zamroczona, niepewna, w jakim świecie się znajduje, jeszcze z myślą: „Dziecko, gdzie jest dziecko?". Za oknem było szaro, jeszcze nie wyłączyli latarń na ulicy. Na prześcieradle rozlewała się ciemnoczerwona plama. I wtedy, w nagłym przebłysku zrozumiała, gdzie jest dziecko – odeszło. Nie ma go, nieodwołalnie, jak w tym śnie.

Kiedy dojechała do szpitala, było już po wszystkim, krwawienie ustało, a monitor USG pokazywał idealnie gładką, czarną pustkę usianą gdzieniegdzie białymi liniami zakłóceń.

– To się czasem zdarza – powiedział lekarz. Teraz był pełen troski, zainteresowany.

Martę wpuszczono do gabinetu poza kolejnością. Jej bladość i zmęczenie widoczne w liniach wokół oczu i ust musiały zrobić wrażenie na kobietach w poczekalni, bo po jej wejściu zapadła cisza, rozmowy się urwały, spojrzenia wędrowały w jej stronę i zawracały w pół drogi.

– Jak to: zdarza się? – wybuchnęła. – Robiłam wszystko tak, jak pan kazał, siedziałam w domu...

– Czasami na tym etapie natura sama decyduje. Eliminuje... – zawahał się na chwilę – uszkodzone płody.

– Ale na USG wszystko wyglądało dobrze?

– Na tak wczesnym etapie ciąży nie jesteśmy w stanie stwierdzić z pewnością, że wszystko jest dobrze. Mógł być jakiś ukryty defekt genetyczny, wada, z którą to dziecko nie mogłoby żyć ani prawidłowo się rozwijać. Czasem natura wie lepiej.

Wiedziała, że to ma ją pocieszyć, że w jakiś sposób tajemnicza natura uchroniła ją od urodzenia chorego czy martwego dziecka, ale nie czuła się pocieszona. Najbardziej ze wszystkiego chciała się obudzić tamtego ranka i zobaczyć, że wszystko jest dobrze. Cofnąć czas. Świadomość, że to niemożliwe, była trudna do zniesienia.

– Proszę teraz dać organizmowi czas na regenerację, minimum trzy miesiące – powiedział lekarz poważnym tonem.

Trzy miesiące! Równie dobrze mógł powiedzieć „wieczność". Dziewięćdziesiąt dni bez starań, w zawieszeniu. Z czego jeszcze czternaście na zwolnieniu.

Osiedle ma swój rytm, choć nie każdy potrafi go dostrzec. Żeby go zauważyć i odnaleźć powtarzające się wzorce w pozornym chaosie, potrzeba wiele czasu, spędzanego cierpliwie przy oknie albo na podwórku. Marta zwykle tego czasu nie ma. Marta żyje w świecie popołudniowym. Czasem wydaje się, że mieszkańcy świata porannego i popołudniowego nigdy się nie spotykają, że osiedle zaludniają dwa zupełnie różne gatunki istot. Popołudniowi znikają z samego rana, wytaczają się samochodami japońskich marek z podziemnych garaży, żeby ustawić się karnie w kolejce do wyjazdu przy budce ochroniarza, jeden po drugim pokazują przez szyby aut identyfikatory, a staruszek w budce w odpowiedzi podnosi i opuszcza szlaban. Do dziewiątej wszyscy oni znikają, garaże pustoszeją, ochroniarz z ulgą schodzi ze zmiany do osiedlowego sklepiku, żeby kupić bułkę i dziesięć deko mortadeli, które zje, popijając letnią kawą z termosu i rozwiązując krzyżówki panoramiczne.

Do powrotu popołudniowych osiedle jakby zasypia. Wszystko dzieje się wolniej. Dzieci idące do szkoły na drugą zmianę nawołują się przez domofony. Studenci włączają głośną muzykę, która pomaga im uczyć się do sesji. Z drzwi wejściowych powolutku wytaczają się wózki pchane przez matki. Matki, które czekają na ten moment już od pierwszej pobudki o piątej rano, kiedy w ich z trudem wykrojone pięć godzin snu wdziera się krzyk głodnego niemowlaka czy marudzenie dwulatka, powtarzającego z monotonną regularnością idioty jedno czy dwa zrozumiałe słowa.

Teraz nadchodzi czas matek, dlatego wychodzą dostojnie, uzbrojone w butelki i chusteczki nawilżane, smoczki, kocyki i czapeczki, wszystko to w praktycznych firmowych torbach dołączanych do wózka. Każda matka w uniformie, który pozwala ją odróżnić od reszty kobiet na pierwszy rzut oka: luźne spodnie kryjące resztki ciążowych brzuchów i spękane na srebrno od rozstępów obfite biodra, z obszernymi kieszeniami na udach na potrzebne drobiazgi. Praktyczne buty na płaskim obcasie umożliwiające pogoń za dwulatkiem po trawniku usianym psimi kupami. Sportowe kurtki albo polary. Fryzury niewymagające modelowania ani układania, ze spełzającą z przydługich odrostów resztką koloru, na jaki były farbowane przed porodem. Krótkie niepomalowane paznokcie i ortalionowe torby-chlebaki na wszystko to, co nie mieści się w wózku. Książka albo gazeta do rozłożenia na rączce wózka, butelka wody mineralnej z atestem Instytutu Matki i Dziecka, dopuszczonej dla karmiących przez najwyższe autorytety.

Matki witają się przed drzwiami. Żadne tam „dzień dobry pani" – w końcu jakie tam z nich panie, są nowoczesne i przyzwyczajone do mówienia nieznajomym na ty: „Cześć, Dagmara" albo „Hej, Kasiu, co tam u ciebie?". A po obowiązkowym wstępie można już przejść do długiej litanii o kolkach:

– A mój dzisiaj spał chyba ze trzy godziny naraz.

– No to szczęściara z ciebie, mój prawie w ogóle nie śpi.

– Spoko, za trzy lata będzie lepiej – pociesza młoda kobieta, która już nie pcha wózka i ma dziwnie puste ręce. Wkrótce zapełni je siatami ze sklepu i pościelą odebraną z pralni.

Wczesnym popołudniem matki, jak umówione, chociaż przecież nie wszystkie się znają, schodzą z posterunku. Mniej więcej wtedy ze szkoły wracają młodsze dzieci i o ile pogoda na to pozwala, obejmują podwórko w posiadanie. Piłki, skakanki, deskorolki, dziewczęta w grupkach malują czerwoną kostkę alejki kolorową kredą, chłopcy na trawniku trenują piłkę nożną albo ścigają się na rowerach po alejce, rozpędzając uciekające w popłochu dziewczynki i rozmazując im malunki. W tym samym czasie zaczyna chodzić listonosz, dzwonki domofonu budzą dzieci, które zasnęły po południowym posiłku, a doręczyciel powtarza monotonną litanię: „Polecony mam dla pani".

W sklepie spożywczym pustki – sprzedawczynie z pierwszej zmiany zerkają na zegarki, szacując, ile jeszcze czasu zostało im do wyjścia. Dzieci wracające ze szkoły wpadają po komiks czy lizaka, budowlańcy z pobliskiej budowy po drugie śniadanie. Ochroniarz usiadł na stołeczku w przedsionku klatki B, daje odpocząć zmęczonym nogom.

Przedpołudnie to czas matek, sekretne życie aresztantek ukryte przed popołudniowymi mieszkańcami osiedla.

Popołudniowi wracają tak, jak wyjechali, długą kolejką do bramy: identyfikator, szlaban, skinięcie głowy w stronę ciecia, pilot do garażu, chwila irytującego czekania na otwarcie podnoszonej bramy, piknięcie alarmu, piknięcie zjeżdżającej do garażu windy, szczęk klucza w zamku, „Kochanie, już wróciłem!".

Popołudniowi wyskakują do spożywczego po piwo na wieczór, wysłuchują zwierzeń swoich nastoletnich dzieci o szkole i o tym, jak minął dzień, podrzucają do góry niemowlaki, kąpią je i usypiają z sumiennością ojców, którzy przecięli pępowinę przy porodzie i przeczytali wszystkie książki o pierwszym roku życia i języku dwulatka. Popołudniowi rzucają się na fotel z książką i wyglądają przez okna na osiedle, które powoli usypia, na straży zostają tylko studenci, którzy w pierwszym wynajętym mieszkaniu całą noc przy kolejnych red bullach kują do egzaminów albo grają *online*.

Marta nie zdawała sobie sprawy z istnienia tego rytmu. Dopóki nie znalazła się na zwolnieniu lekarskim, była zawsze jedną z popołudniowych, a gdy przychodził czas bilansu i sprawozdania, przez jakiś czas należała do wieczornych. Nie miała pojęcia, że gdy ona podsumowuje cyfry w swoim gabinecie w centrum miasta, na osiedlu toczy się w ogóle jakieś życie. Raczej wyobrażała sobie pustkę i ciszę wymarłych, opustoszałych bloków, jak miasto po zarazie, czekających w absolutnym spokoju na powrót mieszkańców. Dopiero na zwolnieniu odkryła rytm w pełni. W sklepiku matki niespiesznie wybierały składniki na obiad. Popołudniowi, którzy jadali poza domem, nie znali tego rytuału. Marta powoli go odkrywała – świeże mięso, warzywa, owoce, zamiast pośpiesznego kupowania chleba i paczkowanej wędliny na kolację.

Osiedlowych łatwo było odróżnić od tych spoza nowych bloków, z kajzerówki. Po ubraniu. Po dzieciach, mniej roszczeniowych i hałaśliwych. Po fryzurach i po torbach na zakupy. Pewnego dnia w kolejce do kasy stała przed nią kobieta mniej więcej w jej wieku, ale wyglądała starzej – miała ciemne odrosty w farbowanych na blond włosach, zniszczoną cerę. Trzymała za rękę dziewczynkę, sześcio-, siedmioletnią, w pikowanym różowym płaszczyku.

– Mogę gumę? – zapytała dziewczynka, a matka pokręciła głową.

– Nie, Julka, nie dzisiaj. Dzisiaj kupujemy tylko włoszczyznę i bułki – wyjaśniła.

Mała, zrezygnowana, ale spokojna, przyjęła decyzję do wiadomości.

Marta poczuła ukłucie bólu w sercu. Gdyby sama miała córkę, nigdy nie zabrakłoby jej gumy do żucia, kolorowych gazetek z naklejkami Barbie i kucyków, lodów na patyku barwiących język na różne kolory. Wiedziona impulsem, dorzuciła do koszyka paczkę rozpuszczalnej gumy owocowej. Płaciła kartą, płacenie się przeciągało. Kupiła różne produkty pod wpływem impulsu, bez zastanowienia, tylko dlatego że akurat miała na nie ochotę: ser pleśniowy, konfiturę z pigwy, salami w apetycznej posypce z suszonej cebuli. Wiedziała doskonale, że wszystkiego nie zjedzą i część trzeba będzie wyrzucić, dlatego poczuła wyrzuty sumienia, pokazując kasjerce wypełniony po brzegi koszyk.

Kiedy wyszła ze sklepu, dostrzegła tamto dziecko, samo, pod drzwiami drogerii. Mała była chuda i niska, różowy płaszczyk wykończony futerkiem był za obszerny, sięgał jej za kolana.

– Gdzie twoja mama? – zapytała Marta.

– A tu – dziewczynka wskazała palcem na drzwi sklepu z kosmetykami – po szampon weszła.

– Masz – Marta jakoś tak ukradkiem wyciągnęła z kieszeni paczkę gum, wcisnęła dziewczynce w chudą, wyplamioną flamastrem rączkę. Z brudnych paznokci schodził jaskraworóżowy lakier, perłowy, marzenie każdej siedmiolatki.

– Dziękuję! – twarz małej się rozjaśniła, ale po chwili znowu spochmurniała. – Nie wolno mi brać od obcych. Mamusia nie pozwala.

– Nie jestem obca. Powiedzmy, że jestem ciocią. Słyszałam, że chcesz gumę, i pomyślałam... Bo wiesz – ściszyła głos – ja nie mam takiej małej córeczki, której mogłabym kupować gumy.

– A pani co tu robi?

Marta podniosła głowę i spojrzała w twarz nieznajomej, zaskakująco młodą mimo worków pod oczami i kilku zmarszczek na czole. Kobieta patrzyła na nią spokojnie, ale z wyraźną niechęcią.

– Pani dała mi gumy – dziewczynka otworzyła zaciśniętą piąstkę.

– Podziękuj pani i oddaj – rzuciła stanowczo, a na widok smutnej miny córki dodała: – Julia, powiedziałam coś: oddaj zaraz. Pani się pomyliła. – Kobieta podniosła wzrok i powiedziała, powoli i wyraźnie: – Proszę się nie zbliżać do mojego dziecka.

Wzięła dziewczynkę za rękę i odeszła, zostawiając Martę na chodniku, z niepotrzebnymi gumami do żucia w ręku.

Kiedy Julka miała dwa–trzy lata, Iwona sprzedawała kosmetyki. Zaproponowała jej to koleżanka, właściwie znajoma z osiedla i ze szkoły. „To idealna praca dla młodej matki – zachwalała – wystarczy, że sprzedasz kilkanaście sztuk miesięcznie i już masz parę groszy, a do tego sama masz zniżki".

Iwona posłuchała. Jeszcze wtedy Darek przysyłał jakieś pieniądze, ale było ich wciąż niewiele. U Piotrusia lekarz alergolog zdiagnozował początki astmy. Mały potrzebował inhalatora, drogich leków, regularnych wizyt u prywatnego lekarza, spędzał połowę każdego miesiąca w domu, chory na kolejne zapalenie oskrzeli. Julka nie chorowała, ale była według Iwony za malutka na przedszkole, zresztą opłata za dwójkę dzieci to już poważne wyzwanie dla budżetu. Iwona kupiła więc katalog i próbny zestaw startowy. Kosmetyki z wyciągami z ziół i naturalnych roślin leczniczych miały wpływać na absolutnie wszystko – od rozstępów po zmarszczki, przebarwienia i plamy wątrobowe na skórze. Do tego zestawy witamin i ziół na każdy możliwy wiek i potrzebę organizmu, praktyczne kosmetyczki, pudełeczka na tabletki, aplikatory i plastry. Smukłe, ciemnogranatowe tubki ze srebrnymi literami kojarzyły się z elegancją i luksusem, witaminy połyskiwały bielą pastylek w słoiczkach z przyciemnianego szkła.

Razem z zestawem powitalnym dla konsultantki dostała kolorowe katalogi i broszury, w których uśmiechnięte młode kobiety opowiadały o swoich sukcesach. W katalogach dla klientek mówiły, jak pozbyły się rozstępów, wiszących brzuchów i zbędnych kilogramów. Obok były zdjęcia „przed", na których wyglądały jak normalne, zmęczone gospodynie z lekką nadwagą, i zdjęcia „po", na których prężyły jędrne brzuchy w obcisłych sukienkach. „Zanim odkryłam kosmetyki ziołowe HMB, ważyłam 92 kilo w wieku 22 lat i wstydziłam się pokazać na plaży z powodu moich rozstępów!" W katalogach dla konsultantek podobne dziewczyny opisywały swoją przemianę z bezrobotnych, zahukanych kur domowych w kobiety sukcesu. „Teraz, kiedy sprzedaję doskonałe kosmetyki ziołowe, wreszcie czuję się spełniona, a co najważniejsze, mogę sobie pozwolić na piękne mieszkanie i własny samochód!", pisała „Agnieszka, 32 lata, z Łomży". „Moje dzieci są szczęśliwe, bo mama nie musi już chodzić do pracy – spędzam z nimi więcej czasu, a jednocześnie zarabiam na dom", wtórowała jej „Katarzyna, 29 lat, z Ostrowi Mazowieckiej, konsultantka III poziomu". Wykresy ilustrowały poziom zarobków, kolorowe krzywe pięły się do góry.

– To idealna sprawa dla samotnej matki, jak ty! – przekonywała z zapałem znajoma, Iza, lat 30, z warszawskiej kajzerówki, postukując tipsem z diamencikami w błyszczący kredowy papier. – Nie narobisz się, wystarczy, że znajdziesz dziesięć–dwanaście stałych klientek i możesz panu mężowi powiedzieć, żeby sobie w dupę wsadził te całe alimenty. A jak namówisz tylko pięć osób, żeby zostały konsultantkami, to dostaniesz procent od tego, co one sprzedadzą, i będziesz żyła jak królowa. Fundniesz mamusi wycieczkę na Majorkę, jak niemieckiej emerytce. Tylko nie ruszaj Słonecznej Doliny, to osiedle jest moje – dodała na koniec, mimochodem.

Sporo czasu zajęło Iwonie zorientowanie się, że znajomej nie zależało wcale na jej lepszym życiu, ale na procencie od sprzedaży – na złowieniu jeszcze jednej zdesperowanej kobiety w pułapkę marketingu, *nomen omen*, sieciowego. Kilka miesięcy wypełnionych upokarzającym dzwonieniem do drzwi firm, banków, sklepów.

– Dzień dobry, czy mogą mi panie poświęcić chwilkę? – pytała uśmiechnięta sztucznie już od progu, rozkładała swój kuferek konsultantki na biurkach i stołach kuchennych. – Mam do zaoferowania wyjątkową nowość na polskim rynku, kosmetyki na naturalnych wyciągach roślinnych i ziołowych znanej amerykańskiej firmy...

Miała szczęście, jeśli udało jej się dojść do tego momentu przemowy – zazwyczaj już wcześniej słyszała chłodne i zniecierpliwione: „Dziękuję" albo „Nie jestem zainteresowana", a czasem ostre: „Proszę wyjść, bo wezwę ochronę. Nie czytała pani, napisane jest, po polsku, akwizytorom wstęp wzbroniony!". Pewnego dnia wybrała się, wbrew przestrodze Izy, na osiedle. Przemknęła obok ochroniarza, zajętego rozwiązywaniem krzyżówki, zadzwoniła pod pierwszy z brzegu numer domofonu.

– Nie wpuszczamy sprzedawców – zabrzęczał obojętny kobiecy głos.

Nagle drzwi się otworzyły, wyszła z nich młoda kobieta pchająca wózek z niemowlakiem. Obrzuciła Iwonę i jej kuferek zmęczonym spojrzeniem.

– Tu nie ma pani po co próbować, nikt tego chłamu nie kupi – rzuciła. – Sama kiedyś sprzedawałam szminki i pudry, na studiach. Gówno, a nie zarobki, straszny badziew te kosmetyki, lepiej się zająć jakąś porządną pracą.

Iwona zostawiła sobie kuferek na pamiątkę. Co jakiś czas, korzystając ze zniżki dla konsultantek, zamawiała jeszcze dla siebie mydełko ziołowe albo szampon nadający blask zmęczonym włosom.

To ta młoda kobieta później skoczyła.

Z balustrady balkonu na szóstym piętrze.

Zanim wspięła się na murek, pomachała Marcie, która wieszała pranie na balkonie. Rozłożyła ręce i runęła w dół. Głuchy odgłos, kiedy upadała na pas ozdobnych krzewów otaczający ogródek na parterze, rezonował w ciele Marty, podszedł dławiącą kulą do gardła, sparaliżował. Chciała wyjrzeć, pchana tym niezawodnym instynktem, który odzywa się zawsze, gdy widzimy wypadek. Ale nie wyjrzała, coś ją powstrzymywało. Zza otwartego okna mieszkania obok dobiegł płacz niemowlęcia, urywany, gniewny, głodny. Marta próbowała wystukać 112 na telefonie, myliła się kilkakrotnie w tych trzech cyfrach.

Dziewczyna nie umarła.

Podobno miała depresję poporodową, której nikt nie rozpoznał. Mąż i matka otaczali ją uspokajającą kołdrą próśb: „Weź się w garść, pomyśl o dziecku, ono cię potrzebuje, zrób to dla niego, dla mnie”, a ona, zamiast spać w nocy, siedziała pochylona nad łóżeczkiem, czekając, aż dziecko zsinieje, przestanie oddychać, zakrztusi się wymiocinami. Wszystkie te straszne wydarzenia przewijały się w jej głowie jak film, zatykała usta pięścią, wyjąc bezgłośnie: na jaki świat cię sprowadziłam, co ze mnie za matka. Za dnia przybierała kamienną twarz, nieróżniącą się niczym od twarzy innych matek, zmęczoną, ale spokojną, i jak automat, bez jednej myśli, wypełniała wszystkie obowiązki: pranie, sprzątanie, karmienie. Ani razu nie wymawiała imienia dziecka, nie dotykała maleństwa częściej, niż było trzeba. „Jeśli je pokocham, umrze", myślała w nocy, więc ze wszystkich sił nie kochała. Tego dnia światło za uchylonym oknem podpowiedziało jej kierunek wyjścia, jak zielona odblaskowa strzałka w kinie, wskazująca kierunek ewakuacji. Nie pozwoliła sobie na chwilę namysłu, po prostu wyszła.

Kiedy wróciła, po miesiącu w szpitalu i kilku tygodniach na psychiatrii, stała się osobistością. Kobiety, które dotąd nie znały nawet jej imienia i nie byłyby w stanie odróżnić jej od setek innych bladych, farbowanych blondynek z odrostami prowadzących głębokie wózki, podczas jej pobytu w szpitalu zaczepiały jej matkę na podwórku z wyrazami współczucia i z oczyma błyszczącymi niezdrową ciekawością. Pragnęły usłyszeć choć odprysk tej historii. Nagle wszyscy wiedzieli, że na imię ma Dorota, a jej ośmiomiesięczny syn nazywa się Kacper. Kobiety powtarzały sobie szeptem, że mąż ją bił. „A może mąż bił jej matkę? A ja słyszałam, że miała problem, no wiesz, alkoholowy. Niemożliwe, coś ty, nie wyglądała! Kobiety nigdy nie wyglądają, lepiej się kryją niż faceci. Ale dzieciak zdrowy, nie mogła być pijaczką, pijaczki rodzą chore dzieci. Nie każda, nie każda, czasem te, co piją i palą, rodzą zdrowe, a te, co się cały czas pilnują, rodzą chore".

Kiedy Dorota wróciła, zagipsowana i o kuli, w czapce zakrywającej dwadzieścia szwów na głowie, do jej mieszkania szły pielgrzymki z ciastami, kartkami z życzeniami, zaproszeniami na kawę i z ofertami pomocy. Mąż – grubawy, misiowaty, o poczciwym, zatroskanym spojrzeniu, witał w drzwiach, dziękował i zawracał je z powrotem do domu. „Żona potrzebuje spokoju, dziękujemy za troskę".

Pewnego dnia nie wytrzymał. Natknął się w windzie na Martę wynoszącą śmieci i wyrzucił z siebie:

– Nie mogły się, kurwa, wcześniej zainteresować? Jak były potrzebne, żadna nawet dzień dobry nie powiedziała, a teraz jak te sępy lecą do Doroty! Mają tu samobójstwo na żywo, lepsze niż *Uwaga* na tvn!

Marta pokiwała głową. Była na specjalnych prawach, bo to ona widziała, ona wezwała karetkę, ona stała obok nieprzytomnej Doroty ładowanej na noszach do erki, ona odpowiadała na pytania sanitariuszy, wreszcie ona przejęła znaleziony w kieszeni tamtej telefon i zadzwoniła pod numer oznaczony jako „Tomek". Nie korzystała jednak z tych praw. Towarzystwo tamtej napawało ją większym strachem teraz, kiedy pod wpływem leków była nienaturalnie ożywiona i uśmiechnięta, niż wcześniej, kiedy była bladym widmem na podwórku.

Kacper zaczynał chodzić. Kiedy umiał już przejść przez cały pokój bez trzymanki, kończąc wędrówkę radosnym śmiechem, jego rodzice sprzedali mieszkanie i kupili inne, gdzie indziej, na jakimś obcym osiedlu za płotem, gdzie Dorota mogła być znowu jedną z bezimiennych sąsiadek.

Wyprowadzili się mniej więcej wtedy, kiedy Marta poroniła po raz drugi.

Za drugim razem dziecko umarło, ale nie chciało wyjść. Przez trzy tygodnie Marta była jego grobem. Nawet o tym nie wiedziała.

Już po usłyszeniu wyroku (przykro mi, dziecko przestało się rozwijać w ósmym tygodniu), leżała w domu całą noc, bojąc się nawet poruszyć. Nękały ją plamienia, słabe skurcze, które dawały nadzieję, że to już koniec, ale po paru kwadransach zanikały.

Skończyło się następnego dnia w szpitalu. Filip trzymał ją za rękę.

– Będę przy tobie, kiedy się obudzisz – obiecał.

Dostała zastrzyk, poczuła dotyk maseczki z tlenem na twarzy, odpłynęła w ciemność. Świat wracał powolutku, rozmyty jak widziany bez okularów przez krótkowidza, kontury były nieostre, a światło nienaturalnie jaskrawe.

– Jestem – powiedział Filip. Siedział przy łóżku. Zobaczyła jasne włosy przetłuszczone od bezwiednego przeczesywania ich ręką, okulary zapocone od gorąca na szpitalnej sali.

– Chyba na razie nie będziemy dalej próbować, prawda? – zapytał już po powrocie do domu, kiedy wlokła się po schodach do windy jak staruszka. Dostała zakażenia, zabieg zrobiono za późno, silne antybiotyki ledwie zadziałały i z dwóch dni w szpitalu zrobiły się dwa tygodnie.

– Nie ma sensu... Będą umierać, jedno po drugim – powiedziała. Świat był zamazany, tym razem od łez.

W sąsiednim mieszkaniu, tym po Dorocie, mieszkała kobieta w średnim wieku z dorastającą córką. Ich pies podniósł jazgot zza drzwi na dźwięk nadjeżdżającej windy. Marta pożałowała, że nie ma już tamtej. Teraz zaczynała rozumieć, dlaczego ktoś chce skoczyć w dół, na krzaki okryte gronkami czerwonych i żółtych jagód.

Przestali się starać o dziecko.

Przestali właściwie robić cokolwiek.

Ich dni wypełniała najczystsza esencja życia codziennego. Kojący, a zarazem ogłupiający rytuał, wyznaczany kolejnymi sygnałami: budzik, praca, lunch, powrót, kolacja, film, spać. W mieszkaniu zapadła ciężka cisza, rozmowy się rwały, zastygały w powietrzu, jakby słowa pływały w kleju, przedzierały się z trudem od ust do uszu, umierały w pół drogi. Ciszę przerywały weekendy z Nikim. Wtedy panowało gorączkowe ożywienie, próbowali nadrabiać stracony czas śmiechem, wyprawami do kina i na pizzę, graniem w scrabble i monopol, aż wreszcie wpadała Nina, zaaferowana (bo Rudy czekał w samochodzie – mityczny Rudy, w którego istnienie czasami trudno było uwierzyć), tylko na chwilę, rozsiadała się w modnej krótkiej kurteczce.

– Kawę?

– Ależ jasne, tylko puszczę Rudemu strzałkę, żeby zaczekał. Nikodem, pakuj swoje manele, jedziemy jeszcze do galerii po buty. Mówię ci, Marta, zajebiste szpilki widziałam, nie w twoim stylu, ale bomba, normalnie.

Po ich wyjściu cisza dzwoniła w uszach. Filip i Marta szukali schronienia na wyspie łóżka, on ze słuchawkami, ona z książką i kubkiem herbaty, a cisza, jak przypływ, uderzała falami ze wszystkich stron.

Brak starań oznaczał praktycznie brak seksu.

Marta zabezpieczyła się na wszystkie strony, brała pigułki z obsesyjną regularnością, a w szufladzie szafki nocnej czekał zapas prezerwatyw, ale mimo to na każdy dotyk męża się kuliła. Dotyk jego dłoni albo nabrzmiałego członka na pośladku w nocy natychmiast przywoływał w pamięci dotyk zimnego, metalowego wziernika i łyżkę do czyszczenia macicy z tego, co jeszcze dwa tygodnie wcześniej było upragnionym dzieckiem. Sztywniała, obejmowała się ciasno rękami jak zmarznięte dziecko, on po chwili to wyczuwał i przerywał próbę kontaktu. Spali z dala od siebie.

– Tak nie może być dłużej – powiedział pewnego sobotniego wieczoru.

Pili wino, czerwone, bułgarskie, z etykietą w kolorowe paski. Na stole stały ser, paluszki przyprawione ziołami. W telewizji Jack Shephard po raz kolejny obiecywał, że zabierze wszystkich bezpiecznie z wyspy do domu, muszą mu tylko zaufać. Locke mrużył oczy, blizna lśniła w blasku ognia. Tego wieczoru słowa płynęły swobodniej w powietrzu, które stało się rzadsze, bardziej ustępliwe.

– Zapomnijmy o tym. Po prostu żyjmy tak jak wcześniej. Jeszcze kiedyś nam się uda, a jak nie, to są inne sposoby, żebyśmy mieli dziecko...

– Myślałam o adopcji – powiedziała Marta. Powoli, z obawą.

Spojrzał na nią z uwagą, w jego oczach zabłysło zainteresowanie.

– I...? – zapytał.

– I nic. Nie mogę... Nie mogłabym.

– Tysiące ludzi adoptują...

– To nie byłoby moje dziecko. Byłoby jak Niki. Przyszywane. Nie moje.

– Byłoby twoje. Nasze. Nie ta matka, która urodziła...

– Nie rozumiesz! – wyrwała się spod ręki, którą chciał ją objąć, zasłoniła poduszką z kanapy, kołysała się w tył i w przód. – Chcę czuć, jak kopie w moim brzuchu. Chcę karmić piersią. Chcę wstawać w nocy po dwadzieścia razy, kiedy zapłacze. Chcę na nie patrzeć i widzieć twoje oczy, mój nos, kształt dłoni dziadka Felicjana. Chcę...

– Claire rodzi! – dobiegł krzyk z ekranu. Blondynka z rozwianymi włosami zgięła się wpół pod drzewem, zatrzymana w biegu przez potężny skurcz.

– Tego chcę – powiedziała Marta i wtuliła głowę w poduszkę. – Właśnie tego.

Tego jednego najwyraźniej nie mogła dostać.

Poczucie straty było tak silne, że hodowane głęboko w sercu, opłakiwane i nieustannie podsycane, stwardniało na kamień w zimną, ostrą bryłę. Powoli zamieniło się w złość. Idąc ulicą, nie zaglądała już do wózków niemowlęcych z uśmiechem, nie odprowadzała ciężarnych łagodnym spojrzeniem. Łapała się na tym, że zupełnie bez udziału woli życzy im wszystkiego, co najgorsze.

Pewnego dnia, kiedy samochód był na przeglądzie w warsztacie, wracała do domu pociągiem przez dawne fabryczne osiedle. Przechodziła obok jednego z bloków, obstawionego rusztowaniami – uwijali się na nich robotnicy nakładający styropianowe ocieplenie, które później mieli otynkować i pomalować elewację fantazyjną mieszanką kolorów. Osiedle wyglądało jak sen szalonego architekta, na fasadach prostokąty, pasy, obwódki mieniły się wszystkimi dostępnymi kolorami farb. Blok kanarkowy sąsiadował z jadowicie zielonym, a na łososiowym okna obwiedziono słoneczną żółcią. Przy tej feerii barw Słoneczna Dolina z pasami drewna i dyskretnymi seledynowymi ozdobnikami wyglądała ascetycznie i ponuro. Pomiędzy tym kolorystycznym szaleństwem Marta ujrzała mizerny plac zabaw na wydeptanym trawniku, na którym załatwiały swoje potrzeby wszystkie okoliczne psy, a latem także dzieci, gdy nie chciało im się wracać do mieszkań. Na ławce siedziała młodziutka dziewczyna, może dziewiętnastoletnia, w tak zaawansowanej ciąży, że krótka kurteczka ze sztucznej skóry nie chciała się dopiąć, a pomiędzy paskiem obcisłych dżinsów biodrówek a czerwonym sweterkiem świecił pas nagiej, poznaczonej rozstępami skóry. Włosy dziewczyny ufarbowane były na intensywną, granatową czerń, w smukłych opalonych palcach trzymała żarzącego się papierosa.

Marta stanęła w miejscu, jakby ktoś uderzył ją znienacka w twarz. Niesprawiedliwość była tak rażąca, że wyglądało, jakby ktoś specjalnie to zaaranżował, żeby ją udręczyć. Oto młoda, pewnie niezamężna dziewczyna, ledwie licealistka, która świadomie i publicznie, bez cienia wstydu, dusi swoje dziecko dymem. I pewnie dziecko urodzi się chude, ale zdrowe, po paru godzinach. A za kilka lat zmieni się w miniaturkę matki, w kozaczkach obszytych futerkiem. Zanim pomyślała, już stała przy dziewczynie.

– Czy pani wie, co pani robi? – zapytała z ledwo hamowaną złością. – Dostała pani dziecko, najcenniejszy dar, jaki można dostać, i tak je pani tutaj świadomie zabija? Nie wstyd pani?

Dziewczyna uniosła w górę opaloną twarz, wykrzywioną w grymasie ni to niedowierzania, ni to rozbawienia. Odczekała chwilę potrzebną na to, żeby precyzyjnie wydmuchnąć obłok dymu prosto w twarz Marty, i wycedziła spokojnie:

– Ja się o ten dar nie prosiłam. A teraz spierdalaj.

– Jak ty się... – Martę najpierw zatkało, a po chwili dotarła do niej cała śmieszność jej sytuacji i cała złość wyparowała w jednej chwili. Czuła się jak przekłuty balon.

Z półmroku wyłoniła się krępa sylwetka chłopaka, zalśniła łysa głowa.

– A ta pani tu co?

– Panią chyba pojebało – dziewczyna wzruszyła ramionami, wstała ciężko, chwytając się za krzyż, i poczłapała do domu za chłopakiem.

Marta jeszcze przez chwilę słyszała ich śmiech, przetykany przekleństwami. Przez jeden krótki moment czuła się lepsza od tych dzieciaków, skazanych na życiową porażkę, którzy nie osiągną nic ponad skończenie zawodówki, pracę przy tipsach czy na budowie, wieczorne oglądanie telewizji, piwo i kłótnie... Do momentu kiedy z całą mocą dotarło do niej, że tych dwoje za dwa–trzy miesiące będzie spacerować z wózkiem wokół tej ławeczki, a za dwa lata siedzieć na brzegu tej piaskownicy, patrząc, jak ich dzieciak wygrzebuje z niej pety, psie kupy i okruchy szkła, i wrzeszcząc: „Nikola, nie rusz tego, to be!” albo: „Damian, jak ci zara dupę spiorę, to zobaczysz!”, a ona w tym czasie będzie płakać nad szufladą pełną testów ciążowych i cudzych zepsutych grzechotek.

Wracała do domu, a światła latarń rozmywały się we łzach.

„Ja już tak dłużej nie mogę. Oszaleję. Niech mi ktoś to dziecko urodzi, czy coś. Proszę”.

Iwona usiłowała się ubrać, ale przeszkadzało jej gderanie matki. Wybrała już wizytową brązową spódnicę, do tego elastyczną bluzeczkę w kolorze *écru* i sweterek kupiony za bezcen na wietnamskim bazarze w centrum. Jeszcze korale, te drewniane, które Piotruś kupił jej na ostatnie urodziny – nie chciała wyglądać jak pańcia ze złotym łańcuszkiem, ale inaczej. „Jakbym miała styl i osobowość, jakby woźna i sprzedawczyni z papierniczego mogła sobie kupić osobowość", pomyślała z goryczą.

– Tylko żeby pokazać, że nie przyjechałam żebrać. Mam odpowiednie narzędzie pracy, zdrowe ciało, i chcę zaoferować usługę – upewniała samą siebie w postanowieniu.

– Toż to grzech, a nie żadna usługa! – matka wytoczyła się na korytarz. To nie był dzień garsonki, a dzień dresów i kapci. Pomarańczowe włosy brutalną krechą przechodziły w żółtawą siwiznę jakieś dwa centymetry nad skórą głowy. – Ojciec się w grobie przewraca!

– Tatuś sam mówił, że każda głupia umie urodzić, nie pamięta mamusia? Okazuje się, że nie każda. To ja się poświęcę na te dziewięć miesięcy i komuś urodzę, a ten ktoś mi zapłaci, żebym się dobrze odżywiała i pospłacała nasze długi. Niech mamusia mi powie, co w tym złego?

– Dziecko to nie towar do kupienia – mruknęła matka. – To nie ciasto, że ty upieczesz, a tamta ci zapłaci i oddasz bez żalu.

– Bez żalu to kupię Piotrkowi buty na zimę – odcięła się Iwona. – Jeszcze mogę sprzedać nerkę. Czy mamusia zdaje sobie sprawę, ile my zalegamy z czynszem? Ile ja co miesiąc wydaję na Piotrka leki, na książki, na jego dietę alergiczną? Takie trzydzieści tysięcy by nas ustawiło na parę lat... – westchnęła.

– A jak się te trzydzieści tysięcy skończy, to co zrobisz, urodzisz komuś następne na sprzedaż? I potem jeszcze jedno, aż będziesz za stara na rodzenie? Ładna mi perspektywa – prychnęła matka, ale Iwona już tego nie słyszała, bo wyszła, starannie i cicho zamknąwszy za sobą drzwi.

Do agencji, której numer telefonu znalazła wtedy w gazecie, trzeba było jechać przez całą Warszawę, do pętli autobusu podmiejskiego, a później jeszcze dobre pół godziny wylotówką, pomiędzy hurtowniami, centrami handlowymi, biurowcami. Brzydki podmiejski krajobraz przesuwał się za oknem, upstrzony tablicami reklamowymi, szyldami, billboardami. Wreszcie autobus zatrzymał się w jednym z miasteczek, na niewielkiej pętli w pobliżu szkoły. Stamtąd trzeba było skręcić w piaszczystą ulicę i przejść jeszcze kawałek.

Dom, okazały i piętrowy, stał za kutym ogrodzeniem, prawie niewidoczny zza srebrnych świerków, tuj, cisów i innych typowych roślin ogrodowych. Na furtce przymocowano niewielką, niezbyt rzucającą się w oczy tabliczkę: „Biuro Pośrednictwa BOCIANEK". Iwona nacisnęła guzik i furtka zabzyczała na znak, że jest otwarta.

Gospodyni, korpulentna blondynka z gazetowego zdjęcia, w rzeczywistości wyglądała jakoś mniej porządnie niż na fotografii. Zaaferowana wskazała jej drogę do biura, które okazało się niewielkim pokojem wydzielonym z ogromnej przestrzeni połączonej kuchni, jadalni i salonu. Ciężkie meble onieśmielały, ale już biuro umeblowano według zasady „tanio i prosto" – przypadkowe sprzęty z laminowanej płyty, w oknie verticale, komputer na niedużym biurku sprawiał wrażenie, jakby pochodził jeszcze z lat dziewięćdziesiątych.

– Zapraszam – gospodyni wskazała Iwonie obrotowe krzesło, sama usiadła na podobnym. – Rozumiem, że pani chce się zgłosić na... surogatkę? – zawahała się przed tym słowem, jakby było dla niej równie nowe jak dla klientki.

– Tak.

– Dobrze, pani... Iwono, teraz spiszę pani dane do naszego kwestionariusza. Wiek?

– Trzydzieści jeden.

Podając dane, Iwona kręciła się na obrotowym krześle. Spodziewała się czegoś innego, jakiejś rozmowy z psychologiem, badań lekarskich, okazji do wypowiedzenia swoich obaw i niepokojów. A tymczasem zastała bezosobowy pokój, pytania jak w urzędzie zadawane przez kobietę, która wydawała się oderwana od jakichś obowiązków domowych i niechętna. Za oknem widać było ogród, jakiś pies ujadał miarowo, jakby miał nigdy nie przestać.

Kobieta wcisnęła Enter na klawiaturze i podniosła wzrok, taksując Iwonę po raz kolejny. Spojrzenie omiotło ją dokładnie, jak laserowy skaner rejestrujący wszystkie niedoskonałości.

– Jak pani pewnie wie, oficjalnie zawieramy umowę pośrednictwa pracy – powiedziała. – W polskim prawie nie ma czegoś takiego jak surogatka. Po rozwiązaniu musi pani oddać dziecko do adopcji ze wskazaniem, czyli zrzec się praw rodzicielskich i wskazać rodziców adopcyjnych. Co do wypłaty, będzie pani się umawiać ustnie z rodzicami. Proszę się nie obawiać, to zwykle są bogaci ludzie, gotowi zapłacić każdą cenę. Czy ma pani jakieś pytania?

– Czy to... czy ktoś już przede mną...? – Iwona zawiesiła głos.

Kobieta pokiwała głową i splotła dłonie na kolanach.

– Trzy panie chodzą w ciąży, jedna na dniach będzie rodzić. Umówmy się tak – dodała, wstając z krzesła i sygnalizując tym samym, że spotkanie dobiegło końca – niech pani wraca do domu, dba o siebie. Żadnego alkoholu i papierosów, można już łykać kwas foliowy i witaminy. A ja do pani zadzwonię, kiedy znajdę dla pani rodziców.

Uścisnęły sobie ręce, Iwona została odprowadzona do furtki. Miała poczucie ostateczności, jak po podpisaniu cyrografu. Choć gdzieś w głębi duszy zdawała sobie sprawę, że może zmienić decyzję w każdej chwili albo po prostu nie odebrać telefonu z agencji, to wiedziała, że tego nie zrobi.

– Sprzedałaś się – oskarżyła ją sąsiadka.

– Można się sprzedać na dwa sposoby – odpowiedziała. – Wybrałam ten lepszy. Pomyśl, zarobię prawdziwe pieniądze, a jednocześnie dam komuś najpiękniejsze, co można dać drugiemu człowiekowi.

– A jeśli pokochasz to dziecko? Jeśli nie będziesz chciała go oddać? Zostaniesz z długiem i z trzecim dzieciakiem do karmienia i kupowania butów.

– Będę się starała go nie pokochać. Piotrka i Julkę też tak naprawdę pokochałam dopiero wtedy, kiedy urodziłam. Kiedy byli w brzuchu, to nie umiałam sobie wyobrazić, że tam siedzi prawdziwy człowiek.

– Jak sobie chcesz – tamta wzruszyła ramionami – tylko żebyś później nie płakała. Bo na moją głowę, to nic dobrego z tego nie będzie.

Po wyjściu sąsiadki Iwona znowu zapatrzyła się w okno. Gdzieś tam, za szybą, chodzili ludzie, którym miała dać dziecko. Nie tacy ludzie jak ona – tacy, do jakich mogła należeć, gdyby jej życie, małżeństwo i kariera nie okazały się pasmem porażek. Ludzie ze świata za szybą, którzy kupili już wszystko w tym ogromnym sklepie z zabawkami, jakim było współczesne życie, i chcieli zamówić jeszcze tylko tę jedną, jedyną rzecz, jakiej akurat dla nich zabrakło w magazynie. Ludzie płacący innym ludziom za ich czas i swoją wygodę, zatrudniający sprzątaczki, gosposie, kierowców i nianie, dla których pewnie zatrudnienie zastępczej matki było tylko kolejnym krokiem w tym łańcuchu.

Ludzie dzielili się na kupujących i dostawców, a jej zupełnie naturalnie przypadła ta druga rola. Została na nią skazana, teraz już na zawsze. Wszystko mogło się potoczyć inaczej, gdyby skończyła studia, nie urodziła dzieci... Ale nie umiała sobie wyobrazić życia bez dzieci, bez Piotrusia i Julki, odrabiających teraz lekcje w pokoju, w którym spali we troje, dawnym dużym pokoju niewielkiego mieszkania, zagraconym dwiema wersalkami i rozkładanym fotelem małej. Dla nich to robiła. Po to żeby móc pojechać taksówką do lekarza, kiedy Piotrek znowu zacznie zanosić się w nocy świszczącym kaszlem. Po to żeby wysłać go na zimowisko w góry i żeby Julka mogła chodzić na balet i nie wstydzić się tam starego dresu. To oni zamiast niej kiedyś wejdą do świata zza szyby, może właśnie dzięki decyzji, jaką podjęła. Może będą umieli jej wybaczyć oddanie ich brata albo siostry obcym ludziom, jeśli będą wiedzieli, że poświęciła to dziecko w ofierze za ich lepsze życie.

Gdzieś tam, za oknem, żyje kobieta, która od razu wprowadzi tamto dziecko do innego świata, obdarzy je wszystkim, co dziecko powinno dostać, będzie je kochać i pielęgnować. Kobieta, która ma wszystko, a jednocześnie zazdrości jej, Iwonie, tego, co przyszło jej przecież tak naturalnie i bez zastanowienia. Próbowała wyobrazić sobie tę kobietę i wyświetlił się jej w głowie obrazek z kolorowego pisma dla rodziców: nieskazitelna blondynka pchająca wózek (na sąsiedniej stronie z pewnością była reklama tych wózków) z uśmiechem na twarzy.

Telefon zadzwonił kilka tygodni później, kiedy była w pracy. Odebrała matka, zanotowała numer.

– Ta z agencji dzwoniła – burknęła tonem, który nie pozostawiał żadnych wątpliwości co do jej dezaprobaty dla całego pomysłu. – Masz oddzwonić przed dwudziestą pierwszą.

– Mamy dla pani kandydatów na rodziców – usłyszała w słuchawce, kiedy właścicielka agencji odebrała komórkę. – Proszę przyjechać we wtorek, z kompletem badań lekarskich i dowodem.

PODRÓŻNA

Pociąg zbliżał się do stacji. Starsza kobieta przepychała się na korytarz z bagażami, sapiąc przy tym i zalewając się potem o ostrym zapachu. Mężczyzna z laptopem stukał z furią w klawiaturę, mamrocząc coś pod nosem.

Do stacji jeszcze godzina. Potem w pekaes, kolejna godzinka–półtorej i dojadą. Kiedy będą na miejscu, zastanowią się, co dalej.

Dziecko spało spokojnie, posapując przez nos co jakiś czas.

– Zastanowimy się, prawda, maleńka? – Młoda kobieta musnęła ustami policzek dziecka. – Coś wymyślimy, nie martw się.

Problem w tym, że nie umiała nic wymyślić. Przed wyjazdem napędzała ją adrenalina, pośpiech nie pozwalał się zastanowić. W pociągu, kołysana monotonnym stukotem kół, miała aż nadto czasu na myślenie, ale w głowie tylko pustkę, w której wirowały białe płaty śniegu. Jak na ekranie zepsutego telewizora. Stres opadł i jak powódź pozostawił po sobie zwały błota i śmieci, nic się nie skrystalizowało ani nie pojawiło. Jeszcze był czas. Może po prostu przez chwilę pożyje tak jak inne matki: w rytmie codziennych obowiązków, zmęczenia i braku snu, rzucając się z jednej czynności w drugą, utartymi koleinami, byle do wieczora i byle do rana. Może taka monotonia pozwoli jej to coś odnaleźć.

Pociąg się zatrzymał. Dziecko jęknęło przez sen. Za oknem stacja, jaka mogłaby być w każdym niewielkim mieście – brudne perony, ceglany budynek dworca wołający o remont. Głos z megafonu: „Pociąg pospieszny relacji Warszawa – Lublin stoi na torze szóstym, przy peronie trzecim". Ludzie biegający po peronie w poszukiwaniu odpowiedniego wagonu.

Przedostatnia stacja, jeszcze pół godziny i trzeba będzie wysiąść, wrócić z tego kradzionego międzyczasu do rzeczywistości. Autobus odjeżdża za godzinę i dwadzieścia minut. Wyobraziła sobie minę babci, jej sylwetkę przy furtce niewielkiego drewnianego domku, zbudowanego jeszcze przed wojną, jej szeroką spódnicę i chustkę na głowie. Ucieszy się. Zawsze się cieszyła, kiedy przyjeżdżali, na imieniny i na święta. To będzie inna, prawdziwa radość, nie ta sztuczna, warszawska, podszyta strachem. Prawdziwa radość i prawdziwe życie. Malwy pod płotem, piec kaflowy, rąbanie drzewa i karmienie kur o szóstej rano. W takim życiu można się schować, chroniąc to, co najcenniejsze, przed tymi, którzy za wszelką cenę chcą to zabrać.

Pociąg ruszył, głos w megafonie zaskrzypiał, koła turkotały, przybliżając ją i dziecko z każdą minutą o kolejne kilka metrów do schronienia.

CZĘŚĆ II

W OCZEKIWANIU

Nadzieja umarła razem z czwartym dzieckiem.

Piąta, ostatnia próba, miała być ostatecznym potwierdzeniem tej śmierci. Tak też się stało. Tym razem trwało to najkrócej, bo tylko siedem tygodni.

Lekarz westchnął na widok Marty. Na początku był nią znudzony. Ot, jeszcze jedna spanikowana pacjentka, która po pół roku nieskutecznych starań wmawia sobie bezpłodność. Po pierwszym poronieniu z pasją i zaangażowaniem szukał przyczyny. Po drugim zlecił wszystkie możliwe badania. Przy trzeciej i czwartej ciąży zasypywał Martę optymistycznymi statystykami. Teraz najbardziej na świecie pragnął jej nigdy więcej nie zobaczyć. Była porażką, żywym dowodem na to, że medycyna nie jest nauką ścisłą, zaprzeczeniem jego żarliwej wiary w to, że każdą dolegliwość można zdiagnozować i wyleczyć.

Zmieniła się od pierwszej wizyty. Jakby ktoś ją wyprał w wybielaczu. Twarz jej zjaśniała, zszarzała. Pod wielkimi ciemnoszarymi oczyma pojawiły się worki zwiotczałej skóry i wyraźne zmarszczki mimiczne, ale nie te w kącikach

oczu, od śmiechu. Siedziała na krześle zgarbiona, nerwowo skubiąc paznokciami skórki na poranionych kciukach.
Usta miała spierzchnięte i popękane.

– Dlaczego...? – zapytała tylko.

Pokręcił głową, nie znał odpowiedzi.

– Nie wiem. Jest pani całkowicie zdrowa, nie ma żadnych nieprawidłowości w budowie ani w wynikach badań.
Teoretycznie powinna pani nosić ciąże i rodzić bez najmniejszych problemów. Obawiam się jednak, że w pani
przypadku jest jakiś czynnik, coś, czego medycyna jeszcze
nie wie, co nie pozwala pani donosić ciąży.

– Czy to ma związek z zabiegiem? – zapytała.

– Nie przypuszczam – zawahał się. – Myślę, że... zabieg nie był potrzebny. Tamtą ciążę też by pani straciła,
wcześniej czy później.

– Czyli nie mam szans?

Współczucie ścisnęło go za gardło. Starała się być dziel-
na. Chciał za wszelką cenę przekazać jej jakieś dobre wiadomości, ale nie miał nic do przekazania. Nie znosił tego.
Kochał te chwile, kiedy pacjentki przychodziły obejrzeć na
monitorze USG swoje zdrowe, w pełni ukształtowane dzieci. Uwielbiał moment, kiedy spomiędzy nóg pacjentki wyłaniała się w szpitalu kudłata główka o ciemnych włoskach
zlepionych krwią. Przepadał za ratowaniem beznadziej-
nych przypadków – cesarki wykonywane w ostatniej chwili, eksperymentalne leki. Nienawidził chwil, kiedy musiał
przekazywać złe wieści. Nie zdarzało się to często – ostatecznie większość kobiet rodziła zdrowe dzieci, których
zdjęcia później zapełniały ściany poczekalni – ale kiedy
przychodziły, wysysały z niego całą energię.

– Obawiam się, że nie ma szans, żeby pani kiedykolwiek urodziła. Dalsze próby mogą być ryzykowne dla pani
zdrowia.

Wiedziała o tym. Podczas ostatniego poronienia straciła prawie dwa litry krwi. Uratowała ją szybka transfuzja i to, że karetka jakimś cudem dojechała na osiedle szybciej niż zwykle.

– Czy zastanawiała się pani nad adopcją?

– Nie. To znaczy tak, ale nie chcemy.

– Jedyne, co mogę w takiej sytuacji zaproponować, to macierzyństwo zastępcze. Surogatka – wyjaśnił, widząc jej pozbawioną wyrazu twarz. – Kobieta, która donosi ciążę i urodzi dla państwa biologiczne dziecko.

– Można to zrobić? – jej twarz pojaśniała.

– Teoretycznie, według prawa nie bardzo. Ale my, Polacy, jesteśmy specjalistami od znajdowania luk w prawie – uśmiechnął się. – A pani nie ma problemu z zapłodnieniem i wyprodukowaniem zarodków, pani potrzebuje kogoś, kto przez te parę miesięcy będzie... powiedzmy, inkubatorem.

Klinika, której adres dostali, wyglądała zupełnie niepozornie. Nowy, prosty biały budynek wciśnięty między stare bloki z wielkiej płyty na jednym z osiedli z lat siedemdziesiątych. Przy oszklonych drzwiach tabliczka z nazwą i przycisk dzwonka. Poczekalnia nie różniła się niczym od poczekalni w innych prywatnych przychodniach: wysoka lada recepcji, matowe kafle na podłodze, na ścianach uspokajająca zieleń i beż. Kilka wycinków z gazet i dyplomów oprawionych w proste ramki, na szklanym blacie stolika kolorowe czasopisma i ulotki leków dostępnych bez recepty.

Tylko kobiety w poczekalni były inne. Cichsze. Bledsze. Z ustami zaciśniętymi w grymasie determinacji albo bólu. Jedynie kilka z nich miało wyraźne ciążowe brzuszki. Obejmowały je jakby ze strachem, jakby próbując chronić przed zewnętrznym światem, z desperacką nadzieją.

Marta ścisnęła Filipa za rękę. „Straszne miejsce", pomyślała. Poszukała jego wzroku, on odpowiedział spojrzeniem. Dotknęli się chyba po raz pierwszy od jej ostatniego powrotu ze szpitala. Od tamtej pory poruszali się osobno, każde oddzielnie spowite kokonem bólu i milczenia. Tu jednak dotknięcie wydawało się na miejscu. Tu, o ile wszystko pójdzie dobrze, mieli zdjąć z siebie brzemię porażki, odzyskać na nowo dostęp do siebie. Seks miał znów stać się sposobem na bliskość, a nie tylko technicznym „robieniem dziecka" i to jedynie w konkretne dni i godziny, wyznaczane przez termometr, kalendarz i intuicję (a później znowu kilka tygodni przerwy i trzy miesiące na regenerację po kolejnym poronieniu). Filip czuł się jak maszynka, której jedynym zadaniem było dostarczenie porcji lepkiego białego płynu w odpowiedniej chwili. Teraz też miało tak być, ale – o ile wszystko się powiedzie – po raz ostatni.

– Proszę! – drzwi gabinetu się uchyliły.

Marta i Filip weszli na spotkanie swojego przeznaczenia.

Leki zrobiły z niej zombie. Nieustanne wahania nastroju przypominały jej tę huśtawkę z końcówki każdego cyklu, kiedy do wybuchnięcia płaczem wystarczał odrobinę przypalony garnuszek na mleko, a granica między rozpaczą a histerycznym śmiechem była cienka jak włos. W jednej chwili Marta była senna, zmęczona, drażnił ją każdy dźwięk, codzienne zapachy wywoływały ból głowy i mdłości. Po minucie kipiała energią, a po chwili zanosiła się płaczem na widok reklamy telewizyjnej z gumową kaczuszką. Poprosiła o urlop – choć po tylu zwolnieniach było to już przeciąganiem struny, jednak spotkała się ze zrozumieniem. Pomyślała, że szefowa i podwładne z działu muszą odczuwać ulgę – kiedy zniknęła, razem z nią zniknęło nieustanne zagrożenie wybuchem złości, awanturą czy atakiem płaczu na widok literówki w zestawieniu. Miała nadzieję, że będzie miała dokąd wrócić, kiedy już będzie po wszystkim, że jej miejsca nie zajmie jakaś zrównoważona i spokojna młoda kobieta.

Siedziała więc w domu, wsłuchując się w dojrzewające w niej komórki jajowe. Lekarze mieli wyprodukować z nich piękne nowe zarodki, które później zostaną wszczepione jakiejś innej kobiecie. „Jak kukułka – pomyślała. – Kukułka znosi jaja w gnieździe innego ptaka, który ma za zadanie je wysiedzieć. Wszyscy to potępiają, lecz przecież, skoro wymyśliła to natura, musi być w tym jakiś cel. Co czuje kukułka, składając jajo w cudzym gnieździe? Czy wierzy, że robi to, co najlepsze dla swojego przyszłego dziecka, czy później martwi się o nie?" Wiedziała, że gdyby zadała to pytanie głośno – mężowi, matce, znajomej – zamiast odpowiedzi usłyszałaby tylko pełen zakłopotania śmiech. Nikt nie zastanawia się nad takimi rzeczami. Kukułka robi coś, do czego została genetycznie zaprogramowana. Ptaki nie myślą. Dlatego postanowiła zachować te rozważania dla siebie.

Patrzyła przez okno. Osiedle przykryła cieniutka warstwa śniegu. Dzieci biegały, znacząc biel śladami zimowych butów i sanek, w ogródkach na parterze bałwany zastąpiły suszarki z praniem.

Spuchła. Zatrzymywała wodę, sprzedawczynie ze sklepiku proponowały jej napar z mniszka, ale nie słuchała. Zamiast tego kupowała sobie słodycze i gotowe dania, rozpieszczała się. Jej myśli oscylowały od euforii do czarnego: „Na pewno się nie uda".

Zadzwoniła do matki przez Skype'a. Matka, gdzieś daleko, na przedmieściach Columbus, Ohio, opowiadała o burzy śnieżnej i epidemii nowej grypy, która na szczęście okazała się mniej groźna, niż się spodziewano. Matka wyjechała tam za nowym mężem, zasymilowała się natychmiast, jak to ona: z entuzjazmem jadła hot dogi na meczach baseballowych i piekła muffinki na spotkania polskiej parafii. Zaskakująco krótko rozmawiały, choć w zasadzie już od wielu lat nie miały sobie dużo do powiedzenia. Po wypadku Marta zamknęła się w sobie, później rodzice się rozwiedli. Marta zamieszkała z ojcem, który sprawiał wrażenie, jakby go wcale nie było, a matka funkcjonowała jako dostawca paczek z amerykańskimi ciuchami. O!, o tym potrafiła rozprawiać godzinami: co nowego upolowała w GAP-ie i jak tanie są te ubrania w porównaniu z polskimi cenami. Na ślub przysłała bukiet kwiatów i prezent – absurdalną maszynę do pieczenia chleba, gotowania, miksowania, maszynę jak z filmu, do której jednym końcem wrzucało się surowe jarzyny i mąkę, a z drugiej strony wychodziła zapiekanka warzywna. Marta wypróbowała ustrojstwo raz czy dwa, po czym schowała na pawlacz, gdzie miało pozostać do końca swoich dni, obok klatki po dawno zdechłym chomiku i karimaty pamiętającej wakacyjne wyprawy w góry. Filip znał teściową głównie z długich maili okraszonych fotografiami pulchnej, złotowłosej sześćdziesięciolatki w legginsach maszerującej nad Wielkim Kanionem.

Matka nie była zainteresowana tematem ciąży i macierzyństwa. Matka urodziła Martę tylko dlatego, że babcia Ada nigdy w życiu nie zaakceptowałaby aborcji, a później wykarmiła ją butelką systemem „karmienie co cztery godziny, a jak wrzeszczy w międzyczasie, to dobrze, płuca sobie wzmocni". Oddała półroczną Martę do żłobka, trzyletnią do przedszkola, sprawdzała zeszyty i dziękowała za laurki, słoiki oklejone kolorową kaszą i gliniane popielniczki wykonywane w szkole jako prezenty na Dzień

Matki, ale przede wszystkim zajmowała się własnym życiem. Ciepło, miłość i troska były dostępne na wsi, u babci i dziadka... przynajmniej do jego śmierci w wypadku niedługo po jedenastych urodzinach wnuczki.

Teściowa za to była żywo zainteresowana. Pojawiała się w trudnych do przewidzenia chwilach, zawsze przynosząc jakiś nowo odkryty skarb – kulki homeopatyczne na ogólne wzmocnienie organizmu, cudowny medalik Maryi znany ze swej uzdrawiającej mocy, buteleczkę wody z Lourdes, indiański łapacz snów. Między drugim a trzecim poronieniem zapakowała Martę w swoje stare cinquecento i nie bacząc na jej protesty, wywiozła gdzieś za miasto, gdzie pod cyrkowym namiotem kłębił się tłum chorych. W namiocie łysawy pan w średnim wieku monotonnie wygłaszał jakieś mantry, które miały ich wprowadzić w trans, naenergetyzować, a przy okazji napełnić energią butelki wody mineralnej kupione na specjalnym stoisku obok namiotu. Po części ogólnej pan powolnym krokiem przemieszczał się wśród rozstępującego się przed nim tłumu, dotykając niektórych zgromadzonych. Teściowa energicznie wypchnęła synową naprzód, pan położył Marcie suchą, miękką dłoń na czole i oznajmił przyciszonym głosem: „Będziesz uzdrowiona, zabieram od ciebie złą energię" – po czym strzepnął dłoń, jakby rzeczywiście przykleiło się do niej coś obrzydliwego. W drodze powrotnej matka Filipa nie przestawała mówić. Prowadziła wiekowe autko z ułańską fantazją po drogach powiatowych i gruntowych, a jednocześnie zasypywała Martę pytaniami, radami i poleceniami.

– Czułaś tę energię!? – wykrzykiwała, gdy podskakiwały na wybojach. – Czułaś, prawda!? Nie sposób tego nie czuć, ten człowiek jest niesamowity, aż iskry od niego biją. Odkąd byłam u niego po raz pierwszy, skończyły się wszystkie moje problemy. Skończyły się te uderzenia gorąca, żylaki mnie nie bolą i nareszcie mam cukier w normie. Pamiętaj tylko, pij tę wodę, tak jak on każe, dwa łyki przed każdym posiłkiem, nie więcej.

Marta posłusznie wypiła całą dwulitrową butelkę niegazowanej wody, nad łóżkiem zawiesiła łapacz snów, jadła cukrowe kulki, kiedy teściowa patrzyła, a po cichu podśmiewała się z wiary starszej pani w absurdalną mieszankę religii, przesądów i pseudonaukowych stwierdzeń. Czasami, w chwilach rozpaczy, rzucała się na te dziwaczne sposoby z desperacką energią, w nadziei, na przekór rozumowi, że cokolwiek z tego pomoże jej osiągnąć upragniony cel. W końcu nie ma nic złego w piciu wody. Kto wie, może ten człowiek rzeczywiście ma jakąś energię? Nauka nie zbadała jeszcze wszystkiego, homeopatia może działać, kilkadziesiąt lat temu nikt nie uwierzyłby, że coś takiego jak internet może powstać, pewne rzeczy dzisiaj uważane za wytwór wyobraźni, jutro mogą się okazać sprawdzoną metodą, przyjmowaną jako coś oczywistego – przekonywała sama siebie. Kiedy indziej szła do kościoła przepełniona wiarą, jakiej nie odczuwała od czasu Pierwszej Komunii, i modliła się żarliwie, zawierając pogańskie w swej naturze pakty z Bogiem: „Jeśli istniejesz, proszę, wybacz mi wszystko złe, co popełniłam. Daj mi jeszcze jedną szansę, tylko jedną, jedyną. Jeśli pozwolisz mi urodzić dziecko, to będę chodzić do kościoła w każdą niedzielę, przestrzegać dziesięciorga przykazań, odmawiać różaniec, pościć w każdy piątek… Zrobię wszystko, absolutnie wszystko!". Po czym rozglądała się dookoła. Widziała tłum karnie wstający i klękający na dźwięk dzwonka, odruch warunkowy jak u psa Pawłowa, wyćwiczony przez lata i niewymagający żadnego udziału świadomości, w nozdrza uderzał ją odór ludzkich ciał i dym kadzidła, Matka Boska z Dzieciątkiem zdawała się wykrzywiać do niej szyderczo ze złotych ram obrazu, a rozmodlony papież Polak na olejnym, kiczowatym płótnie odwracał od niej wzrok z niesmakiem. Wtedy wracała do podśmiewania się, stawiała Boga w jednym rzędzie z łysym uzdrowicielem z namiotu, jako rozpaczliwy wytwór wyobraźni i strachu ludzi przed rzeczywistością. Jeden stan niósł gorączkową nadzieję, drugi fatalistyczne przekonanie, że co ma być, to będzie, a gdzieś pomiędzy nimi, rozdarta, tkwiła jedenastoletnia dziewczynka z nogami w gipsie, zamykająca oczy w szpitalnym łóżku, prosząc: „Niech to się wreszcie skończy".

Wizyta w klinice w pewien sposób naturalnie zakończyła ten etap miotania się od desperackiej nadziei do czarnej rozpaczy, od wiary do racjonalizmu. Była jednak także przyznaniem się do porażki. Jakaś głębsza, mniej świadoma część Marty na przekór rozumowi upierała się, że może wystarczyłaby jeszcze jedna próba, żeby się udało, może poddała się za wcześnie i przez to straci czekające już w zasięgu ręki możliwości. Inna część odetchnęła z ulgą.

– To najlepsza decyzja, jaką mogliśmy podjąć – powiedział Filip.

Powoli stosunki między nimi wracały do normy, przestały być podszyte strachem i niemym wyrzutem.

– Tak myślisz? – zapytała, patrząc na niego z wdzięcznością. Dopiero teraz zauważyła, jak bardzo się postarzał przez te pięć lat nieustannych starań o ciążę. Linia włosów cofnęła się, uniemożliwiając ostatecznie używanie określenia „wysokie czoło" w tonie innym niż żartobliwy. W jasnych, cienkich włosach prześwitywały siwe pasma. Wokół jego niebieskich oczu rysowały się linie zmarszczek, policzki się zapadły, plecy przygarbiły. Nie miał jeszcze czterdziestu lat, ale wyglądał na starszego, a przede wszystkim na śmiertelnie zmęczonego, jak ktoś po stracie bliskiej osoby. W pewnym sensie tak było. Czyż nie stracili pięciu najbliższych osób w ostatnich latach? Może były to tylko potencjalne osoby, może nie dostali szansy na ich poznanie, ale przecież zdążyli je pokochać.

– Tak właśnie myślę – odpowiedział. – Nie zniósłbym kolejnej próby, tego strachu o ciebie i o dziecko. O obcą osobę nie będę się tak bał.

– Ona nie będzie obca. W pewnym sensie to ona będzie jego matką. To jej głos dziecko będzie słyszało w brzuchu, to jej bicie serca, jej zapach wdrukują mu się w pamięć. – Nareszcie odważyła się wypowiedzieć na głos swoje najgłębsze wątpliwości, to, co najbardziej ją dręczyło. – A może przez całe życie będzie za nią tęsknić?

– Nie będzie. – Filip objął ją ramieniem. – Będzie miało nasze geny, nos dziadka Felicjana i szalone pomysły mojej matki, twoje ciemne włosy i moje niebieskie oczy. Ona będzie tylko inkubatorem. Wynajmiemy ją na pewien czas, tak jak się zatrudnia niańkę, kiedy nie możesz się sama zająć dzieckiem.

Marta pokiwała głową, chociaż nie udało mu się całkowicie rozwiać jej wątpliwości. Nie wypowiedziała też na głos najważniejszego, tego, co zaprzątało jej myśli od chwili, kiedy dowiedziała się o istnieniu agencji: a co będzie, jeśli ona nie zechce oddać dziecka?

– No cóż, w takiej sytuacji są państwo w nie najlepszej pozycji – powiedziała starsza kobieta prowadząca agencję. – Polskie prawo nie nadąża za postępem w tej dziedzinie. Teoretycznie wszystko jest ujęte w umowie cywilnoprawnej, ale czy sąd uzna taką umowę za wiążącą, to w praktyce zależy tylko od sędziego i adwokatów. Ta dziewczyna z Łodzi, która nie oddała synka genetycznym rodzicom, od trzech lat się procesuje, a dziecko przez cały czas przebywa u niej. Od razu radzę państwu poszukać dobrego prawnika, choć mam nadzieję, że w najbliższym czasie nasze państwo jednak uwzględni nowe możliwości medycyny i przestanie dyskryminować takich ludzi jak my.

Marta i Filip popatrzyli na siebie, lekko zdziwieni tym przejęzyczeniem, ale kobieta pochyliła się w ich stronę, upiła łyk kawy z filiżanki z duraleksu i wyjaśniła:

– My też przez wiele lat staraliśmy się o dziecko. W końcu adoptowaliśmy dwóch braci, mieli rok i trzy latka. Nasi synowie są dzisiaj dorośli, młodszy jeszcze studiuje, starszy pomaga mężowi w firmie... – zawiesiła głos.

– Ale to jednak nie to samo. Kochamy ich, bardzo ich pokochaliśmy, ale czasem odzywa się taki żal, że nie mogliśmy mieć swoich dzieci. Gdyby wtedy medycyna oferowała takie możliwości... – westchnęła, machnęła ręką, uśmiechnęła się przepraszająco. – Zanudzam państwa, przepraszam. Tylko czasem tak trudno się powstrzymać od mówienia o tym.

Dobry prawnik był, na szczęście, w zasięgu ręki. Korporacyjne kontakty Filipa zawsze przydawały się w takich sytuacjach. Ktoś znajomy polecił adwokata specjalizującego się w prawie rodzinnym, w sprawach dotyczących podziału opieki nad dziećmi. Podobno osiągał sukcesy, sporo pisano o nim w gazetach, lubił wypowiadać się publicznie, a jego nazwisko z pewnością brzmiało znajomo dla wielu ludzi. Marta jednak nie uczestniczyła w pełni w spotkaniach z nim, zostawiała rozmowę mężczyznom. Siedzieli w dużym pokoju przy stoliku zawalonym papierami, a ona wchodziła w rolę gospodyni donoszącej kolejne kawy, napoje i przekąski. Filip bezwiednie drapał się w głowę, targając precyzyjnie zaczesane pasma jasnych włosów, delikatna skóra jego twarzy czerwieniała. Prawnik, w obowiązkowym garniturze i pod krawatem, perorował, czasami wstawał i chodził, depcząc eleganckimi butami jasny dywan, gestykulował. Co pewien czas wymykał się na balkon na papierosa, stał oparty o balustradę, wpatrywał się w wieczorne niebo i światła bloku naprzeciwko, nie skupiając na niczym wzroku, okulary bez oprawek miał zsunięte na sam czubek nosa. Czasem nerwowo bębnił palcami w balustradę albo nagle, w geście triumfu, unosił palec wskazujący do góry, poprawiał okulary i wbiegał energicznie do pokoju, wracał do rozmowy i nanosił kolejne poprawki na kolejny projekt umowy. Marta schowała się w sypialni. Udawała, że czyta książkę, ale nie mogła się skupić na jej treści. Nagle pożałowała, że porzuciła zamiar studiowania prawa, a zamiast tego podjęła studia na prozaicznym, łatwym kierunku, który wypluwał absolwentów prosto w objęcia międzynarodowych korporacji. Później jeszcze myślała o dodatkowych studiach prawniczych, ale nigdy nie było czasu, potem zwyciężyła wewnętrzna inercja. Kiedy patrzyła wstecz na ostatnie kilka lat, w ogóle nie postrzegała ich w kategoriach rozwoju zawodowego, tylko jako nieustanne pasmo starań, owulacji, miesiączek, testów ciążowych, badań i pobytów w szpitalu. „Może kiedy dziecko będzie starsze", pomyślała.

Pewnego dnia adwokat, zadowolony, rzucił wreszcie kolejny wydruk na stół, dopił herbatę (zieloną, z aromatem mandarynek – nie pijał czarnej ani owocowej) i wyciągnął ręce w górę w geście ostatecznego zwycięstwa.

– To chyba będzie nareszcie to, czego chcemy. Zabezpiecza was na wszystkie możliwe sposoby.

Krótka rozmowa telefoniczna. Umowa została przefaksowana do agencji. Dobito targu. Adwokat został przyja-

cielem domu. Na kolejne spotkania przychodził już z młodziutką, myszowatą żoną, zawsze bardzo drogo i bardzo
źle ubraną, której tematy rozmów i zainteresowania spro-
wadzały się do osiągnięć ich dzieci i psów, mieli ich w su-
mie około sześciu sztuk, a Marta czasami łapała się na
tym, że nie wie, ile z tej szóstki to ludzie. Była ciekawa,
czy po narodzinach dziecka też będzie tak skupiona wyłącznie na jednym temacie – i bardzo tego chciała.

– I co to za ludzie? – Sąsiadka Beata popijała kawę przy kuchennym stole Iwony. – Mili chociaż?

– Mili. – Iwona w zamyśleniu postukała łyżeczką o brzeg filiżanki. Rozkoszowała się smakiem kawy rozpuszczalnej. Jeśli wszystko dobrze pójdzie, to na dziewięć miesięcy będzie musiała odstawić tę i parę innych przyjemności. Chciała poczuć smak w pełni i zapamiętać go na zapas. – Trochę zdenerwowani, trochę jakby z innego świata.

– Jak to?

– Inni niż my, wiesz, mają inne problemy. – Iwona się roześmiała. – Dla tego dzieciaka już mają wszystko zaplanowane, przedszkole wybrane, pokoiku nie urządzają, żeby, jak to mówią, nie zapeszyć, ale już szukają wózków w internecie.

– Co robią?

– Nie dopytywałam. Oboje w dużych firmach, korporacjach, jak to mówią. – Iwona zamyśliła się na chwilę, znowu utkwiła wzrok w oknie, w tej niewidzialnej szybie za prawdziwym szkłem.

– Wiesz... wiesz, Beatka, gdyby nie Julka, gdyby nie wy-jazd Darka, gdyby nie długi... mogłabym być taka jak oni.

– No coś ty? – koleżanka prawie zakrztusiła się słod-kim płynem – Chciałabyś się z nią zamienić? Tak ci źle w życiu?

– A niby dobrze?

– Masz pracę, masz mieszkanie, masz matkę do pomo-cy przy dzieciakach, nie muszą łazić z kluczem na szyi, masz na czynsz. Iwona, po co ty to robisz? Nie wydaje ci się, że te pieniądze nie są tego warte? Że narobisz sobie kłopotu na całe życie, że będziesz żałować do śmierci?

– Mam pracę za osiemset pięćdziesiąt na rękę, mam drugą pracę, gdzie siedzę do nocy – powiedziała z goryczą Iwona. – A wiesz, ile idzie na leki na oskrzela dla Piotrka? A wiesz, jak to ciężko, kiedy dzieciaki chodzą do klasy z tymi z osiedla i od razu widać, które gdzie mieszkają? Wiesz, jak to jest, kiedy Piotrek nie jest zapraszany na żadne urodziny do tych bogatych kolegów? W szkole niby go lubią, ale wszyscy wiedzą, co jego matka robi i że nie stać go na prezent, jaki wszyscy inni kupią. To samo Julka. Wszystkie najlepsze koleżanki ma stąd, te z osiedla jej nie zauważają. Jedna taka poskarżyła nauczycielce, że Julka kradnie. Moja Julka! Bo jej zginęła ulubiona kredka, a wia-domo, że jak zginęła, to ktoś z naszych musiał ukraść. Dla dzieci to robię, tylko dla nich! Na Darka nie mogę liczyć, przyśle sto euro, jak mu się czasem przypomni, akurat mi wtedy starcza na czynsz albo dla baby z Providenta, co u niej pożyczałam na komunię Julki. Dla dzieci. Żeby mia-ły lepsze życie, może im się wreszcie uda stąd wyrwać, mnie się już prawie udało, ale nie wyszło...

– A nie sądzisz, że o tym dziecku też będziesz myślała jak o swoim? Że pokochasz i nie będziesz chciała oddać? Albo że się urodzi chore? Nie alergik jak twój Piotrek, ale naprawdę chore, z Downem czy coś, i oni go nie wezmą, a ty zostaniesz do końca życia z chorym dzieckiem?

– Pomyślałam o tym. Ale słuchaj, jakbym poszła na opiekunkę do takich ludzi, to nie byłby problem, prawda? Siedziałabym z dzieckiem jakiś czas, polubiłabym je, może nawet pokochała, przytulała, niańczyła, a wieczorem bym wracała do domu i zostawiała je u nich, bo to by nie było moje dziecko. Postanowiłam sobie, że tak je będę traktować, jak niańka. Dam mu wszystko, co potrzebne, a później oddam. Może popłaczę sobie trochę z tęsknoty, ale cały czas będę wiedziała, że to nie moje.

Beata pokręciła głową z niedowierzaniem.

– Nie wierzę w to. Przykro mi, Iwonka, ale nie wierzę, że można nosić dziecko w brzuchu przez dziewięć miesięcy, a potem oddać obcym ludziom bez żalu. Niańka nie rzyga w ciąży, nie ma bóli, zgagi, rozstępów.

Przyjrzała się jeszcze raz Iwonie. Nie była przekonana do tego pomysłu, wydawał jej się sprzeczny z naturą i przewidywała same kłopoty. Ale musiała przyznać, że od wielu lat nie widziała w oczach Iwony takiej nadziei. Od ślubu z Darkiem, może od narodzin Julki – jej córki chrzestnej. Od lat obserwowała tylko, jak ta nadzieja znika, zastępowana rezygnacją i zmęczeniem. Jak kierat pracy i domu wysysa z przyjaciółki wszystkie siły życiowe. Odpowiadała na pukanie do drzwi, kiedy trzeba było znowu wieźć Piotrusia nocą do szpitala, bo się dusił. Pożyczała trzydzieści złotych dla baby z Providenta. Kupiła nawet kilka tubek tych cudownych amerykańskich kosmetyków i szybko rozdała po ciotkach. Niewiele więcej mogła zrobić i czasem czuła się winna za swoje życie, skromne, ale udane. Za Maćka, który nie zarabiał dużo, ale był dobrym mężem. Za zdrowe dzieci. Może teraz powinna po prostu zaproponować wsparcie i ucho gotowe do słuchania, nie wtrącać się i mieć nadzieję, że wszystko skończy się jak najlepiej?

– Podziwiam cię – powiedziała. – Ja bym tak nie umiała. Bardzo cię podziwiam. Jakbym była potrzebna, to wiesz, gdzie mnie szukać. Zawsze będę.

Kiedy Beata wyszła, Iwona się zamyśliła. Rozważała to już chyba tysiąc razy od spotkania w agencji i za każdym razem utwierdzała się w przekonaniu, że robi dobrze. Nie zaangażuje się w to uczuciowo, będzie przez cały czas uważać się za niańkę, która opiekuje się cudzym dzieckiem. To powinno być łatwe, w obu ciążach nie należała do tych kobiet, które przemawiają do brzucha i puszczają mu nagrania Mozarta.

Poza tym z całego serca żałowała tamtej kobiety, Marty. Tamta na pierwszy rzut oka sprawiała wrażenie jeszcze jednej ładnej, zadbanej, drogo ubranej kobiety z osiedla. Wysoka, naturalnie szczupła w odróżnieniu od Iwony, która nigdy nie zrzuciła dziesięciu kilogramów po drugiej ciąży i zdążyła się do nich przyzwyczaić. Długie ciemne włosy upięła w luźny węzeł z tyłu kształtnej głowy. Ale w jej szarych oczach, w liniach wokół ust były jakaś rozpacz i złość – na tyle słabe, że niedostrzegalne na pierwszy rzut oka, ale trwałe, jakby wiele lat płaczu wyżłobiło w jej skórze te delikatne, niewidoczne prawie pod makijażem linie. A w opuszczonych kącikach ust czaiła się rezygnacja.

Mąż był zupełnie zwyczajnym, łysiejącym blondynem w okularach, nie odzywał się wiele. Tamta przez cały czas kurczowo ściskała jego nadgarstek, jakby wisiała nad przepaścią, a on był jedynym oparciem, które jeszcze chroniło ją od upadku. Iwona była ciekawa, czy on ma siniaki, bo uścisk wyglądał na tak silny, że mógłby złamać kość. To kobieta zadawała pytania:

„Czy pani pali? A ktoś w domu? A alkohol? Czy pani pije? Jak często? Czy w ciąży będzie pani mogła wziąć zwolnienie i leżeć, jak będzie potrzeba? Czy chorowała pani na różyczkę? Czy dzieci są szczepione?"

I kilkadziesiąt innych, drobiazgowych pytań o każdy możliwy aspekt życia. Czasami zaglądała do niewielkiego kolorowego notesika, żeby przypomnieć sobie kolejne pytania, i zaznaczała drobnymi znaczkami te, na które Iwona już odpowiedziała. Przed ostatnim pytaniem uśmiechnęła się nerwowo, przepraszająco, i wypaliła:

– Czy na pewno jest pani gotowa to dla nas zrobić?

Na to pytanie zadane w tamtej chwili istniała jedna odpowiedź. Każda inna byłaby jak policzek dla tej rozedrganej wewnętrznie kobiety, sprawiającej wrażenie, jakby miała za chwilę rozsypać się na drobne, ostre odłamki i zalać morzem łez. Jej oczekiwanie i pragnienie były tak widoczne, że Iwona bez wahania odpowiedziała:

– Tak, oczywiście.

Tamta uścisnęła jej rękę dłonią zimną jak lód i mokrą od potu, po czym chwiejnie się podniosła, jak ktoś, kto po długiej i ciężkiej chorobie nareszcie po raz pierwszy wstaje z łóżka. Wsparła dłoń na ramieniu męża, który lekko ją podtrzymał, i wykrztusiła przez napływające do gardła łzy:

– Dziękuję pani...

Ale czy naprawdę była gotowa?

Od chwili kiedy podjęła decyzję, stale utwierdzała się w przekonaniu, że tak. Po wszystkich niepowodzeniach w życiu jednego tylko była pewna – istniała jedna, jedyna rzecz, jaką potrafiła zrobić dobrze i z łatwością. Niektórym dany jest talent do pisania albo malowania, inni sumują w głowie cyfry jak kalkulator, jeszcze inni potrafiliby sprzedać termofor mieszkańcom Sahary. Jej dano tylko tę jedyną, podstawową, biologiczną umiejętność rodzenia dzieci.

Przez długi czas była przekonana, że to zdolność tak prymitywna i instynktowna, że obdarzono nią wszystkie kobiety. Podsycały to przekonanie krytyczne uwagi ojca. Teraz, o kilkanaście lat mądrzejsza, wiedziała, że w obecnym świecie to umiejętność rzadka i otoczona kultem, umiejętność będąca przedmiotem zazdrości ze strony kobiet jej pozbawionych przez naturę albo okrutny los. Iwona, będąc nikim, szarą, zaniedbaną myszą ze zrujnowanego robotniczego osiedla, samotną matką z nędzną pracą i marnymi widokami na przyszłość, była jednocześnie szamanką, dawczynią życia, i jeżeli chciała, mogła się tym życiem podzielić z innymi, pozbawionymi tego daru kobietami.

Wiedziała już, że najłatwiej będzie, jeśli potraktuje to jak pracę. Dawno temu, jeszcze w szkole, zajmowała się dziećmi swojej ciotki, które urodziły się, kiedy Iwona była nastolatką. Starsza, Agnieszka, wtedy kilkuletnia, nigdy nie wzbudzała w niej ciepłych uczuć – była chudym, złośliwym dzieciakiem z wiecznie zasmarkanym nosem i skłonnością do ataków złości, potrafiła rzucić się na linoleum na podłodze małego mieszkanka ciotki i wujka i wrzeszczeć, tupiąc piętami, póki nie dostała tego, czego chciała. Ale młodsza, Karolinka, mniej więcej półtoraroczna, budziła w trzynastoletniej Iwonie prawdziwy instynkt macierzyński. Do dziś potrafiła sobie przypomnieć, jak bardzo rozczulał ją dotyk ciepłych, miękkich i brudnych łapek na szyi, jak bardzo kochała tę maleńką, okrąglutką dziewczynkę. Dziś Karolina, prawie dwudziestoletnia pannica, w ciężkich, czarnych ubraniach, patrząca wojowniczo spod farbowanej grzywki, nie miała już w sobie ani śladu tej dziecięcej niewinności i ciepła. Jednak to właśnie od opieki nad nią Iwona zaczęła pragnąć dziecka, to dzięki Karolinie, kiedy tuż po maturze zaszła w ciążę, ani przez chwilę nie myślała o zabiegu. Kiedy zajmowała się dziewczynkami, często błagała rodziców o młodsze rodzeństwo, ale zbywali jej prośby lekceważąco. Dopiero ciotka pewnego dnia wzięła ją na bok i wytłumaczyła, że matka po porodzie musiała przejść poważną operację, przez co nie może mieć już więcej dzieci. Wtedy Iwona skupiła się na miłości do małej Karolinki, z którą zostawała wieczorami, kiedy ciotka-salowa musiała iść do szpitala na nocną zmianę. Wtedy też nauczyła się, że żeby zajmować się cudzym dzieckiem, trzeba tę miłość zostawiać w pewnym sensie za progiem, zdejmować z siebie jak robocze ubranie po powrocie do domu. Miała nadzieję, że uda się jej to i teraz, kiedy będzie w ciąży z tym obcym, a jednak trochę jakby własnym dzieckiem.

Mimo wszystko chwilami dopadały ją wątpliwości. Zdarzało jej się budzić nad ranem, godzinę przed sygnałem budzika, z paraliżującym, duszącym i skręcającym żołądek uczuciem przerażenia. Coś w niej krzyczało: „A jeśli nie podołam? A jeżeli i w tym okażę się do niczego, jak we wszystkim innym?". Wstawała wtedy, starając się wypełnić bezsenny czas sprzątaniem, prasowaniem i innymi obowiązkami, które zwykle wykonywała wieczorem, aż o świcie budziła matkę tą krzątaniną.

– Znowu nie śpisz? – dobiegało pytanie z sypialni. – Do lekarza byś poszła, melisy się napiła. Jakże tak można, dziewczyno, zadręczasz się tym wszystkim, zamiast spać.

Dzieci, zwabione gderaniem babci, wypełzały sennie z łóżek, siadały w piżamach przy stole, szykowały sobie śniadanie. I tak mijały im poranki. Stopniowo zagłuszała dziennymi odgłosami te nocne pytania, tak że stawały się prawie niesłyszalne. Wracały dopiero w ciszy nocy, kiedy jedynym dźwiękiem oprócz chrapania matki i posapywania dzieci były monotonny, nigdy nieustający szum samochodów na wylotówce i warkot lądujących samolotów. Po wielu latach były jak tykanie zegara, stałe, lecz rzadko rejestrowane przez świadomość.

Krótko po tamtym spotkaniu z małżeństwem klientów Iwona otrzymała list z umową i adres kliniki, do której miała się udać na badania.

Przed budynkiem kliniki czekali już tamci, oparci o jeden z tych drogich, niby to terenowych samochodów, które w rzeczywistości służą tylko do przemieszczania się trasami z jednego podziemnego garażu do drugiego, marnując swój terenowy potencjał w korkach wielkiego miasta. Auto lśniło wymytą czernią. Na widok Iwony idącej od przystanku autobusowego ruszyli w jej stronę. Weszli do przychodni razem, Filip przytrzymał drzwi obu kobietom. Zza lady recepcji uniosła się młodziutka dziewczyna o tlenionych włosach.

– Dzień dobry, jestem umówiona... Radziejewska, na godzinę osiemnastą dwadzieścia.

– Zapraszam do poczekalni, doktor zaraz przyjmie – recepcjonistka była nienagannie uprzejma.

Usiedli na twardych plastikowych krzesełkach. Marta pośrodku, Iwona i Filip po obu jej stronach, jakby oboje instynktownie chcieli chronić najsłabszą spośród siebie przed atakami zewnętrznego świata. Tak było dobrze. Zapadła niezręczna cisza. Iwona sięgnęła po kolorowe czasopismo z okrągłą buźką niemowlaka na okładce, zaszeleściła kartkami.

„Klub pokarm i miłość. Każda kobieta potrafi karmić piersią" – przeczytała, ale zauważyła bolesny skurcz, jaki przeleciał prawie niezauważalnie po twarzy Marty, więc szybko odłożyła pisemko i zamiast niego wzięła ze sterty coś o zdrowym życiu, pełne reklam herbatek na przeczyszczenie i celebrytek opowiadających o tym, jak w codziennej diecie unikają cukru, soli, białego chleba, vegety i innych śmiertelnie groźnych składników. Kątem oka dostrzegła, że Marta zamknęła oczy, jakby zapadała w nagły głęboki sen. Jej mąż patrzył pustym spojrzeniem w plakat na przeciwległej ścianie, przedstawiający zarodek w najwcześniejszym stadium ciąży, kijankę z zawiązkami kończyn i wyraźnym ogonkiem. Choć zdawało się, że jest idealnie spokojny, jego palce nerwowo skubały materiał drogich, fabrycznie przecieranych dżinsów. Co pewien czas ukradkiem zerkał na żonę. Wiedział, co czuje, patrząc na ten plakat. Wiedział, że to dla niej tak, jakby oglądała fotografię wszystkich utraconych dzieci. Wiedział też, że tym razem zamknęła oczy nie po to, żeby w swoim wnętrzu przeczekać te kilkanaście minut, ale żeby nie widzieć tego rysunku. Rysunku będącego portretem Marysi, Jasia, Piotrusia, Anielki – dzieci, którym nadano imiona, zanim wyrosły im palce u rąk, dzieci, które umarły, kiedy jeszcze nawet nie przypominały człowieka, a tak przerażająco realnych w wyobraźni.

Kiedy drzwi gabinetu się otworzyły, obie kobiety jednocześnie wstały z krzeseł, ale Filip zareagował szybko, przytrzymał Martę za łokieć.

– Pozwól jej wejść tam samej – powiedział łagodnie.

Po kilkunastu minutach, które dłużyły się jak wieczność, drzwi otworzyły się ponownie. Weszli do gabinetu, trzymając się mocno za ręce. Iwona siedziała na krzesełku, już ubrana, z uśmiechem na twarzy.

– Proszę państwa, zapoznałem się z wynikami badań i nie widzę przeciwwskazań do wszczepienia zarodków. Cóż, wygląda na to, że pani Radziejewska urodzi państwu to wymarzone dziecko.

Od tamtej chwili wszystko toczyło się bardzo szybko, a zarazem przeraźliwie wolno. Z jednej strony były badania, kłucie, wizyty w klinice i w laboratorium, z drugiej oczekiwanie na każdy wynik trwało wieki. Marta usiłowała normalnie pracować, żeby zapomnieć o tym, co dzieje się dookoła, ale nie była w stanie skupić się nawet na najprostszych zadaniach.

Pewnego dnia, wchodząc do barku podczas przerwy na lunch, spostrzegła kierujące się w jej stronę zatroskane spojrzenia. Po chwili głowy natychmiast odwróciły się, nachyliły do siebie nad stolikami, szepcząc coś nie do zrozumienia w panującym gwarze. Pojęła – myśleli, że znowu była w ciąży. Ten szmer oznaczał współczucie i litość, i to nigdy niewypowiadane głośno, wprost: „Dałaby sobie już wreszcie spokój, ileż można próbować, tyle sierot czeka na adopcję".

Zamknęła oczy, wzniosła wokół umysłu szklaną barierę, pewnym krokiem ruszyła do lady zamówić pierogi ruskie i surówkę. Usiadła przy wolnym stoliku, plecami do drzwi,

twarzą do okna z widokiem na korek na Trasie Łazien-
kowskiej. Niech gadają, słowa nie mają do niej dostępu.

Czyjaś ręka spoczęła na jej ramieniu.
– Można się dosiąść?
Kaśka z personalnego. Słabo ją znała, właściwie tylko
skojarzyła imię z twarzą widywaną na tle półki z segrega-
torami. Dorodna, dwudziestoparoletnia blondyna, ubiera-
ła się z nieco większą dawką fantazji, niż dopuszczał fir-
mowy *dress code*, ale ponieważ nie kontaktowała się
z klientami, patrzono na to przez palce. Dzisiaj wokół jej
szyi zwisały sznury dużych paciorków z kolorowego szkła,
a żakiet został zastąpiony fantazyjnym turkusowym swetrem, ażurowym, z falbaniastym żabotem.

– Nie przeszkadzam? – nie słysząc sprzeciwu, Kaśka
postawiła na stoliku swój obiad: makaron po bolońsku ob-
ficie posypany tartym serem i colę.

– Chciałam ci tylko powiedzieć, że widziałam na biurku szefowej wypowiedzenie dla ciebie – oznajmiła bez
zbędnych wstępów.

Słynęła w firmie z bezpośredniości graniczącej z nie-
grzecznością. Każdemu wygarniała prosto z mostu, nie
bacząc na konsekwencje, ale Marta jeszcze nie doświadczyła tej słynnej bezpośredniości na własnej skórze.

– Zdaje się, że omawiali twój przypadek wczoraj na zebraniu kierowników działów. Chyba przesadziłaś z tymi
zwolnieniami – ciągnęła Kaśka z ustami wypchanymi spaghetti. – Przepraszam, że tak z pełną buzią, ale muszę zaraz zmiatać, a głodna jestem. Spodziewaj się jakiegoś we-
zwania, nie sądzę, żeby cię mieli zaraz zwolnić, ale mogą
postraszyć – dodała po przełknięciu. Wypiła łyk coli
z puszki, wytarła usta papierową serwetką, którą następnie zmięła w kulkę i rzuciła na plastikowy talerzyk.

Marta nie mogła wyjść z podziwu, jak udało jej się tak szybko pochłonąć spaghetti, podczas kiedy ona ledwie zdążyła zjeść dwa pierogi. Patrzyła tak zafascynowana, jak Kaśka je, że prawie zapomniała cokolwiek odpowiedzieć.

– Dziękuję za ostrzeżenie – wykrztusiła wreszcie.

– Nie ma za co, polecam się na przyszłość! – Kaśka z szerokim uśmiechem wstała od stołu.

„Czyli tak to wygląda w firmie przyjaznej macierzyństwu i rodzinie", pomyślała Marta. Firma była przyjazna i pomocna, kiedy chodziło o zwykłe, bezproblemowe matki, które pracowały do bardzo zaawansowanej ciąży albo zabierały pracę do domu, rodziły w terminie, a po przepisowych paru miesiącach wracały. Nie było problemów z przerwami na karmienie, z przynoszeniem niemowlaka w chuście na pikniki integracyjne, pakiet zdrowotny obejmował specjalne zniżki dla młodych matek i ich dzieci. Jednak kiedy ktoś przez tyle czasu starał się o dziecko, z wiecznymi zwolnieniami na poronienia, szpital, leżenie, wizyty lekarskie, firma traciła cierpliwość. Mogła być przyjazna prawdziwym matkom, ale nie takim nieudacznicom jak Marta, które korzystały z przywilejów ciążowych, nie dając nic w zamian. Które nosiły żałobę w sercu, zamiast pampersa w aktówce.

Oczywiście nikt nie powiedział tego wprost. Kadrowa (zwana też, oficjalnie, kierowniczką działu HR) zaprosiła ją do gabinetu.

– Pani Marto – zagaiła, składając ręce jak do modlitwy – wszyscy tu pani bardzo współczujemy i z całej siły trzymamy kciuki za państwa starania.

Marta skinęła tylko głową. Nie mogła oderwać wzroku od fotografii na biurku. W cyfrowej ramce LCD po kolei wyświetlały się slajdy przedstawiające kadrową z córkami, starszą córkę kadrowej w sukni ślubnej uszytej tak, żeby zamaskować wydatny brzuch, tę samą dziewczynę trzymającą na kolanach pyzatego bobasa. Wyobraziła sobie te rozmowy matki i córki: „Straszna tragedia! Wiesz, mamy taką w firmie, od tylu lat próbują... Dziękuj Bogu, że tobie się tak pięknie i szybko udało... Nie masz pojęcia! Taka rozpacz... Nie wyobrażam sobie...".

– Ale sama pani rozumie – ciągnęła starsza kobieta – że te wszystkie zwolnienia i pobyty w szpitalu bardzo dezorganizują pracę działu. Koleżanki skarżą się, że przez pani nieobecności są znacznie bardziej obciążone pracą niż do tej pory. Bardzo cenimy pani wkład w rozwój firmy, ale sytuacja nas niepokoi.

Używała liczby mnogiej, żeby dodać sobie ważności, dać Marcie do zrozumienia, że przemawia w imieniu sił potężniejszych od niej samej, a jednak ją obejmujących. Marta nie znosiła tego „my", „nas", wydawało jej się sztuczne w wykonaniu pojedynczej osoby. Nie lubiła tego, co się kryło za tym *pluralis maiestaticus*, tej koncepcji, że wszyscy są cząstkami jednomyślnego i współczującego organizmu, jakim jest firma. Nigdy nie czuła się cząstką żadnej większej całości, nawet w małżeństwie wyraźnie doświadczała własnej odrębności. Jedyne chwile, kiedy odczuwała jedność z kimś innym, to były te krótkie tygodnie ciąży, gdy czuła, że mały człowiek wewnątrz jednocześnie jest i nie jest jej częścią. Może to była jakaś wada, może w jej mózgu brakowało jakiejś substancji chemicznej odpowiedzialnej za utożsamienie z firmą, narodem, społeczeństwem. Może dlatego każdy taki organizm na koniec ją odrzucał, jakby była wadliwą komórką pozbawioną jakiegoś istotnego związku chemicznego.

Czuła, że powinna jakoś zareagować, ale nie wiedziała jak. Czekała, co kobieta powie dalej.

– Dlatego chcielibyśmy zapytać, jakie są pani dalsze plany... – kadrowa zawahała się, szukając odpowiedniego słowa, wreszcie znalazła – rodzinne.

– Zamierzamy adoptować dziecko – odpowiedziała Marta, zdecydowana nie wtajemniczać tej obcej kobiety w ich plany. – Proszę się nie martwić zwolnieniami, tych już nie będzie, natomiast w perspektywie roku planuję urlop macierzyński, jak tylko adopcja dojdzie do skutku.

– Och, gratuluję! – twarz starszej kobiety rozpromieniła się w ułamku sekundy. – Bardzo się cieszę z pani decyzji, to takie szlachetne! Oczywiście – na moment znowu spochmurniała – urlop macierzyński będzie pewnym problemem, ale przynajmniej będzie przewidywalny, nie tak jak zwolnienia.

– Dziękuję – Marta skinęła głową. – To dla nas trudna decyzja, ale cieszę się, że ją podjęliśmy.

Oczywiście wiedziała, co to oznacza: wypowiedzenie natychmiast po powrocie z tego macierzyńskiego. Nie umiała się łudzić, że będzie inaczej. Na razie jednak chciała tylko spokoju, chciała, żeby kadrowa rozpuściła otrzymaną wiadomość w formie plotki, żeby ludzie w stołówce i na korytarzach przestali szeptać na jej widok.

Iwona leżała w łóżku, próbując skupić się na czytaniu. Nie wiedziała nawet, co właściwie czyta. W bibliotece odruchowo wzięła coś z półki z napisem „Nowości", książkę nieznanej polskiej autorki, reklamowaną jako nowa Bridget Jones. Bridget Jones doprowadzała Iwonę do szału, z tą chichotliwą bezradnością i tłustym cielskiem Renée Zellweger. Ta bohaterka była podobna, skupiona na odchudzaniu i randkowaniu z kolejnymi poznanymi w pracy mężczyznami, jakby prawdziwe życie nie istniało. „Z drugiej strony, kto chce czytać o prawdziwym życiu? – myślała Iwona. – Czy losy samotnej matki z długami, mieszkającej w dawnym robotniczym bloku ze zsypem na śmieci na korytarzu, mogłyby kogokolwiek zainteresować? Chyba tylko krytyków wypisujących w gazetach niezrozumiałe dla przeciętnego człowieka zachwyty". Ona chciała na parę godzin zapomnieć o prawdziwym życiu i przejąć się kolejnym zrzuconym kilogramem postrzelonej Madziuli, która w butach na szpilkach biega tam i z powrotem po moście Świętokrzyskim, symbolu nowoczesnej, bogatej Warszawy.

Jednak po kilkunastu stronach zorientowała się, że przygody młodej prawniczki wcale jej nie interesują. Wolała wsłuchiwać się w swoje ciało, w którym obce komórki zaczęły poprzedniego dnia trudny proces dzielenia się i wczepiania w błony śluzowe. Za kilka dni będzie wiadomo, czy się udało. A jeśli się udało, ojciec dziecka przekaże jej pierwszą ratę wynagrodzenia, dwie pensje woźnej.

Jeśli się nie udało, będą próbować dalej, mieli kilka zarodków. Kolejne zamrożone czekały na swoją kolej – dzieci potencjalne, zastępcze, uwięzione w lodowatym płynie. Ich jedyną szansą na zaistnienie była śmierć rodzeństwa. W przeciwnym wypadku miały tak czekać, zawieszone pomiędzy byciem a nie-byciem.

Usiłowała sobie przypomnieć dwie poprzednie ciąże. Jak się wtedy czuła? Jakie sygnały wysyłało jej ciało, kiedy te komórki, które dzisiaj są jej dziećmi, zagnieździły się w tym ciepłym, miękkim miejscu wewnątrz niej? Pamiętała senność i mdłości, ciężar piersi, które nagle przestały mieścić się w miseczki stanika, bladobrązową kreskę na białej, nieopalonej skórze brzucha. Przy Piotrku niepohamowany, wilczy apetyt na niezdrowe, tłuste jedzenie, hamburgery z budki i zapiekanki z pieczarkami polane kwaśno pachnącym keczupem ściekającym jej po palcach. Kawałki pizzy na grubym cieście, przesiąknięte tłuszczem ze stopionego sera. Przy Julce jedzenie śmierdziało, lodówka teściowej po otwarciu wydzielała kwaśny zapach nieświeżego mleka i jełczejącego masła, sklep mięsny zmuszał do przechodzenia na drugą stronę ulicy. Tym razem nic, żadnych sygnałów. Ale przecież było jeszcze za wcześnie. Musiała jakoś przetrwać te kilkanaście dni do badania.

Zadzwonił domofon. Szybko, z poczuciem winy, poderwała się z kanapy, odrzucając koc. Dzieci wracały ze szkoły, co by pomyślały, widząc matkę rozłożoną w środku dnia?

Piotrek przyszedł do niej wieczorem, kiedy szykowała spanie dla dzieci i dla siebie, rozkładała wersalki i amerykankę. Dzisiaj była Julki kolej zmywania, z kuchni dobiegały szum wody i gderanie babci:

– Jak ty zmywasz, dziecko, po obu stronach talerza i mniej bierz tego ludwika!

– Mamo – syn stanął niepewnie w drzwiach, patrząc w telewizor, na serial o policjantach i detektywach łapiących handlarza narkotykami. Nie pozwalała mu tego oglądać, ale czasem korzystał z jej nieuwagi, jak teraz.

– Co tam, synku? – Już był prawie wyższy od niej, jeszcze rok i osiągnie wzrost swojego ojca. Tylko ciągle przeraźliwie chudy tą kościstą, kanciastą chudością dorastającego chłopca. Dawno niestrzyżone włosy w nieokreślonym, szarym kolorze, sterczały na czubku głowy. Sięgnęła, żeby je przygładzić, ale odsunął się.

– A babcia mówi... – zawahał się. Lojalność wobec matki walczyła w nim z przyrzeczeniem danym babci, że dochowa sekretu.

– Tak? – uniosła głowę. – Chodź, pomożesz mi rozłożyć pościel. No, powiedz, o co chodzi.

– Bo babcia mówi, że ty sprzedałaś brzuch. Co to znaczy?

Zabolało, bardziej niż przypuszczała.

Wiedziała, że matka nie aprobuje jej decyzji, a jednocześnie miała nadzieję, że chociaż ona stanie bezwarunkowo po jej stronie, po stronie swojej córki. Ale czego innego mogła się spodziewać? W kłótniach z ojcem zawsze walczyła sama, matka była milczącą publicznością, przysłuchiwała się ze szmatą w garści. Czasem tylko, kiedy ojciec walił pięścią w stół, mitygowała go: „No, Tadziu, no, już może starczy tego". Po rozwodzie z Darkiem dowiedziała się od matki tyle, że szybki ślub to szybki rozwód i co to za kobieta, co chłopa nie umie zatrzymać, wstyd. Podejrzewała, że gdyby nie wykupili mieszkania matki, to ta nigdy by się nie zgodziła przyjąć jej i dzieci z powrotem pod dach, kiedy firma Darka poszła na spłatę długu, a do teściów nie było powrotu. Powinna się więc spodziewać właśnie takiej reakcji.

– Babcia brzydko to nazwała. Nie sprzedałam brzucha.

Usiadła na częściowo zaścielonej wersalce, pstryknęła pilotem od telewizora, pociągnęła syna za rękę, żeby usiadł obok. Przez chwilę nasłuchiwała szumu wody, żeby upewnić się, że Julka nie usłyszy tej rozmowy. Tak trudno było znaleźć chwilę na rozmowę sam na sam z którymś z dzieci, bez nadzoru matki. Nauczyła się cenić te momenty, wyrwane, ukradzione z rozkładu dnia.

– To nie tak. Po prostu pomagam pewnej pani... pewnemu małżeństwu. Ludziom, którzy nie mogą mieć dzieci. Nie sprzedaję brzucha. Powiedzmy, że wynajmuję w brzuchu pokój dla ich dziecka.

– Ale przecież oni ci zapłacą? – Piotrek patrzył na nią okrągłymi oczami. Przez chwilę nie była pewna, czy dobrze robi, opowiadając mu o tym. Dopiero niedawno dowiedział się, tak ze zrozumieniem i bez głupich chichotów z kolegami, skąd się biorą dzieci, a teraz... Szybko odpędziła te myśli. To właśnie jest prawdziwe życie, nie podręcznik do wychowania do życia w rodzinie dla klasy szóstej.

– Tak, zapłacą nam, tak samo jak się płaci za każdą inną pracę. Przecież będę nosić ich dziecko, dbać o to, żeby rosło we mnie zdrowe, odpowiednio się odżywiać. To jak praca. Nawet cięższa niż sprzątanie w szkole. Kiedy już dziecko się urodzi, zapłacą mi za całą tę pracę.

– Ale przecież ty masz już pracę. Nawet dwie. A babcia ma emeryturę.

– Mam, ale z tej pracy trudno nam wyżyć. Zrozum – nachyliła się do niego, patrząc w jego niebieskie oczy, oczy jego ojca w twarzy jej ojca, niczym upiorny genetyczny kolaż z tych, którzy odeszli. – Robię to dla was. Dla ciebie i Julki. Po to żebyście nie byli gorsi od innych, żebyście mieli jak inne dzieci basen, angielski, dobre buty i komputer.

– Aha – pokiwał głową. – A czy... czy to dziecko będzie naszym bratem? Czy ja i Julka będziemy mogli... no nie wiem, czasem go odwiedzić? Zobaczyć? Pobawić się z nim, czy coś? Czy musisz go oddawać tak od razu, nie moglibyśmy go choć na chwilę zatrzymać?

– Nie. – Odpowiedziała zdecydowanie. – Musimy wszyscy pamiętać, że to nie będzie ani moje dziecko, ani wasz brat. Musimy stale myśleć, że to dziecko obcych ludzi i nie wolno nam go zatrzymać ani na chwilę. Im szybciej się do tego przyzwyczaimy, tym lepiej. A teraz – wstała energicznie – pomóż mi z tym prześcieradłem, bo zdaje się, że twoja siostra już skończyła zmywanie.

Tej nocy Piotrek rzucał się na łóżku niespokojnie, budząc Iwonę co chwila z płytkiego, pełnego chaotycznych obrazów snu. W tym śnie urządzała maleńki pokoik pomalowany na różowo i żółto, wstawiała do niego nieduże kolorowe mebelki i wieszała zasłonki. Kiedy już go urządziła, rozległo się głośne pukanie do drzwi, ale zanim zdążyła je otworzyć, hałas wyrwał ją z marzeń. Piotrek siedział na wersalce, rozglądając się naokoło nieprzytomnym wzrokiem.

– Nie jesteś moim bratem, idź sobie! – wykrzyknął i opadł z powrotem na poduszkę.

W odpowiedzi Julka wymamrotała sennie:

– Pewnie, że nie jestem. Jestem twoją siostrą, głupku.

Przez zasłonki wpadał metaliczny, biały blask księżyca w pełni, dioda starego telewizora świeciła na czerwono jak upiorne oko, woda przelewała się w kaloryferach. Za ścianą chrapała matka, miarowym, bulgoczącym dźwiękiem. Iwona już do rana nie zmrużyła oka, wpatrując się w sufit, po którym przesuwały się księżycowe cienie, a w tym czasie w jej wnętrzu komórki po cichu mnożyły się, szukając odpowiedniego punktu zaczepienia w miękkich, różowych i wilgotnych fałdach jej ciała.

Marta miała ochotę zapakować Iwonę w pudełko wy-
ściełane poduszkami, zabrać jej klucze od mieszkania
i uwięzić ją na dziewięć miesięcy w bezpiecznym, szczel-
nym kokonie. Od chwili, kiedy dowiedziała się, że zarodek
się zagnieździł, żyła w innym świecie, na huśtawce, gdzie
od euforii do przerażenia prowadziła droga tak krótka jak
upadek z góry po nieostrożnym kroku. W jednej chwili
płakała ze szczęścia, a po chwili zalewała się łzami z powodu wyobrażonego niebezpieczeństwa – wypadku,
krwawienia, choroby, infekcji, odklejenia łożyska.
    O tym, że się udało, dowiedziała się na kolejnej wspól-
nej wizycie u lekarza. Proponowali Iwonie telefonicznie
podwiezienie, ale ona się uparła, że przyjedzie sama autobusem, więc znowu czekali niecierpliwie, aż zobaczą
jej sylwetkę w perspektywie ulicy, tam gdzie autobus wy-
jeżdżał zza zakrętu. Szła ostrożnie, niepewnie, jedną ręką
ściskając pasek od taniej, bazarowej torebki ze sztucznej
skóry, i coś w rytmie jej kroków powiedziało Marcie, że
tak, że się udało. Znała ten chód – to jakby nieść w kiesze-

ni na brzuchu choinkową bombkę, która przy każdym nieostrożnym ruchu może się stłuc.

Pewność zyskali dopiero wtedy, kiedy na monitorze
USG pokazała się niewielka biała kropka, pulsująca w re-
gularnym, bardzo szybkim rytmie. Lekarz delikatnie przesuwał głowicą aparatu pod papierową płachtą przykrywa-
jącą krocze Iwony. Marta nie znosiła tego badania. USG
dopochwowe kojarzyło jej się z gwałtem dokonywanym
przez oślizgły, obły przedmiot wnikający do jej wnętrza.
Tamta jednak nie wyglądała na gwałconą, leżała spokojnie, odwracając głowę od monitora. Marta poczuła gwałtowne ukłucie współczucia – wiedziała, dlaczego tamta
nie patrzy: nie chciała pokochać tego cudzego dziecka,
które ona pokochała od chwili, kiedy zobaczyła kropkę na
ekranie. „Jak wszystkie poprzednie", podpowiedział nie-
chciany wewnętrzny głos. Tym razem jednak kropka była
bezpieczna, bo znajdowała się w organizmie, który nie
miał nic przeciwko niej. Nie zajmował się złośliwym i me-
todycznym niszczeniem nowego życia, a przyjmował je
naturalnie, z doświadczeniem i miłością, jak troskliwa
dłoń owinięta wokół pisklaka, który wypadł z gniazda.
Jednocześnie dziwnie było patrzeć na obraz dziecka za-
gnieżdżonego wewnątrz cudzego ciała, być postronnym
obserwatorem w czymś tak intymnym i osobistym. W końcu i Marta odwróciła wzrok od monitora, obie kobiety postanowiły nie patrzeć, jedna wpatrywała się w okno, druga
w pobielałe kostki dłoni zaciśniętych na kolanach.

Po wyjściu z gabinetu Marta nie mogła się powstrzymać od objęcia i ucałowania tej obcej, zaniedbanej, tęga-
wej kobiety, która zgodziła się spełnić jej marzenie. Iwona
przyjęła uścisk jakby niechętnie, nieco spięta. Pachniała
słabymi perfumami (chyba jednej z tych firm, które pro-
dukują zapachy „prawie jak" markowe i sprzedają je ze

stolików rozstawionych na bazarach), ziołowym szamponem do włosów i czymś jeszcze, chyba odrobinę potem i strachem.

– Dziękuję, och, tak bardzo pani dziękuję! – to zupełnie nie było podobne do Marty, nie poznawała sama siebie, kiedy tak wylewnie dziękowała tej kobiecie, obejmując ją. Ale to było szczere, płynęło z jej wnętrza, z jakiegoś najgłębszego miejsca ukrytego za warstwami szyb, murów i barier, więc nie starała się tego powstrzymywać, czekała, aż samo odejdzie.

Iwona wymamrotała coś w odpowiedzi, jakieś konwencjonalne „nie ma za co", a wtedy do akcji wkroczył Filip, który dotąd trzymał się z boku, wyłączony z misterium badania. Wcześniejsze milczenie teraz starał się nadrobić rzeczowością i konkretnym, praktycznym podejściem. Wyjął z kieszeni portfel, odliczył banknoty, zapłacił za wizytę i badanie, po czym wziął Iwonę za rękę, zostawiając Martę samą z gwałtownym przypływem uczuć, i w przedsionku poczekalni wcisnął Iwonie do ręki pierwszą ratę wynagrodzenia, kilkanaście starannie złożonych banknotów.

– Książka! – przypomniało się Marcie, pobiegła więc do samochodu, dając im gwałtowne znaki, żeby zaczekali. Wróciła pędem, niosąc pod pachą sfatygowany, zaczytany egzemplarz biblii wszystkich ciężarnych: *W oczekiwaniu na dziecko*.

– Proszę to dokładnie przeczytać – powiedziała. – Tu jest wszystko, co jeść, a czego nie wolno. Niech pani pod żadnym pozorem nie pije kawy ani alkoholu, nawet kropli. Niech pani łyka te witaminy, co lekarz przepisał, koniecznie tak, jak napisali w ulotce – paplała gorączkowo.

– Dziękuję – Iwona uśmiechnęła się leciutko. – Powinnam sobie poradzić, mam już dwoje dzieci i w obu ciążach dbałam o siebie – dodała.

Marta zgarbiła się jak skarcona uczennica, więc tamta, dla złagodzenia wydźwięku swoich słów, dodała:

– Zrobię wszystko, co trzeba, naprawdę. Proszę się nie martwić, maleństwo będzie bezpieczne.

Marta nie mogła sobie znaleźć miejsca. Był wieczór, kilkanaście dni od badania, a ona nie mogła przestać wyobrażać sobie najgorszego.

– A co, jeśli ona nie będzie się zdrowo odżywiać? – wybuchnęła nagle.

Filip podniósł głowę znad książki.

– Przecież nie staniesz nad nią z batem. Musimy jej po prostu zaufać. Jest czysta, ma ładne i zadbane dzieci, kiedyś nawet studiowała. To nie jest jakaś patologiczna baba, tylko normalna, rozsądna kobieta, która na pewno nie zaszkodzi naszemu dziecku – powiedział uspokajająco.

– Wiem, ale... tacy ludzie...

– Jacy ludzie? – Teraz już w głosie męża słyszała irytację. – To taki sam człowiek jak ty.

– Ja tylko... miałam na myśli... Ona nie jest wykształcona, nie ma dostępu do internetu, może żyć inaczej niż my, może pewnych rzeczy nie wiedzieć.

– Tak, a ty masz dostęp do internetu i dużo ci to pomogło! – rzucił, teraz już poważnie rozzłoszczony.

Poczuła łzy napływające do oczu i pokusę, żeby natychmiast odgrodzić się od niego murem milczenia, zamknąć w drugim pokoju, udając, że nie słyszy jego przeprosin, które zaczął, kiedy tylko się zorientował, jak bardzo ją zranił.

Czuła się niepełnowartościowa, w inny, zupełnie nowy i nieznany wcześniej sposób. Odkąd zaczęli nieudane starania o dziecko, przez cały czas gdzieś w tle jej myśli, w tyle głowy tkwiło przekonanie o tym, że jest w jakiś sposób gorsza od innych.

Było to o tyle dziwne, że od wielu lat, od wypadku, przyjmowała własne ograniczenia fizyczne z pewną naturalną rezygnacją. Śruby w prawej nodze już zawsze miały dawać znać o sobie przed zmianą pogody, nadwyrężone kręgi dolnej części kręgosłupa nie pozwalały na wykonywanie pewnych prac. Od piątej klasy podstawówki nie włożyła spódnicy odsłaniającej kolana, bo blizny po operacjach ortopedycznych szpeciły skórę na jej nogach. To wszystko jednak przyjęła ze spokojem, nauczyła się żyć z tymi ograniczeniami i zaakceptowała je, w pewien sposób odczuwała nawet wdzięczność za to, że tak niską cenę zapłaciła, że przeżyła wypadek. Coroczne wizyty na grobie dziadka Felicjana przypominały jej boleśnie o tym, że gdyby w ostatniej chwili nie skręcił kierownicy poloneza, mogłoby jej po prostu nie być.

Teraz jednak było inaczej. Osiedle pełne było matek i ciężarnych, czasami wydawało się jej, że każda kobieta mieszkająca w obrębie płotu (pomalowanego teraz na kolor butelkowej zieleni i obrośniętego dekoracyjnym winobluszczem, co nieco łagodziło jego surowy, więzienny wygląd) ma albo wielki brzuch, albo wózek, albo uczepionego ręki przedszkolaka. Te najstarsze dzieci, urodzone tuż po oddaniu bloków do użytku, chodziły już do rejonowej szkoły, z tornistrami na plecach i workami na kapcie w rękach. Rano nawoływały się przez domofony, po odrobieniu lekcji wylegały tłumnie na podwórko, grały w piłkę i badmintona na przystrzyżonej trawie pod okiem matek zerkających z balkonów. Te najmłodsze dopiero miały się urodzić, sąsiadki dumnie obnosiły ubrania ciążowe. Co jakiś czas pod blok podjeżdżał samochód, z którego wysiadała kolejna mama, a za nią ojciec z fotelikiem samochodowym, w którym spoczywało maleńkie zawiniątko.

I za każdym razem, kiedy Marta je widziała, spotykała, rzucała: „Dzień dobry" na ulicy czy w sklepie, czuła się gorsza i niepełnowartościowa w ten nowy sposób. Jak to możliwe, że te kobiety dostały z taką łatwością coś, czego ona nie otrzymała, mimo tylu prób i cierpień, krwotoków, leków i leżenia plackiem? Wyglądało na to, że wszystkie kobiety na osiedlu posiadły tajemniczą, najbardziej pierwotną z możliwych kobiecych umiejętności, a jej z jakiegoś powodu tego odmówiono.

Bolało.

Bolało znacznie bardziej niż śruby w kości udowej i trzeci kręg lędźwiowy. Bardziej niż sinofioletowa krecha blizny tuż nad kolanem.

Bolało gdzieś w środku, w podbrzuszu. Tam gdzie miała puste miejsce, opuszczone przez pięcioro potencjalnych dzieci, z którymi, mimo że nie były większe od ziarna fasoli, wiązało się tyle nadziei.

„Nie straciłam płodu – napisała na pewnym forum internetowym. – Straciłam półrocznego, gaworzącego niemowlaka. Straciłam dwulatka rzucającego się na podłogę w sklepie. Czterolatka w czapeczce baseballowej jeżdżącego na trzykołowym rowerku. Pierwszaka na ślubowaniu w szkole. Gimnazjalistę opowiadającego mi o pierwszej miłości. Tym wszystkim mogli się stać".

Rosnące dzieci sąsiadów przypominały jej o tym, co straciła. Przyłapywała się na nienawiści, jaką odczuwała w stosunku do tych wszystkich matek. Były bezmyślne, zadowolone z siebie. Zaprzątały je tak błahe i głupie problemy, jak płeć dziecka, kolor włosków czy znak zodiaku. Potrafiły się martwić, kiedy ich maluchy nie zrobiły „kosi--kosi" w podręcznikowym terminie. Karmiły niemowlaki biszkoptami, w ciąży beztrosko biegały na basen i aerobik, nie zdając sobie sprawy z ogromu czyhających na nie zagrożeń. Widok każdej z nich przypominał Marcie o stratach i budził coraz większą złość. Miała ochotę zapakować je po kolei do szpitalnego łóżka, opowiedzieć o wszystkich możliwych makabrycznych historiach, zepsuć to idiotyczne zadowolenie posępnym ostrzeżeniem. Niech mają, niech poczują, jak to boli. Potem dopadł ją wstyd.

A teraz usłyszała od własnego męża te raniące słowa, które tak długo dusił w sobie, aż wreszcie wymknęły mu się podczas rozmowy, która jeszcze nawet nie zdążyła przerodzić się w kłótnię. Zacisnęła zęby, żeby się nie rozpłakać. Zamknęła oczy, odgrodziła się milczeniem od Filipa, który już po ułamku sekundy zrozumiał, co powiedział, i zaczął niezgrabnie przepraszać. Pomyślała o Iwonie, o jej miękkim, tłustym brzuchu poznaczonym rozstępami z poprzednich ciąż, w którym pod oponką tłuszczu rozwijało się dziecko, jej dziecko, ich dziecko, Marty i Filipa, prawdziwe do bólu i nareszcie bezpieczne. Dziecko, które miało stać się niemowlakiem, pierwszakiem, gimnazjalistą.

Filip położył jej rękę na ramieniu. Nie strąciła jej, chociaż w pierwszej chwili odruch obronny kazał jej to zrobić. Powstrzymała się, świadomie przyjmując ten dotyk jako przeprosiny ważniejsze od tysięcy słów. Powoli odwróciła ku niemu głowę, otworzyła oczy. Pocałowali się – tak jak kiedyś, wieki temu, kiedy nie byli jeszcze zdruzgotani i pozbawieni nadziei. Tak jak całują się dwudziestolatkowie niemający pojęcia o tych wszystkich przeszkodach, jakie życie zamierza rzucić im pod nogi, o nieprzespanych nocach i łzach wylewanych w łazience, kiedy szum wody z prysznica skutecznie zagłusza płacz.

Kochali się też tak jak kiedyś, nie zastanawiając się nad tym, jaki to dzień cyklu, jaka pozycja najlepiej sprzyja zapłodnieniu i czy tym razem się uda. Po prostu dotykali się, badając swoje ciała tak jak dawniej, przesuwając opuszkami palców po najwrażliwszych na dotyk miejscach znanych od lat i odkrywając nowe. Marta znów zamknęła oczy, a kiedy je otworzyła, zobaczyła nad sobą twarz mężczyzny, którego doskonale znała. A jednak był nieznajomym z najgłębiej skrywanych fantazji, całym nowym lądem, który kiedyś już odkryła, a później oddaliła się od niego na taką odległość, że zapomniała. Teraz odkrywała go na nowo.

– Musimy to skończyć.

Filip nachylił się nad stolikiem tak, żeby kobieta siedząca naprzeciwko słyszała go lepiej w gwarze restauracji. Popularne miejsce na Żurawiej zapełniało się w porze przerwy na lunch pracownikami pobliskich firm. Urzędnicy z ministerstw, pracownicy agencji reklamowych, prawnicy z kancelarii w odnowionych przedwojennych kamienicach i lektorzy renomowanych szkół językowych spotykali się tu, żeby przekąsić coś gorącego i lekkiego przed powrotem do pracy. Rozmawiali we wszystkich językach Europy i gdyby nie patrzeć przez okno, za którym większość przestrzeni zapełniała ściana socrealistycznego ciężkiego gmachu, można by pomyśleć, że to paryskie bistro czy berliński imbiss, a nie warszawska podróba wielkomiejskiej restauracyjki.

Filip grzebał widelcem w porcji ryby zapiekanej pod mozzarellą, starając się unikać wzroku kobiety. Wiedział, że ruch należy do niego. Wiedział też teoretycznie, że wszystko powinno się skończyć tak samo łatwo, jak się za-

częło. W końcu nie chodziło o małżeństwo, a o kilkanaście miesięcy dorywczego, higienicznego seksu w wynaję-
tych pokojach. Mimo to nie wiedział, od czego zacząć.
Wybrał więc metodę, jaką stosował przy zwalnianiu pracowników. Zawsze wydawało mu się, że rozpoczęcie rozmowy od przekazania nieprzyjemnej wiadomości zmniej-
szy to irytujące napięcie towarzyszące oczekiwaniu, aż
padną te słowa.

Kobieta siedząca naprzeciwko była ładna – ładna w ten
korporacyjny, zimny sposób, który jest regulowany wymo-
gami *dress code* i nowymi kolekcjami w luksusowych bu-
tikach na górnych piętrach galerii handlowych, gdzie nie
zapuszczają się już studentki i gorzej opłacane pracowni-
ce. Jej uroda z pewnością kosztowała mnóstwo pieniędzy
i wysiłku. Gładka matowa cera miała odcień kości słonio-
wej, przyjemnie kontrastowała z jasnobrązowymi włosami spadającymi falą na ramiona. Z kołnierzyka białej, ofi-
cjalnej bluzki wyłaniała się smukła szyja, na której połys-
kiwał cieniutki złoty łańcuszek. Duże brązowe oczy
w oprawie ciemnych rzęs wpatrywały się w mężczyznę
z kpiącym niedowierzaniem. Lekko wydęła wargi, a Filip
na myśl o tym, co te usta potrafiły robić z jego ciałem,
omal nie zaczerwienił się jak uczniak przyłapany na fan-
tazjowaniu o nauczycielce matematyki.

– Tak po prostu? – zapytała. Mimo pozorów obojętności, jej dolna warga lekko zadrżała. Wtedy uderzyło go, jak
bardzo jest podobna do Marty, i zdziwił się, że nigdy dotąd tego nie zauważył.

– Tak po prostu, jak zaczęliśmy – powiedział.

Zaczęli niemal naturalnie, jakby to był kolejny etap ze-
brania zespołu. To było w którymś z tych mrocznych okresów, kiedy Marta straciła kolejną ciążę, a on miał dosyć
życia. Tamte miesiące zlały się w jego wspomnieniach

w jeden ciemny okres, jak jesień i zima, kiedy wydaje się, że o każdej porze dnia na ulicach jest ciemno, a zmarznięci ludzie tłoczą się w oświetlonych jarzeniówkami tramwajach. Dni mijały jeden za drugim, wypełnione pracą i powrotami do domu, w którym panowało milczenie pozbawione nadziei. Marta szukała pocieszenia w tabletkach i książkach. Kiedy wracał, zwykle zastawał ją skuloną pod kocem na kanapie, pogrążoną w drzemce albo zaczytaną w jednej z tych lekkich historii, które miały poprawiać humor smutnym trzydziestolatkom. Wszystkie te powieści traktowały o szukaniu odpowiedniego mężczyzny, wszystkie niezdarne i roztrzepane bohaterki przeżywały setki komicznych przygód, zanim wreszcie lądowały w łóżku z przystojnym prezesem agencji reklamowej albo miłym mechanikiem samochodowym, uświadamiającym im uroki prostego życia z dala od wielkiego miasta. Jednak żadna zabawna sytuacja nie wywoływała uśmiechu na kamiennej twarzy jego żony, która kończyła książkę późno w nocy, odkładała na stosik do oddania do biblioteki i zaczynała kolejną taką samą.

Nie dotykali się wtedy prawie wcale, każdy dotyk wywoływał przerażenie. Zresztą lekarz zalecił kilka miesięcy „odpoczynku" przed ponownym rozpoczęciem starań, więc ich kontakty fizyczne ograniczały się do przelotnego pocałunku na powitanie. Czasem, kiedy napięcie stawało się nie do zniesienia, zamykał się w nocy w łazience, ale to nie przynosiło ukojenia, wręcz przeciwnie, wychodził stamtąd upokorzony i wściekły.

Monika pojawiła się nagle i dopiero po jakimś czasie zrozumiał, że czekała na to od dłuższego czasu, ukryta w cieniu, gdzieś na krześle przy końcu stołu na sali konferencyjnej, w korytarzu, w kąciku z kserokopiarkami i niszczarkami. Jej obcasy nie stukały, a zagłębiały się miękko

w wykładzinie, mogła przesuwać się obok miesiącami, czekając na dogodny moment, by dać się zauważyć.

Słyszał wcześniej o takich kobietach, w firmach krąży-
ły o nich legendy. Wieczne singielki, polujące na przystoj-
nych mężczyzn, w nadziei na to, że któryś wreszcie się
rozwiedzie z żoną poślubioną lata wcześniej z powodu
ciąży i nacisków teściów z prowincji. Niektórzy w końcu
się rozwodzili, zostawiając przygasające żony dla tych
biurowych piękności, inni woleli ciągnąć biurowe romanse
w nieskończoność. Na wyjazdach integracyjnych takie kobiety błyszczały pełnym blaskiem, żeby w biurze znów
przygasnąć, nie zwracając na siebie uwagi. Opanowały
sztukę kamuflażu do perfekcji.

– Może masz ochotę wyskoczyć na kawę i obgadać tę
umowę?

Miękki kobiecy głos zaskoczył Filipa po zebraniu. Po
trzech godzinach dopracowywania szczegółów umowy,
jaką mieli zawrzeć z kluczowym klientem, czuł się tak
zmęczony, jakby przenosił węgiel, a nie omawiał paragra-
fy, klauzule i warunki dostaw. Zbierał dokumenty i foldery
do teczki, kiedy zaszła go od tyłu i dotknęła lekko jego ramienia. Z początku nie mógł sobie przypomnieć jej imienia, choć musiał ją widywać wiele razy na zebraniach
i w kuchni nad zupką z proszku. Później sobie przypo-
mniał. Monika.

Nie pojechali wtedy na kawę.

Pojechali do niej, do jednopokojowego mieszkania na takim samym osiedlu jak to, gdzie mieszkał z żoną, ogrodzo-
nym takim samym płotem, przy takiej samej uliczce, tyle że
na drugim końcu Warszawy i w pobliżu innego centrum
handlowego. Reszta była identyczna. W mieszkaniu pano-
wał surowy minimalizm popsuty bałaganem typowym dla
osoby rzadko przebywającej w domu i niepoświęcającej

145

wiele czasu na jego upiększanie – na blacie w kuchence lśniącej od niklu i szkła stały kubki po kawie, gdzieś w kącie leżały jeszcze sterty książek nieprzełożone na drewniane półki. Nie pił kawy, nie czytał. Interesowała go wyłącznie Monika, młodsza od niego o kilkanaście lat, małomówna, dotykająca go w taki sposób, w jaki nie był dotykany od bardzo dawna, tak jak atrakcyjna kobieta dotyka mężczyznę, który ją podnieca, nie oczekując niczego więcej poza chwilą rozkoszy. Przy niej nie był przyszłym ojcem, nie musiał martwić się o to, czy tym razem jego plemnikom uda się osiągnąć cel, czy pozycja jest odpowiednia, a moment dobrze wybrany. Mógł po prostu wyłączyć świadomość i rozkoszować się zapachem i dotykiem jej ciała.

Po wszystkim leżeli na rozkładanej skórzanej kanapie, patrząc na poziome skrawki nieba między żaluzjami. Opowiedział jej o sobie, o swoim małżeństwie, o staraniach, jak nikomu innemu wcześniej, trochę tak jak opowiada się historię swojego życia nieznajomemu z pociągu. Niewiele mówiła, kiwała głową, na koniec z precyzją chirurga zadała to jedno, jedyne pytanie:

– Kochasz swoją żonę?

– Tak – odpowiedział bez namysłu, ale z poczuciem winy.

Zaśmiała się.

– No tak, ja zazwyczaj nie mam szczęścia. Zawsze szczęśliwie żonaci...

Nie pocieszał jej i przez ostatnie miesiące po prostu cieszyli się tym, co było. Nie zakochał się, miał świadomość, że ten romans to po prostu rodzaj wentyla dla seksualnego napięcia. Czasem w chwilach pogardy dla siebie samego myślał o tym jak o bardziej higienicznej, bezpieczniejszej i bardziej romantycznej wersji wizyt w agencji towarzyskiej.

Teraz jednak przyszedł czas, żeby to skończyć.

– Będę ojcem – powiedział po prostu. – Będę teraz potrzebny Marcie i dziecku.

– O, to coś nowego – parsknęła, zrzucając na chwilę maskę obojętności. – Który to już raz? Przecież co chwila masz być ojcem i nigdy dotąd ci to nie przeszkadzało.

Nie poznawał jej. Gdzie się podziało opanowanie, uśmiech, wszystkie te pozory klasy?

– Tym razem to naprawdę – odpowiedział.

– No, to miłego tatusiowania.

Jakoś nieprzyjemnie go to zaskoczyło. Spodziewał się, że po tych wszystkich zwierzeniach i chwilach szczerości potraktuje go jak przyjaciela, pogratuluje czy zainteresuje się. To było nielogiczne – właśnie ją skrzywdził i zerwał kilkumiesięczny związek, a spodziewał się zrozumienia i gratulacji – wiedział o tym, ale i tak czuł się dotknięty. „Może to był najwłaściwszy moment na skończenie romansu z taką osobą", pomyślał.

Monika, już gotowa do wyjścia (szpilki, popielaty płaszcz, kaszmirowy szal fantazyjnie zawiązany na szyi) położyła na stoliku banknot dwudziestozłotowy.

– To za moją sałatkę i colę. Nie ma chyba sensu, żebyś mnie dalej sponsorował.

– Zaczekaj, wrócimy razem... – zaryzykował, chcąc zachować pozory rozstania w przyjaźni, ale ona już szła w stronę drzwi.

– To też nie ma sensu. No cóż, miło było – rzuciła, nie oglądając się za siebie.

Ciąża rozwijała się prawidłowo, jak zapewnił lekarz, na dowód wręczając Marcie czarno-biały, ziarnisty obrazek, na którym, jeśli się odpowiednio długo patrzyło i wiedziało, czego szukać, można było dostrzec dziecko.

Iwona nie chciała obrazka, nawet na pamiątkę, do szuflady. Z upływem tygodni coraz bardziej odczuwała zmiany w swoim organizmie, a samo dziecko stawało się bardzo realne. Za bardzo. Nie chciała go oglądać, nawet na zamazanym zdjęciu z badania, bo to oznaczałoby kolejny stopień realności i mogłaby za bardzo się do małego człowieka przywiązać.

Na szczęście lekarz pozwolił na powrót do pracy. Kazał jej się tylko oszczędzać i nie podejmować najcięższych prac. Pozwoliło jej to zająć myśli czymś innym, choć praca najczęściej polegała teraz po prostu na tym, że snuła się po szkole, przeganiając dzieciaki z parapetów, zakamarków i innych zakazanych miejsc, przestawiając rachityczne kwiatki, metodycznie zabijane przez kolejne pokolenia uczniów, i odkurzając gipsowe popiersie patrona, które pamiętała jeszcze z czasów, kiedy sama chodziła do tej szkoły. Wtedy patron patrzył surowo spod zmrużonych powiek, dzisiaj był łysawym mężczyzną w późnym średnim wieku, niebudzącym w niej żadnych uczuć oprócz znużenia.

Dyrektorka szkoły nie kryła irytacji, kiedy usłyszała o ciąży, a koleżanki plotkowały, zastanawiając się, kiedy i z kim mogła „wpaść". Wiedziała, że plotkowały i sąsiadki, i dzieci. Wszystko, co gazety pisały o anonimowości blokowisk, było nieprawdą – takie stare osiedle wybudowane za czasów komuny było równie anonimowe jak mała wioska. Jak w małej wiosce starsze lokatorki z parteru siadywały w uchylonych kuchennych oknach, obserwując teren i plotkując ze znajomymi przechodzącymi w drodze do sklepu czy przychodni. Wszyscy znali się z nazwiska, wiedzieli, który lokator za dużo pije, a który pracuje do późna. Wiedziano też o innych rzeczach – że Kacper z trzeciego piętra chowa pod bluzą sińce i poparzenia, że Aldona z piątego nie jest niezdarą, która sama wpada na ostre kanty i spada ze schodów, że Michał od Jasińskich nie wyjechał do pracy do Irlandii, jak opowiada jego ojciec, a siedzi za handel narkotykami i pobicie i posiedzi jeszcze trzy lata – ale to były rzeczy, o których się nie mówiło na podwórkach i klatkach, takie sprawy omawiało się przy kawce, przy politurowanej ławie pod meblościanką, z najbliższymi znajomymi, którzy potem roznosili tę wiedzę dalej niczym paskudną zakaźną chorobę. Iwona nie miała wątpliwości, że jej „sprzedany brzuch" należy do tych wstydliwych tematów. Ilekroć wracała z pracy, czuła na sobie badawczy wzrok starszej pani z parteru i wiedziała, że kiedy pani Lodzia wychyla się z okna do swojej znajomej, wołając: „Wpadnij no do mnie, Krystyna, dziś na kawkę!", to znak, że plotka zostanie przekazana dalej.

Matka też się do tego przyczyniła. Częstotliwość jej wizyt w kościele podejrzanie wzrosła. Teraz wkładała odświętny kostium już nie tylko w niedziele, ale i we środy, i w pierwsze piątki. Nagle codziennie było coś nowego – różaniec, koło modlitewne, dzień jakiegoś świętego, który koniecznie należało uczcić. Namawiała Iwonę, żeby z nią chodziła:

– Kto to widział, jak ty żyjesz bez Boga, dziecko! I jeszcze do tego w grzechu! Wyspowiadaj się, od razu ci będzie lżej na sercu.

– Ile razy mam mamusi mówić, że nie pójdę! – odszczekiwała Iwona. – Nie interesuje mnie to. Kościół nie chce takich jak ja, nie jestem tam do niczego potrzebna!

– Jak sobie chcesz, dziecko... – matka wzdychała, wychodziła pochmurna i naburmuszona. Dopiero po powrocie znów się uśmiechała. Zabierała Julkę na pierwsze piątki, a po mszy, wracając, na lody do cukierni, gdzie razem z sąsiadkami omawiała szczegółowo rodzinne problemy. Ciąża Iwony stała się publiczną tajemnicą, wstydliwie omijaną w rozmowach z nią, i tym gorliwiej omawianą po cichu, za plecami. Wreszcie któregoś dnia Piotrek wrócił ze szkoły zły, z oczami podpuchniętymi od płaczu i wielkim siniakiem na kości policzkowej.

– Co się stało, synku? – Iwona przeraziła się na jego widok. Po chwili zauważyła też dziurę w spodniach, wyszarpany obrąbek na dole jak od przydepnięcia.

– Nic – burknął. – Przewróciłem się na wuefie i walnąłem w kamień.

Patrzyła na niego przez dłuższy czas, nie przyjmując kłamstwa do wiadomości, aż wreszcie się złamał. Uciekł oczami w bok, bezwiednie przesunął ręką po spuchniętym policzku.

– Biłem się z Damianem z piątej c.

– O co się biłeś?

– O nic. O takie tam, głupie gadanie – wykręcał się.

Nie męczyła go dłużej. Przyłożyła altacet na policzek, nasmarowała arniką. Kiedy Julka po południu wróciła od koleżanki, opowiedziała matce prawdziwą wersję wydarzeń.

– Damian powiedział głośno na korytarzu że... no, takie tam, brzydkie słowa, na Piotrka i na ciebie. I Piotrek się wściekł, i mu przywalił. A potem tamten mu oddał, no i tak. Pewnie nic ci nie mówił, że dostał uwagę i masz przyjść do wychowawczyni?

– Na mnie? Co Damian mówił o mnie?

– Wiesz, mamo, nie słyszałam dobrze. Nie chcę powtarzać... – córka najwyraźniej wykręcała się od odpowiedzi. Spuściła głowę, włosy zasłoniły jej oczy, ale i tak można było dostrzec rumieniec na policzkach.

– Powiedz mi dokładnie, nie będę zła. Nie na ciebie. – Pogładziła córkę po głowie, po włosach, które w ostatnich latach straciły jaśniutki, prawie biały kolor, ciemniejąc do jasnego brązu.

Ostatnie chwile dzieciństwa. Jej dzieci stawały się duże, dorastały w zastraszającym tempie, traciły niewinność razem z dołeczkami w policzkach i fałdkami tłuszczyku na nadgarstkach. Miały teraz własne sprawy, własne życie. Poczuła nagłe ukłucie żalu, że nie przeżyje tego jeszcze raz: nie potrzyma w ramionach niemowlaka, nie uspokoi wrzeszczącego dwulatka, nie odpowie na wieczne: „A dlaczego?". I wtedy dotarło do niej, że właśnie przeżywa to jeszcze raz, że dostała od losu szansę, by móc jeszcze raz przeżyć choć sam początek tego procesu. Coś w niej zakiełkowało, jakaś myśl, którą odpędziła natychmiast, zanim utkwiła w głowie. Teraz musiała się skoncentrować na córce.

151

– Słyszysz? – powiedziała. – Powiedz mi wszystko dokładnie.

– Damian powiedział takiemu drugiemu, jak Piotrek stał obok, że Piotrek będzie miał braciszka bękarta. I że jego mama... to znaczy ty... że się puszczasz. Ja nie wiem, co to znaczy, ale Piotrek się wściekł okropnie. Myślałam, że będzie się dusił i kaszlał, ale zamiast tego po prostu walnął tego Damiana.

Po twarzy Julki płynęły łzy, policzki pałały czerwienią. Iwona przytuliła ją do siebie.

– Piotrek dobrze zrobił. I ty dobrze zrobiłaś, że mi powiedziałaś. Nie zrobiliście nic złego. To moja wina.

Nie pamiętała tego chłopaka ze szkolnych korytarzy. Przypuszczała, że to jeden z tych hałaśliwych dwunastolatków, których wszędzie było pełno. Jednak kiedy go zobaczyła na korytarzu, nie miała wątpliwości, że znała jego ojca. Mirek chodził kilka klas wyżej od niej, syn prywaciarza z domków, hodowali pieczarki, czy coś. Zawsze głośny, zawsze uczestniczył w bójkach, w starszych klasach widywała go z papierosem w zębach w krzakach za salą gimnastyczną, tam gdzie teraz położono nową bieżnię z czerwonej gumy. Jego syn wyglądał tak samo – mocny, wysoki, kanciasty, bure włosy postawione na żel, bluza Adidasa i workowate spodnie, na nogach oczywiście niezmienione buty, jeden z tych modnych modeli do koszykówki za połowę jej pensji, które dzieciaki rozdeptują potem w szkole i na boisku do nogi.

– Chodź no do mnie, synku – powiedziała.

Jakby się skurczył, zmalał, co dało jej pewną satysfakcję. Na szczęście był jeszcze w tym wieku, kiedy czuje się strach przed dorosłymi. Zresztą podejrzewała, że ojciec wbija mu szacunek do starszych pasem, podobnie jak czynił jego ojciec.

– No to masz przejebane u ciotki – dobiegło z grupki chłopaków otaczających Damiana.

Chłopak powlókł się za nią na koniec korytarza.

– Ja go nawet nie ruszyłem, to on zaczął! – wykrzyknął od razu, niemożliwym do podrobienia tonem kłamczucha. – Oddać nawet nie można? – bronił się jeszcze piskliwym, chłopięcym głosem.

– Wiem, że Piotrek uderzył cię pierwszy. Chciałabym tylko, żebyś mi tu głośno powtórzył, co mu wczoraj powiedziałeś.

– Nie pamiętam, psze pani!

– Damian – popatrzyła na niego, siłą się powstrzymując, żeby nie złapać go za ramię. Gdyby jednak to zrobiła, prawa ucznia dawały mu niezliczone możliwości. Nagle stałby się bezbronną ofiarą jej fizycznej agresji, a może nawet i molestowania, i sprawa skończyłaby się plotkami o tym, jak niezrównoważona ciężarna woźna pobiła niewinne dziecko. – Ja wiem, co powiedziałeś mojemu synowi – ciągnęła więc, zaciskając dłonie w kieszeniach obszernego swetra. – Ja tylko chcę, żebyś mi tutaj na spokojnie, głośno, wszystko powtórzył, żebym wiedziała, jak było.

– Psze pani, ale to było tylko w żartach, no – wił się. – Lubimy sobie pożartować czasem, a Piotrek zaraz wziął na poważnie.

– Ja też lubię pożartować. To jak, opowiesz mi, czy pójdziemy do pani dyrektor i razem pożartujemy sobie z mojego bękarta i puszczania się? Jestem pewna, że pani dyrektor pęknie ze śmiechu, a co dopiero twój tatuś, jak się dowie.

– Psze pani – nagle uszło z niego powietrze. Nie był już wyrośniętym, powtarzającym piątą klasę bezczelnym smarkaczem, nagle był dzieckiem takim samym jak jej Piotrek. – Tylko niech pani nie mówi tacie. Proszę. Bo to tata pierwszy powiedział i miałem nie powtarzać, powiedział, że mnie zleje tak, że nie usiądę... Myśmy tylko chcieli Piotrkowi podokuczać, nie wiedziałem, że on się tak wkurzy. – Patrzył na nią prosząco, kłamstwa i buta gdzieś się ulotniły, a z niej uszła złość. Był, jaki był, wychowały go pokolenia gruboskórnych, wścibskich, brutalnych i nieokrzesanych ludzi, nic go nie zmieni. Ona może jedynie zadbać o to, żeby jej syn więcej nie cierpiał przez niego.

– Idź już – powiedziała i leciutko go popchnęła w kierunku kolegów, zapominając o wcześniejszych postanowieniach. – Idź. Ale jak jeszcze raz usłyszę, że coś takiego powiedziałeś, to będziemy wzywać twojego tatę do szkoły.

– Dziękuję, psze pani.

– Tylko dziękuję? – spojrzała wyczekująco.

– I przepraszam – znów się skulił. Ale kiedy odchodził z powrotem do kolegów, widziała, jak powoli znów rośnie, nabiera powietrza, unosi głowę, jak znika gdzieś wystraszony dzieciak, a wraca wyrośnięty łobuz. Zastanawiała się, co dalej, jaka zemsta czeka ją za to upokorzenie. Gdyby miała samochód, mogłaby się spodziewać przebitej opony albo napisu „HWDP" czarnym mazakiem na masce. Ale nie miała, nigdy nie miała. Czasem, kiedy potrzebowała gdzieś pojechać, Beata z dołu podwoziła ją swoim niebieskim seicento. Damian mógł więc tylko uderzyć ponownie w najczulsze miejsce – w Piotrka i Julkę. Miała nadzieję, że na to się nie odważy.

Marta przypomniała sobie o spotkaniu w ostatniej chwili. Od jakiegoś czasu jej myśli zajmowały wyłącznie rozmowy telefoniczne z Iwoną, z adwokatem i lekarzami. A może raczej – czekanie na możliwość kolejnej rozmowy. Jakiś czas temu wyczuła w głosie surogatki pewne zniecierpliwienie, gdy tamta odpowiedziała już na niezliczone pytania Marty dotyczące sposobu odżywiania, przyrostu wagi i wyników ostatnich badań. Może to było irracjonalne, jak podpowiadała rozsądna część umysłu Marty, ale pragnęła się z tamtą zaprzyjaźnić, spędzać z nią czas, zacieśnić więź. Choć tamta była tylko opakowaniem, w którym tkwiło upragnione dziecko Marty, w najlepszym wypadku kimś w rodzaju niańki nienarodzonego, to jednak przebywanie z nią było prawie jak przebywanie z dzieckiem. Do tego przeczytała niedawno, że warunki w życiu płodowym mogą aktywować albo wyłączać niektóre geny, tak że dziecko, mimo że będzie mieszanką genetyczną Marty i Filipa, będzie też pewne rzeczy zawdzięczać przybranej matce. Marta potrafiła obudzić się o czwartej nad ranem, zlana potem, nękana gwałtowną myślą: „A co, jeśli tamta zapaliła papierosa? Jeśli wypiła lampkę wina, jeśli zjadła ser pleśniowy?". Później leżała do rana bezsennie, czekając na dzwonek budzika.

Filip ją uspokajał.

Byli blisko, prawie jak na początku małżeństwa. Kochali się bez strachu i poczucia winy, zabezpieczając się przed ciążą, która musiała znowu skończyć się niepowodzeniem. Wyglądał teraz młodziej i na mniej zmęczonego. Jakby zrzucił ciężkie brzemię, pozbył się czegoś, co dokuczało mu od dłuższego czasu. Zakładała, że sprawiła to ciąża Iwony. Nareszcie nie musieli się martwić. W Marcie stale tkwił smutek, żal po stracie dzieci, poczucie niepełnej wartości. Wiedziała, że ta igła żalu będzie ją kłuć już zawsze, do końca życia. Może mężczyźni przeżywają to inaczej.

Tak czy owak, rozmyślania spowodowały, że zapomniała o dorocznym spotkaniu. Spotkania ze znajomymi stały się tradycją, zawsze w okresie okołoświątecznym spotykali się w większym gronie. Byli to w przeważającej większości, a potem już wyłącznie, znajomi Filipa. Marta występowała tam jako osoba towarzysząca, wśród innych żon i partnerek. Po paru latach wolnych związków wszyscy wybrali jednak bezpieczną przystań małżeństwa usankcjonowanego w kościele, partnerki i „dziewczyny" odeszły w przeszłość, zostało kółeczko żon. Oczekiwano, choć o tym nie mówiono, że się ze sobą zaprzyjaźnią, zadzierzgną więzi co najmniej tak silne, jak te łączące ich mężów. Jednak mężczyzn łączyło wiele – studia na jednym wydziale, wspólne wyjazdy w skałki i na narty w latach studenckich, wspólne imprezy, zainteresowania, pokrzyżowane niteczki zależności: ten temu świadkował na ślubie, a tamten trzymał do chrztu pierwsze dziecko tych i trzecie dziecko tamtych, jeden drugiemu sprzedał samochód, załatwił pracę, pożyczał pieniądze na rozkręcenie działalności. One zaś były zbieraniną, którą zgromadziło w jednym miejscu tylko to, że wybrali je na towarzyszki życia mężczyźni należący do jednego grona. Wbrew oczekiwaniom Filipa Marta nigdy nie zacieśniła więzi z żadną z tych kobiet – wymieniły się numerami telefonów, przynosiły na spotkania wypieki i popisowe sałatki, rozmawiały w kuchniach na imprezach, ale zażyłość nigdy nie doszła nawet do granic przyjaźni. Marta często się zastanawiała, jak znajomi Filipa przyjęli fakt, że to ona zastąpiła przy jego boku pełną energii Ninę, ale na mocy milczącego porozumienia imion byłych żon nie wymawiano, chyba że w kontekście alimentów i problemów. Wyglądało to tak, jakby Nina zniknęła z powierzchni ziemi i została wymazana z ich pamięci z chwilą rozwodu z Filipem. Marta była ciekawa, co by się stało, gdyby ona rozstała się z mężem – czy też tak całkowicie i natychmiast zniknęłaby ze zbiorowej świadomości zastąpiona przez jakąś inną osobę?

Spotkanie przebiegało tak samo jak zawsze. Po krótkim posiedzeniu w salonie, kiedy wszyscy skrupulatnie próbowali każdej przyniesionej sałatki i każdego pieczonego mięsa, chwaląc smak i dopytując się o przepisy, towarzystwo się podzieliło: mężczyźni zgromadzeni przy jednym końcu stołu podziwiali fotografie nowego domu Sebastiana i Ani, kobiety pogrążyły się w pogawędce o dzieciach. Dzieci był tłum, przez co Marta czuła się jeszcze bardziej wyobcowana. Kiedyś hołubiła marzenie, że na kolejnym spotkaniu i ona będzie tulić niemowlę, rozprawiać o karmieniu piersią, kolkach i alergiach. Potem przyzwyczaiła się do tego, że jako jedyna nie przerywała rozmowy, żeby „zerknąć, co robi Ignaś" albo „wytrzeć nos Kajetanowi", nie podgrzewała słoiczków z jedzeniem w garnku na cudzej kuchence ani nie prowadziła rozmowy, usiłując jednocześnie rozdzielić walczących kilkulatków. Wieść o ich niepowodzeniach musiała rozejść się wśród mężczyzn, bo wśród kobiet ten temat nigdy nie był poruszany – po prostu na widok Marty przerywały w pół zdania opowieści o porodach w wodzie, badaniach neurologicznych i przewadze planowej cesarki nad porodem siłami natury. Milkły albo zmieniały temat. Zaczynały mówić o pracy, o szefach, o najnowszych zakupach i promocjach, planach budowy domu i na inne bezpieczne tematy. Odpowiadało jej to w zasadzie, nie znosiła ludzkiego współczucia, tych wszystkich niezdarnych słów pocieszenia, tego: „Jesteś jeszcze młoda" i „Na pewno w końcu się uda", co nieuchronnie prowadziło do rozlazłych i krwawych opowieści o plamieniach, zagrożonych ciążach, znajomych, które urodziły cudowne, pięciokilowe bliźnięta, które zaczęły chodzić w siódmym miesiącu życia, a w wieku półtora roku recytowały wiersze, a to wszystko po wielu latach walki z niepłodnością. Tu przynajmniej nikt nie okazywał jej litości.

Jednak tym razem Filip zdominował męskie towarzystwo i z samego wyrazu jego twarzy Marta się domyśliła, że mówi o ich decyzji. Kobiety nastawiły uszu, uniosły wzrok znad sałatek. („Powiedz, jak ty przyprawiasz tę sałatkę, normalnie nie znoszę selera, a tu jest po prostu przepyszny!" „Och, to taka sztuczka mojej babci, jak dodasz rodzynek, to nikt nie wyczuje selera. Sprawia mi radość kultywowanie takich starych tradycji i odtwarzanie dawnych przepisów". „Podziwiam, kiedy ty znajdujesz na to czas przy trójce maluchów!" „O, to nic wielkiego, grunt to dobra organizacja, przy dzieciach to podstawa!") Jedna z nich, Aga, matka domowa, jak lubiła się określać w rozmowach, niby żartobliwie, ale jednak z nutką powagi sugerującą, że żaden służbowy tytuł nie mógłby brzmieć bardziej oficjalnie, wyruszyła na zwiady na męską stronę. Po powrocie zaatakowała Martę bezpośrednio, blokując jej wyjście z kąta przy choince, obwieszonej złotymi i niebieskimi ozdobami.

– Taka wielka decyzja, a ty się nie chwalisz! Opowiedz, co dokładnie postanowiliście?

Marta zaczęła opowiadać, przyparta do muru wielkim, macierzyńskim cielskiem Agnieszki i spojrzeniem jej dużych, lekko wyłupiastych niebieskich oczu. Plątała się, jąkała, a opowieść nawet w jej uszach brzmiała nienaturalnie, jak streszczenie jakiegoś kiczowatego filmu telewizyjnego pokazywanego w niedzielne popołudnie na jednym z kanałów filmowych dodawanych do kablówki „gratis w pakiecie złotym" albo artykułu w jednym z tabloidów.

– Kiedy się urodzi? – teraz pozostałe kobiety były już żywo zainteresowane.

– Mniej więcej na początku maja.

– A co to w ogóle za osoba? Mam nadzieję, że nie jakaś patologia? – to Karina, *soccer mom*, której dzieci „kształciły się" w starannie wybranych szkołach prywatnych, a punktem honoru było spotkanie się wyłącznie z „takimi jak my". („No, wiecie sami, dziecko może odnieść korzyści wyłącznie z wartościowych kontaktów. Nie wyobrażam sobie, w jaki sposób mogłoby być dla niego rozwijające spotkanie się z jakimiś menelami w szkole publicznej"). „Patologia" oznaczała dla niej i dla Krzysztofa, jej męża, wszystko poniżej ich obecnego statusu społecznego, określanego przez szeregowy domek w podwarszawskiej miejscowości, dwa samochody typu SUV i słowo „*director*" na wizytówce. W tym także środowiska, z których oboje się wywodzili, a których obecnie starannie unikali, ograniczając do minimum kontakty z rodziną z prowincji ze ściany wschodniej. „Wy jesteście naszą prawdziwą rodziną – mawiał Krzysiek do kumpli po odpowiedniej ilości alkoholu – z wami czujemy prawdziwe więzi, a tamto zostawiliśmy za sobą".

– Normalna kobieta, dwa–trzy lata ode mnie młodsza. Pracuje jako woźna, ma dwoje dzieci. Rozwiedziona, były nie płaci alimentów, ona ledwo wiąże koniec z końcem, ale widać, że wszystko wychuchane, zadbane... – Marta złapała się na tym, że broni Iwony przed niewypowiedzianymi zarzutami, ale dzielnie brnęła dalej. – Jestem pewna, że to idealna osoba do takiego zadania.

– Podziwiam was – Karina poważnie pokiwała głową, ciemnozłote pasemka w brązowych włosach zadrgały jak refleksy światła na wodzie.

Marta znała to „podziwiam". Zabawne, jak można wyrazić potępienie, wyrażając podziw. Po tym „podziwiam" zwykle następowało: „Sama nigdy bym się nie zdecydowała". I rzeczywiście.

– Nigdy bym... Myślę, że po prostu trzeba wiedzieć, kiedy pewne rzeczy są poza naszym zasięgiem, i zaakceptować to. Ale to tylko moje zdanie. Poza tym uważam, że jesteście bardzo dzielni, choć wiele ryzykujecie.

– A co tam u Nikodema? – wtrąciła Ania, ta od nowego domu z fotografii. („Bliźniak, sto sześćdziesiąt metrów. No, wiecie, planujemy jeszcze jedno dziecko, wszyscy teraz mają trójkę, a jeśli się nie uda, to zawsze przyda się dodatkowa sypialnia. Ogródek? Jest, jeszcze nie zagospodarowaliśmy, na razie przeglądamy oferty projektantów. Seba wolałby tradycyjne polskie iglaki, ja marzę o różach i oczku wodnym...") Zupełnie, jakby chciała przypomnieć Marcie, że przecież Filip ma już jedno dziecko i żadne „ryzykowne decyzje" nie są potrzebne.

– Nikodem... – Marta zawahała się. – No cóż, niedługo kończy liceum, później wybiera się na studia.

To był drażliwy temat. Niki nie radził sobie najlepiej w szkole średniej, bujne życie towarzyskie interesowało go znacznie bardziej od wkuwania do matury. Poza tym wymyślił, że będzie zdawał na kulturoznawstwo. Wieczne kłótnie między weekendowym ojcem a dorastającym synem dotyczyły teraz głównie tego. „Po SGH masz zawód w ręku, nawet jeśli teraz nie jest tak łatwo jak za moich czasów", argumentował Filip, który prosto z trzeciego roku wylądował na stanowisku kierowniczym w korporacji i tam piął się w górę przez kolejne kilka lat. Między innymi dlatego nigdy nie miał problemu z utrzymaniem Niny i małego synka. „Tamto sobie studiuj jako drugi fakultet, dla rozrywki, co ci szkodzi, mogę ci sfinansować, ale nie będę płacił za obijanie się przez pięć lat, żebyś był bezrobotnym z tytułem magistra". Niki się nadymał, obrażał, wywrzaskiwał rzeczy w rodzaju: „To moje życie! I nikt mnie nie zmusi!", po czym trzaskał drzwiami albo wyjmował telefon i zaczynał esemesować, co trwało przez resztę dnia.

– Wybraliście mu już jakiś kierunek? – Ania miała talent do wbijania palucha w bolące miejsce i kręcenia nim na wszystkie strony.

– Jest prawie dorosły, sam wybierze kierunek – powiedziała Marta.

Nagle zapragnęła uciec od tych kobiet, wrócić do domu, zadzwonić do Iwony i zapytać ją, czy już czuła ruchy albo czy nie miała dzisiaj zgagi. O ironio, gdyby osobiście była w ciąży, wystarczyłaby najmniejsza wzmianka o kiepskim samopoczuciu, żeby gdaczące kobiety niemal zaniosły ją do samochodu i odstawiły do domu. Jako ciężarna *per proxy* nie miała nawet najmniejszej wymówki, żeby uciec. Zresztą nie byłoby to mile widziane, to było spotkanie niemal rodzinne, wszyscy znali się tu „jak bracia" i „nie zrozumieliby", gdyby wyszła wcześniej do domu, zostawiając męża samego. Musiała więc zmienić temat:

– Pyszne to ciasto marchewkowe. Agnieszko, to twoje dzieło?

Natrętna myśl, która pojawiła się jakiś czas temu, ciągle wracała. Najczęściej rano.

Iwona zaczęła mieć bóle głowy, uparte, ściskające czoło i skronie jak żelazna obręcz z kolcami wbijającymi się w czaszkę.

Lekarz z kliniki nie widział w tym nic dziwnego, choć powiedziała mu, że podczas dwóch pierwszych ciąż nie miała tego problemu. W klinice traktowano ją bardzo uprzejmie, choć nieco chłodno, bardziej jak cenny i delikatny pakunek niż jak człowieka – takie miała wrażenie.

Za to teraz już przynajmniej wiedziała, jak wiele można kupić za pieniądze i jak diametralnie różni się jej świat – świat państwowych przychodni, kolejek do specjalistów, nocnych pomocy lekarskich, szpitalnych izb przyjęć, na które woziła duszącego się od kaszlu syna – od świata ludzi takich jak Filip i Marta, którzy po prostu opłacali abonament i dostawali szybką, dyskretną obsługę, jak w dobrej restauracji, czyściutką poczekalnię i recepcjonistkę rozdającą cukierki. Tak niewiele wystarczyło, suma będąca równowartością dobrych sportowych butów miesięcznie, żeby przejść z jednego świata do drugiego i całkowicie zapomnieć o tym pierwszym.

– Przecież ty też płacisz abonament, co miesiąc – przypomniała jej koleżanka z pracy. – Tej naszej składki zdrowotnej jest pewnie tyle samo, co tego ich abonamentu. I co z tego mamy? Tyle, że nie dadzą nam umrzeć.

Święta minęły spokojnie, bóle głowy nieco zelżały, przytłumione bieganiną i nawałem spraw. Pierwsze święta od wielu lat, kiedy pieniądze nie były problemem, nie trzeba było decydować: prezent czy kurtka dla Julki. Iwona wybrała się do galerii z sąsiadką, ale tym razem, oprócz supermarketu, gdzie kupiły w promocji większość jedzenia i prezentów, zajrzała też do jednego z tych sieciowych sklepów, gdzie są ubrania dla kobiet, mężczyzn i dzieci firmowe, porządne, szwedzkie czy angielskie.

– Wezmę Patrycji jakieś spodnie, ty się tam rozejrzyj, spotkamy się przy kasie. – Beata oddaliła się w stronę działu ubranek dla dziewcząt.

Dżinsy, rozszerzane, wąskie, haftowane w kwiaty, wisiały na wieszakach, jedne obok drugich, równiutko – od niedużych do takich, w których Iwona musiałaby podwijać nogawki. Na stoliku pośrodku wyłożono bluzki i sweterki. Dotknęła jednej z bluzek z mięsistej, grubej bawełny, obok leżał sweter w norweskie wzory żakardowe, fiolet, granat i biel łączyły się harmonijnie. Pięknie pasowałby do szaroniebieskich oczu Julki. Odwróciła metkę i z wrażenia aż wciągnęła powietrze: sto dziewiętnaście złotych i dziewięćdziesiąt groszy, nadruk: SALE, a obok przekreślona liczba 159. Odłożyła sweterek delikatnie, starając się go ułożyć dokładnie tak, jak leżał przedtem, rozglądając się nerwowo, czy sprzedawczyni zaraz nie zwróci jej uwagi. Uspokoiła się jednak, widząc, że młodziutkie dziewczyny w kasie zajmują się rozmową i nie wykazują najmniejszej chęci podejścia do niej – ani do żadnego z innych klientów. Obok dwie kobiety w wieku Iwony bez żadnych oporów miętosiły sweterki i bluzki, zdejmowały z wieszaków i rzucały na stolik, żeby się lepiej przyjrzeć. Jedna niosła spore naręcze wieszaków, druga wyglądała na niezdecydowaną.

– Nie wiem, brać jej ten sweter czy nie? – do uszu Iwony dobiegły strzępy rozmowy.

– Weź, co ci szkodzi?

– To dziecko już ma tyle ciuchów, że sama nie wie, co ma w szafie. Potem nie nosi i wyrasta.

– To najwyżej wyrośnie, młodsza dostanie albo mi oddasz dla mojej, jak twoja wyrośnie. Moja jest o głowę niższa od tej twojej Oliwii, jakby była ze trzy lata młodsza, a nie rok.

– Dobra, to wezmę jeszcze ten i spodnie jakieś do kompletu.

Kobiety odeszły. Iwona chwyciła sweter, sprawdziła rozmiar na metce: 9–10 lat, powinien być dobry. Nerwowo sprawdziła w torbie, czy ma portfel, czy w przedświątecznym zamęcie nikt nie ukradł jej starego, wyświechtanego portfela z kilkoma stuzłotówkami w środku. Od lat nie była na takich zakupach. A może nigdy? Kiedy była żoną Darka, oszczędzali na mieszkanie, nie było pieniędzy na wydawanie, poza tym i u niej, i u Darka w domu kupowało się na bazarkach, w ostateczności w Domach Centrum, zanim pojawiło się słowo „galeria" w nazwie. Stamtąd pochodziła słynna kościelna garsonka matki. Później już były tylko długi, komornik w warsztacie, wspólnik obiecujący ze łzami w oczach, po wódce, że spłaci, a potem Darek wyjechał.

„Sprzedajesz dziecko za kolorowy sweterek", powiedział głos w jej głowie. Głos, którego nie potrafiła zignorować. Nie mogła przejeść tych pieniędzy, jakie otrzymywała co miesiąc od Marty i Filipa, najczęściej od Filipa, przed wejściem do kliniki albo w jego samochodzie. Zawsze sprawiał wtedy wrażenie zażenowanego, jakby kupował narkotyki czy robił coś równie zakazanego. Z drugiej strony, czy z okazji Bożego Narodzenia nie należało jej się coś od życia? Jakiś gest, który choć na moment wprowadziłby ją do świata takich ludzi jak tamta z naręczem ubranek dla dziecka, które i tak miało ich już za dużo? Coś oprócz regularnych wizyt u pulmonologa z Piotrkiem, oprócz reklamowanych jogurcików „na odporność" i witaminowych tabletek dla kobiet w ciąży? Przecież nie chodziło o sam sweterek, nieproporcjonalnie drogą markową szmatkę, chodziło o to, co symbolizował – świat zza niewidzialnej szyby, gdzie takie sweterki były ubrankiem na co dzień, kupowanym nie z potrzeby, a dla kaprysu. Świat tych dziewczynek z trzeciej c, które patrzyły ponad głowami Julki i zawsze pomijały ją przy zapraszaniu na imprezy urodzinowe. Chodziło o to, żeby Julka dostała nową, niepraktyczną rzecz kupioną specjalnie dla niej.

Zignorowała więc głos w głowie i ze swetrem pod pachą przeszła do działu chłopięcego. Wybrała bluzę z kapturem, chwilę zastanawiała się nad rozmiarem – Piotrek już dorównywał jej wzrostem, choć nie należała do niskich. Tam znalazła ją Beata.

– Zobacz, tu są ciążowe ubrania, mają świetne spódnice w przecenie! – Na widok spłoszonej miny Iwony uśmiechnęła się: – Już przecież widać, nie dociągniesz do dziewiątego miesiąca w tych dwóch spódnicach na gumkę, no, obejrzyj chociaż!

Spódnice – z miękkiego brązowego i wiśniowego sztruksu – wisiały na wieszaku rzędem, od najmniejszych do ogromnych jak namiot. Manekin z brzuszkiem (Iwona nigdy wcześniej takich nie widziała) prezentował, jak pięknie ta spódnica układa się na sylwetce, oczywiście z odpowiednim swetrem, koralami i apaszką. To była spódnica dla tych zadbanych ciężarnych z artykułu pod tytułem: *I ty możesz być piękna w ciąży!*. Dla tych kobiet, które, pięknie ubrane i pachnące „czekały, aż ich mały skarb pojawi się na świecie", a „dopóki maleństwo wygodnie leżało pod sercem" chciały „rozkwitać" i „czuć się seksownie". Po tych zapowiedziach artykuły zwykle przedstawiały listę zastrzeżeń: żadnych wysokich obcasów, żadnych pończoch, gumek, ciężkich perfum, farbowania włosów. Każde z tych zastrzeżeń opatrzone komentarzem w rodzaju: „Pamiętaj, że teraz, kiedy jesteś mamą, najważniejsze jest dobro twojej pociechy". Te kobiety stosowały się do wszystkich uwag, do porodu szły wydepilować strefę bikini i zrobić pedicure, a wcześniej spędzały miesiące w ciążowych ubraniach, na wybieraniu i kupowaniu wózka, łóżeczka, baldachimu, karuzelki z pozytywką i innych niezbędnych akcesoriów. Nikt nie projektował mody dla matek zastępczych, które miały oddać „swój wymarzony skarb" w cudze ręce, kiedy tylko „zawita na świat".

Kiedy tak pogrążona w myślach wpatrywała się w manekina, nagle coś odwróciło jej uwagę, przeszła dalej i zanim zdążyła się zmitygować i zawrócić, już otaczały ją ze wszystkich stron śpioszki, maleńkie body i rajstopki, koszulki, swetry męskie z golfem w rozmiarze na 0–3 miesiące i dżinsowe ogrodniczki haftowane w kwiatuszki dla półrocznych dziewczynek, welurowe czapeczki z uszkami jak u kotka i kombinezony z kapturkami w kształcie głowy misia.

Oszołomiona tą wielością, sięgnęła na chybił trafił i zdjęła z wieszaka czapeczkę z mięciutkiego weluru w kolorze złamanej bieli. Czapeczka, zszyta z sześciu klinów, miała maleńkie nauszniki ze sznureczkami do wiązania i maleńki daszek, a nad daszkiem wyhaftowano niebieską nitką: *„love my mommy"*, i naszyto miniaturowego błękitnego słonika. Dokładnie w tym momencie, kiedy ostrożnie dotykała delikatnego materiału, zachwycona jego miękkością, przypominając sobie dni, kiedy Piotrek w podobnej czapeczce leżał w głębokim wózku przykryty kocykiem, poczuła coś w brzuchu – nie kopnięcie, nawet nie ruch, bardziej jakby gdzieś w jej wnętrzu pękła nieduża bańka mydlana. Było to tak delikatne i słabe, że inna kobieta mogłaby nie zwrócić na to uwagi, ale po dwóch ciążach uczucie było nie do pomylenia. To musiało być dziecko. Iwona sięgnęła ręką do brzucha, pod gumką od spódnicy, położyła dłoń na skórze, choć wiedziała, że ruchy nie będą wyczuwalne w ten sposób jeszcze przez wiele tygodni.

– Podoba ci się? – wyszeptała do tej tajemniczej, maleńkiej istoty skulonej wewnątrz niej. – Podoba ci się czapeczka, maleństwo?

Jakby w odpowiedzi, banieczka powtórzyła się, jeszcze raz, a po chwili jeszcze dwa razy, ale już słabiej.

Dopiero wtedy Iwona się zorientowała, co właściwie robi – przemawia czule do dziecka, które przecież nie było jej, zostało jej tylko wypożyczone na kilka miesięcy. Raptownie oderwała rękę od brzucha, przesunęła dłonią po twarzy. W drugiej ręce nadal kurczowo zaciskała czapeczkę. Teraz dołożyła ją do swetra dla Julki i bluzy dla Piotrka. „Niech małe też coś ma z życia – pomyślała – jedna czapka jeszcze nie znaczy, że je pokochałam".

Nagle okazało się, że tym razem wzbudziła zainteresowanie dziewczyn z obsługi. Jedna z nich stała tuż obok, uśmiechnięta.

– To pierwszy dzidziuś? – zapytała. – Może pomogę skompletować wyprawkę?

– Trzeci – odpowiedziała Iwona machinalnie i dodała: – dziękuję, tylko tę czapkę poproszę.

– A może jakieś śpioszki do tego? – dziewczyna nadal szczebiotała. Na sweterku z dekoltem w kształcie litery V miała przypiętą plakietkę z imieniem: Milena. Nie miała więcej niż dwadzieścia jeden, może dwadzieścia dwa lata, pewnie studiuje zaocznie.

– Dziękuję – odpowiedziała Iwona jeszcze raz, bardziej zdecydowanie. – Na razie tylko czapeczka, nie chcę zapeszyć.

– W takim razie zapraszam do kasy.

Kiedy już wydała jej resztę z dwóch stuzłotówek i wygłosiła sakramentalne: „Dziękujemy, zapraszamy ponownie", Iwona z Beatą powędrowały w stronę wyjścia.

– O, mama – ucieszyła się w domu Julka. – Co kupiłaś?

– A różne takie, zajrzyj sobie. Tylko najpierw pomóż mi rozpakować jedzenie. Gdzie Piotrek?

– Poszedł do Maćka po jakieś książki. Ooo, a to co? – Julka zapiszczała na widok swetra, ale po chwili odłożyła go ostrożnie na bok, żeby podnieść maleńką czapeczkę, która wypadła z reklamówki. – To dla dzidziusia? – zapytała z wahaniem. – Jaka słodka i jaka malutka! Czy to znaczy... – zawahała się – że go nie oddamy? Czy dzidziuś zostanie z nami?

– Dzidziuś nie zostanie z nami, bo to nie jest nasz dzidziuś. – Iwona odebrała córce czapeczkę. – Właściwie sama nie wiem, po co to kupiłam, chyba powinnam ją oddać. Przecież jego prawdziwa mama na pewno kupi mu lepsze czapeczki.

– Aha – Julka posmutniała, odłożyła czapeczkę na komodę.

Iwona obiecała sobie oddać czapeczkę do sklepu przy najbliższej okazji. Dowiedziała się, że w ciągu kilku tygodni można zwrócić nieużywane ubranie z paragonem i planowała to zrobić. Właściwie nawet bardzo tego chciała, bo każde spojrzenie na ten maleńki welurowy ciuszek przypominało jej, że to nie ona będzie dobierać ubranka dziecku, które w niej rosło, tylko tamta smutna i poważna kobieta o brązowych włosach. Tylko że w nawale przedświątecznych przygotowań zupełnie o tym zapomniała. A może potrzebowała pretekstu, żeby móc zapomnieć? Tuż przed kolacją wigilijną zauważyła czapeczkę, nadal leżącą na komodzie, i szybko schowała do szuflady, gdzie znalazła ją dopiero wtedy, kiedy termin zwrotu dawno minął.

Święta spędzili w biegu, pomiędzy mieszkaniem rodziców Filipa (brama starej kamienicy, mimo że odnowiona z funduszu remontowego nadal sprawiała nieprzyjemne wrażenie i zmuszała do pospiesznego przemykania pod ścianą w obawie przed atakiem) a mieszkaniem ojca Marty.

Niki towarzyszył im u dziadków, wyjątkowo rozmowny i uśmiechnięty. Na szczęście nikt nie poruszał tematu kierunku studiów, tylko babcia przy opłatku życzyła wnukowi „zdanej matury i mądrych wyborów życiowych". Teściowa wprost kipiała energią, jak twierdziła, dzięki nowym „warsztatom samodoskonalenia dla kobiet", z „elementami jogi i buddyzmu", na jakie chodziła od kilku tygodni, w grupie podobnych jej, znudzonych kobiet w późnym średnim wieku, rozpaczliwie poszukujących jakiegoś sposobu na zapełnienie czasu. Kobiety w jej wieku albo angażowały się w życie parafii, chodząc na niezliczone różańce, kółka modlitewne i msze w rozmaitych intencjach, albo rzucały w aktywność na kursach i warsztatach, a wszystko po to, żeby nie siedzieć w domu, patrząc w telewizor w towarzystwie zgnuśniałych mężów w wieku przedemerytalnym.

– Coś niesamowitego, ta joga! – wykrzykiwała teraz z entuzjazmem. – Marta, musisz spróbować! Bolą mnie takie mięśnie, o których nawet nie wiedziałam, że istnieją! Od razu zaczęłam lepiej spać i czuję się taka odświeżona! A medytacje... – rozmarzyła się – to dopiero cudowne, uwalniasz się od wszystkich problemów!

Marta słuchała z lekkim rozbawieniem. Przed jogą był kurs gotowania szwajcarskiego mistrza kuchni, kiedy to co niedziela byli zapraszani na obiady, gdzie wypróbowywała na nich dania w rodzaju: ragoût z królika w białym winie z musem szparagowym. Wcześniej zajęcia *decoupage*, po których pozostały dziesiątki do niczego nieprzydatnych, ohydnie kiczowatych pudełeczek i doniczek oklejonych seryjnie produkowanymi barokowymi aniołkami i kwiatkami powycinanymi z taniutkich serwetek. Korespondencyjny kurs twórczego pisania, który zaowocował opasłym maszynopisem pod tytułem *Chata nad Liwcem*, czytanym z namaszczeniem przez wszystkich członków bliższej i dalszej rodziny. Co wydarzy się po jodze? To zależało od kolejnej ulotki reklamowej, jaka trafi w ręce teściowej.

– Jak tam wasze dziecko? – dopytywała Wanda, kiedy obie z Martą kroiły ciasto w kuchni (kładły je na deseczce oklejonej motywami choinek i gwiazd i polakierowanej bezbarwnym lakierem – kolejny relikt porzuconej pasji). Matka Filipa była już po kilku kieliszkach wina, byli jedną z tych niewierzących rodzin celebrujących Wigilię jako przyjemny element tradycji i okazję do rodzinnego spotkania przy dobrym jedzeniu, choince i czerwonym winie. W salonie brat Wandy z żoną i dorosłą córką, kilkoro dalszych krewnych i Filip z ojcem rozmawiali o polityce i o kolejnej epidemii grypy, która według doniesień telewizyjnych miała zmieść z powierzchni ziemi większość ludności.

– No, opowiedz coś więcej, czytałam w gazecie o tych surogatkach, ale nigdy nie spodziewałam się, że będę to miała tak blisko. Czyli zrezygnowaliście już ostatecznie z rodzenia, tak?

– Trudno to nazwać rezygnacją – Marta uśmiechnęła się smutno. – Po prostu nie możemy, a medycyna nie jest w stanie nam pomóc. To jedyne, co nam zostało, poza adopcją... choć to też, w pewnym sensie, będzie adopcja.

– A powiedz – Wanda nachyliła się konspiracyjnie do synowej – po co wam tak koniecznie to dziecko? Od biedy mogłabyś być matką Nikiego, ale nie lepiej wam tak, jak jest, żyjecie sobie wygodnie, macie wolność, spokój, ciszę w domu? Teraz tylu młodych decyduje, że nie chce w ogóle mieć dzieci, wolą się rozwijać, kształcić, podróżować... – ciągnęła, zniżając głos do szeptu. – Wiesz, za moich czasów było inaczej, spodziewano się, że rok–dwa po ślubie pojawi się dziecko. Gdyby nie te oczekiwania i wieczne pytania, to ja chybabym się nie zdecydowała... Właściwie urodziłam Filipa dla świętego spokoju, żeby moja teściowa się wreszcie odczepiła. Chyba umiałabym być szczęśliwa jako bezdzietna kobieta, tyle że wtedy nawet nie wolno było tak myśleć.

Marta oderwała wzrok od makowca od Bliklego. („Po co piec w domu, skoro za nieduże pieniądze można kupić naprawdę dobre ciasto?") Zawsze podejrzewała, że Filip nie był chcianym i kochanym dzieckiem. Myślała, że przytrafił się teściom tak samo jak jemu, dwadzieścia lat później, Nikodem, przypadkiem. Cóż, sama też nie była szczególnie upragniona ani wyczekiwana...

– Chcemy mieć dziecko, bo uważamy, że to naturalna kontynuacja małżeństwa. Chcemy dać mu miłość i to wszystko, czego sami nie dostaliśmy w dzieciństwie... – urwała, przerażona tym, co właśnie powiedziała, ale Wanda tylko się roześmiała.

– Babom nie dogodzisz. Kiedy nie było pigułek i mody na singli, kiedy mogły się mnożyć, to nie chciały, robiły skrobanki, broniły się, jak mogły. Teraz mogą planować, zabezpieczać się, nie są potępiane, a rodzą na potęgę. Ot, głupia babska natura.

Marta nagle zapragnęła wyjść z tego mieszkania i więcej nie wracać. Gwiazdki na deseczce i choinkowe światełka wirowały jej przed oczami, twarz teściowej wydała się jej nagle nienaturalnie czerwona, napuchnięta i brzydka, oczy szkliste od nadmiaru wina. Ta kobieta miała być babcią jej dziecka – dziecka, które zupełnie nieświadome tego, co je czeka, pływało sobie w obcym brzuchu, czekając na moment, kiedy wreszcie pozna swoją mamę. A w komplecie dostanie babcię, która potrafi otwarcie przyznać, że nie chciała urodzić jego ojca.

„Ale dlaczego właściwie chcemy mieć dziecko?", zastanawiała się podczas długiej, bezsennej nocy przed kolejnym dniem świąt. Boże Narodzenie zawsze budziło tę uśpioną w niej resztkę katolicyzmu. Jak mogła się czuć tej nocy, ponad dwa tysiące lat temu, młodziutka matka? Spała na sianie w stajence, tuląc do siebie ciepłe, pomarszczone ciałko noworodka, szeptała mu do ucha obietnice wspaniałej przyszłości? A może zastanawiała się ponuro, co teraz zrobią we troje z Józefem i maleństwem, bez środków do życia? Może urodziła tylko dlatego, żeby głos zwiastujący narodziny dał jej wreszcie spokój?

Po co dziecko?

Nad tym Marta nigdy dotąd się nie zastanawiała. Tak jak powiedziała teściowej, wydawało jej się to naturalne: ludzie się pobierają, ludzie mają dzieci, ludzie wychowują dzieci, potem mają wnuki. Łańcuch naturalny i logiczny jak samo życie. Dziecko umiejscawiało kobietę pewnie w świecie dorosłych, nadawało jej łatwą do rozpoznania i szanowaną rolę matki. Czy kiedykolwiek, jeszcze zanim rozpoczęli starania, zanim normalne starania o dziecko przerodziły się w krwawą, beznadziejną walkę z jej upartym organizmem, zadała sobie pytanie „dlaczego"? Nie, to zawsze było dla niej oczywiste. Zawsze w wizjach przyszłości widziała dziecko jako naturalne dopełnienie małżeństwa, związku. Widziała siebie, jak zupełnie bez wysiłku przeistacza się w matkę, choć sama nigdy nie doświadczyła pełni matczynej miłości, bezwarunkowej akceptacji i czułości opisywanej w książkach i filmach o macierzyństwie. Była pewna, że – w odróżnieniu od swojej matki – znajdzie w sobie siłę i miłość, naturalnie. Słowo „naturalnie" pojawiało się co chwila, Marta zbeształa się w myślach za niechlujstwo, ale za moment pomyślała: „Co z tego, to nie wypracowanie, widocznie tak po prostu ma być, przecież to ludzka natura".

Dopiero później pragnienie dziecka przerodziło się w ten sam ślepy upór, który każe niewidomym uczyć się malowania, a jednonogim zdobywać bieguny. Chęć udowodnienia sobie i innym, że niemożliwe jest możliwe, że każdą przeszkodę można pokonać, jeśli się odpowiednio mocno tego pragnie, zawładnęła nią całkowicie. Czy teraz, kiedy nieznajoma kobieta pomagała jej pokonać tę przeszkodę, naprawdę pragnęła mieć dziecko, innego, nowego człowieka? Czy może już tylko chciała sukcesu, możliwości powiedzenia sobie: a jednak, na przekór wszystkiemu, udało się!

Od tak dawna nie czuła niczego poza rozpaczą, rozczarowaniem, złością, nienawiścią do tych okrągłych, bezmyślnie zadowolonych młodych matek z osiedla. Była wypalona wewnątrz. Pozytywne emocje i nadzieja z trudem zapuszczały korzonki w tej spalonej ziemi. Czy chciała kochać dziecko, czy po prostu chciała wreszcie nie być tą jedyną bezdzietną na towarzyskich spotkaniach? A może chciała tylko pchać trzykołowy wózek po alejkach podwórka i odpowiadać na spojrzenia pełne akceptacji i pochwały?

Pod choinkę dostała od męża prezent – maleńką welurową czapeczkę z niebieskim słonikiem. Włożyła ją pod poduszkę. Tak strasznie zazdrościła tej obcej kobiecie, że to ona odczuwa ruchy maleństwa, że to ona może pogładzić brzuch, kiedy dziecko za mocno się wierci, że to ona odczuwa zgagę, mdłości, że to jej puchną nogi i palce u rąk. „Ona je tylko przechowuje, opiekuje się nim wtedy, kiedy ja nie mogę”, mówiła sobie w myślach, gładząc mięciutki, aksamitny materiał czapeczki. Wreszcie zasnęła.

Telefon zadzwonił rano, około siódmej, bardzo wcześnie jak na pierwszy dzień świąt. Natarczywy dzwonek wyrwał Martę ze snu, w którym kołysała niemowlę w stajence. Przez kilka chwil po przebudzeniu nie miała pojęcia, co to za dźwięk i skąd dochodzi, aż wreszcie poderwała się z łóżka. Miotała się po mieszkaniu, szukając słuchawki od bezprzewodowego aparatu. Znalazła ją w końcu pod stertą papierów na kuchennym stole.

– Halo! – rzuciła, zdyszana i poirytowana.

W słuchawce usłyszała znany głos, zmieniony przez strach.

– Pani Marto, przepraszam, że niepokoję panią w święta, ale coś się chyba stało... Od wczoraj mocno krwawię.

Szpital ginekologiczno-położniczy to miejsce pełne rozpaczy i szczęścia, nadziei i smutku. To miejsce wyjątkowe – miejsce, gdzie rządzą kobiety i ich skomplikowana biologia, odwieczne rytmy Księżyca wspomagane medycyną. Czerwony namiot początku dwudziestego pierwszego wieku zatracił intymność – zmienił się w niski, nieprzyjazny z zewnątrz budynek, w którym misterium ciąży zderza się ze sterylnością i zimnem korytarzy, sal zabiegowych, narzędzi chirurgicznych. Słychać, jak niesie się płacz noworodków zmieszany z krzykami rodzących, połajankami położnych i lekarzy. Ktoś płacze w łazience, kardiotokografy szumią miarowo, rejestrując bicie niezliczonych maleńkich serc, aparaty do USG wypluwają ziarniste, czarno--białe fotografie nienarodzonych.

Tu kończy się luksus i prywatność niepublicznej kliniki. Tu Iwona i Marta nie są klientkami, nie są nawet osobami – stają się kawałkami mięsa rzucanymi na taśmę ogromnej fabryki. Tu Iwona jest traktowana jak wszystkie inne ciężarne, a Marta jak wszystkie inne osoby towarzyszące.

W izbie przyjęć roi się od kobiet. Jedne siedzą, zbolałe i przerażone, inne chodzą w kółko, podtrzymywane przez mężów. Kogoś przywozi karetka, ktoś inny się awanturuje, że czeka na przyjęcie już od wielu godzin, i: „Może mam tu urodzić, na podłodze? Proszę bardzo, jeszcze z godzina i tak będzie. Mam skurcze co dwie minuty, ile mam jeszcze czekać!?". Iwona zagubiona w tym wszystkim. Przyjęta bez kolejki.

– Który tydzień? – pada pytanie w rejestracji. Zastanawia się przez chwilę. Kiedy rodziła Julkę, wiek ciąży liczyło się w miesiącach, tygodnie były dla lekarzy. Dzisiaj miesiące są anachroniczne, zabawne nawet niczym jedno z tych dziwactw naszych babć jak odmierzanie materiału na łokcie i cale. Oblicza mozolnie te tygodnie, wychodzi jej dziewiętnasty. Otwierają się przeszklone drzwi. Za nimi jest już taśmowo: USG, KTG, badanie wewnętrzne, badanie zewnętrzne, ważenie, mierzenie, kładą ją na łóżko i wiozą do sali, gdzieś na górę, spakowana reklamówka z rzeczami dynda żałośnie z boku łóżka. Kółka skrzypią, pielęgniarka prowadząca wózek się nie odzywa, nie uśmiecha, jest ósma rano w święta, a ona siedzi w pracy, w głowie liczy godziny do końca dyżuru.

Grudniowy ranek, ósma, a ciemno jak o zmierzchu, latarnie jeszcze świecą za oknem sali, kiedy pielęgniarka pomaga Iwonie przejść na łóżko – wysokie, metalowe, z materacem, w którym pokolenia kobiet wysiedziały koleiny, z tego materaca można by odlać z gipsu sylwetkę kobiety. Reklamówka (paczka podpasek, koszula nocna na zmianę, kosmetyki, świąteczny numer kolorowego tygodnika) ląduje na szafce obok łóżka. Pielęgniarka wychodzi, nie mówiąc prawie nic poza jakimś niewyraźnym mruknięciem. Obok, na łóżku, śpi, albo udaje że śpi, jakaś kobieta, na oko znacznie od Iwony starsza. Spod szpitalnej kołdry wystaje spuchnięta jak balon noga porośnięta dawno niegolonymi czarnymi włoskami, z paznokci schodzi bordowy lakier. Na jej stoliku napoczęta butelka soku śliwkowego i sterta gazet dla rodziców. Iwona próbuje zamknąć oczy i zasnąć jeszcze na chwilę. Obchód będzie o dziewiątej, dopiero wtedy dowie się czegoś więcej. Na razie wie tylko z badania na dole, że dziecko żyje. Problem jest w niej, nie w dziecku. To dziwne – kiedy chodziła w ciąży z Piotrkiem i Julką, nie miała żadnych problemów, śmiała się, że gdyby nie brzuch, toby nie wiedziała w ogóle, że jest w ciąży. Parę razy zwymiotowała i strasznie jej się chciało sera białego i pomarańczy. Rodziła łatwo i szybko, bez znieczulenia, bez kroplówek i cięcia. Lekarze mówili, że jest stworzona do rodzenia, a Darek żartował, że mogą mieć jeszcze siedmioro, gdyby chcieli. Mieli mieć trzecie, już w nowym mieszkaniu. Ale komornik zajął firmę, ale wspólnik przegrał firmę w ruletkę i nabrał kredytów, ale Darek zadzwonił z Cork, że przykro mu, ale nie wytrzymał tyle czasu sam, że kocha dzieci, ale kocha też kogoś innego. Trzecie miało urodzić się już w świecie za szybą, ale wtedy ten świat postanowił zatrzasnąć przed Iwoną drzwi. Co dzieje się teraz? „Może to mój organizm? – myśli Iwona. – Organizm przecież jakoś wie, że to nie moje dziecko, obce geny. Może odrzuca to dziecko jak przeszczepione serce? Przecież zdarzają się takie historie, pokazywali w telewizji i nie raz czytała w gazetach. A może to kara? Może to, co zrobiła, jest złe, i teraz musi się naprawić?" Od tych myśli kręci jej się w głowie. Sięga do torby, żeby znaleźć gazetę i zająć czas do obchodu. Najpierw trafia na telefon, więc wysyła uspokajającego esemesa do Beaty, żeby powiedziała jej matce, że na razie wszystko dobrze, zatrzymali ją na obserwację, niech matka siedzi z dziećmi, na obiad mogą zjeść wczorajsze i pierogi z wigilii, ona zadzwoni do domu, jak będzie coś więcej wiedziała. Odkłada telefon, ale zamiast gazety wyczuwa w reklamówce coś twardego. Matka włożyła do siatki różaniec. Musiała to zrobić ukradkiem, kiedy Iwona była w łazience. Iwona próbuje się nie złościć, bo wie, że matka zrobiła to w dobrej wierze, pomogła tak, jak potrafiła. Kiedy wyjmuje różaniec z torby, złość gdzieś znika. Dostała ten różaniec na Pierwszą Komunię, wszystkie dzieci dostały takie same, razem z książeczkami do nabożeństwa i Pismem Świętym. Różaniec był w okrągłym czerwonym pudełeczku ze złotym krzyżem na wieczku i pachniał intensywnym, prawie duszącym, „kościelnym" zapachem, czymś w rodzaju kadzidła zmieszanego z wonią róż i drewna sandałowego. Ten zapach, wyczuwalny nawet teraz, po tylu latach, przywodzi na myśl wspomnienia białej sukienki kupowanej na bazarze, białych, niemiłosiernie obcierających lakierowanych pantofelków zapinanych na pasek, na trzycentymetrowym obcasie, wspomnienie fryzjerki z sąsiedztwa, która przyniosła do mieszkania importowane termoloki i za pomocą gumowych rozgrzanych wałków i żelaznej lokówki zmieniła proste i sztywne włosy Iwony w kaskadę loków. Do dziś ma za uchem niewielką bliznę po oparzeniu lokówką. Zapach koralików różańca przywołuje wspomnienia czasów, kiedy wszystko było proste i wystarczyło odpowiednio długo i żarliwie się modlić, żeby wymodlić wszystko – piątkę z gegry, taniec z Mariuszem z czwartej c na zabawie szkolnej, dżinsy piramidy i żeby tatuś nie zauważył, że znowu zapomniała wynieść śmieci. A później przestała wierzyć, tak jak dzieci przestają wierzyć w Świętego Mikołaja – nagle rozumiała, że to nie Bóg załatwia piątki. Teraz jednak, może pod wpływem stresu, a może przez ten zapach, Iwona machinalnie klęka na łóżku (choć kazano jej leżeć). Dawno wyuczone słowa modlitwy wracają bez wysiłku z pamięci, gdzie przez lata leżały nieużywane. Odmawia kilka zdrowasiek, a potem, przy kolejnym paciorku płyną już jej własne słowa, z głębi serca:

– Proszę, Matko Boża, pozwól, żeby dzieciątko przeżyło. Spraw, żeby urodziło się zdrowe, żywe, żeby dotrwało jeszcze te pięć miesięcy. Ty, Matka Jezusa, musisz mnie wysłuchać, musisz mnie zrozumieć. Niech tylko się urodzi zdrowe, o nic więcej nie proszę. Jak się urodzi zdrowe, to go nie oddam, nie sprzedam nikomu, wychowam jak swoje...

Kobieta na sąsiednim łóżku budzi się, siada, mamrocze coś, a potem oczami szeroko otwartymi ze zdziwienia wpatruje się w towarzyszkę klęczącą na łóżku, z różańcem w złożonych rękach.

– Dom wariatów, kurwa – mamrocze niby pod nosem, ale tak, żeby wyraźnie ją usłyszano: – Ledwie wypisali tę świadkową Jehowy, to teraz jakaś następna dewotka.

Na szczęście w tej chwili pod salą zatrzymuje się wózek ze śniadaniem. Salowa w średnim wieku podaje kubki z letnią herbatą i szpitalne talerze, na każdym leży kromka chleba, dwa plasterki wędliny, okrawek masła i pomidor. Przy łóżku Iwony waha się:

– Pani na razie bez jedzenia – decyduje, patrząc w kartę.

Na dole Marta szaleje.

– Nie sposób się czegokolwiek dowiedzieć w tym szpitalu, to jakaś paranoja jest! – wykrzykuje w telefon. – Nawet nie wiem, gdzie ją położyli, chyba na patologii. Nikt mi nie chce nic powiedzieć, prawo do informacji mają tylko członkowie rodziny.

– Już dobrze, uspokój się – głos Filipa w słuchawce jest łagodny, ale stanowczy. – Zaraz przyjadę.

Marta rozgląda się po izbie przyjęć. Niewiele się zmieniło, odkąd była tu ostatnim razem. Kiedy straciła swoje ostatnie dziecko. Służba zdrowia w Polsce to skomplikowany labirynt: możesz opłacać prywatne abonamenty, chodzić do prywatnych klinik i lekarzy, a i tak, kiedy dzieje się coś naprawdę złego, lądujesz w publicznym szpitalu, w kolejce tak samo zagubionych i bezradnych ludzi, naprzeciwko pani z okienka, która nienawidzi swojej pracy i pacjentów i każe ci podawać dane oraz przedstawiać kolejne dokumenty w chwili, kiedy twoje zdrowie i życie wiszą na włosku. A później jesteś tylko kawałem mięsa na taśmie, informacje na twój temat są przekazywane przez lekarzy ponad twoją głową, w tajemniczym, niezrozumiałym języku. Lekarz, ten sam, który w prywatnym gabinecie miał dla ciebie nieskończoną ilość czasu i cierpliwości, teraz burczy: „No co mi pani znowuż głowę zawraca! Poronienie to poronienie, co tu jest do wyjaśniania. Wszystko będzie w wypisie!". W weekendy i święta wszystko jest jakby w zawieszeniu, lekarze dyżurni starają się przetrwać jakoś te dni jak najmniejszym kosztem. Do Marty wracają wszystkie wspomnienia: jarzeniówki, inne ciężarne, wygniecione dołki w materacach, szum tętna na KTG w innej sali, zapach papierosów palonych ukradkiem w łazience, zapach lekko skisłego mleka, potu i krwi, skrzypienie kół wózka. Kręci jej się w głowie od tych wspomnień i od migających za szybko lampek na sztucznej choince, którą ustawiono w kącie izby przyjęć, tuż przy automacie z napojami. Wychodzi na zewnątrz i natychmiast zapala papierosa. Zaciąga się głęboko, patrząc w jasne, zimowe niebo. Po kilkunastu minutach i dwóch kolejnych papierosach (od dawna tyle nie paliła, zawsze albo była w ciąży, albo starała się o dziecko, w okresach rekonwalescencji pozwalała sobie na jednego–dwa dziennie, dopiero teraz tak naprawdę wróciła do nałogu) na parking wjeżdża duży czarny samochód i wysiada z niego Filip.

– I co my teraz zrobimy? – Marta dygocze w objęciach męża. – Co będzie, jeśli stracimy to dziecko tak jak nasze poprzednie dzieci?

– Postaramy się o kolejne – mówi mąż, ale jego wzrok gdzieś błądzi, jest jakby nieobecny w pełni, jakby część jego jeszcze spała gdzieś tam w ich łóżku. – Mamy jeszcze zamrożone zarodki... i pieniądze na jeszcze jeden zabieg. – W jego głosie słychać zmęczenie.

Za to, co wydali na badania, starania, wizyty lekarskie, stymulacje, zabiegi, mogliby dawno kupić duży, wygodny dom na przedmieściach. Taki był plan... Kiedyś. Mieli zbudować dom, a w ogrodzie, między drzewami, miały bawić się dzieci. Oszczędności stopniały i dziś mogliby mieć zaledwie pół takiego mieszkania jak to, które zajmują. A kiedy zapłacą Iwonie całą sumę, nie zostanie prawie nic i marzenie o domu odsunie się o kolejne lata. Marta w przebłysku przypomina sobie słowa teściowej: „Ludzie żyją bez dzieci, realizują się". Może trzeba było tak zrobić – wybrać dom, oszczędzić sobie siwych włosów i rozpaczy, znaleźć jakieś hobby, jak joga czy nauka mało popularnego języka, w ostateczności oklejać doniczki serwetkami? I pogodzić się ze stratą? Może trzeba było adoptować jakieś niechciane dziecko i za te wydane pieniądze zapewnić mu życie, o jakim w domu dziecka nie mogłoby nawet marzyć?

– Jesteśmy egoistami, paskudnymi egoistami. Wykorzystujemy innych i za karę stracimy i to dziecko – szlocha teraz Marta w czarny, miękki materiał płaszcza Filipa.

– Chodź – odpowiada on. – Uspokój się, pójdziemy znaleźć oddział patologii i czegoś się dowiemy.

Obchód w dni wolne od pracy jest krótki, pobieżny. Na oddziale zostali tylko ci lekarze, którzy musieli – najmłodsi stażem albo ci, co podpadli profesorowi. W święta i tak wszystkie decyzje są zawieszone, odwlekane do chwili, kiedy na oddział powróci życie. Iwona (pacjentka lat 31, trzecia ciąża, krwawienie, brak skurczów, przyjęta dzisiaj) dostała nakaz leżenia, zbierania podpasek w specjalnym niebieskim worku zawieszonym na brzegu łóżka i na pocieszenie informację: „Wygląda na to, że z dzieckiem wszystko dobrze. Poobserwujemy i zobaczymy, co będzie dalej". Sąsiadka Iwony, weteranka – leży tu już od miesiąca, a przed nią jeszcze trzy tygodnie – wyszła na korytarz, robi w kuchni herbatę (prawdziwą, bo ta szpitalna to takie siki, dwie torebki na kocioł i worek cukru), z nudów pstryka pilotem do telewizora na korytarzu, naprzeciwko dyżurki pielęgniarek. Dopiero dziesiąta rano, a jakby już południe minęło. Nic się nie dzieje, można najwyżej zabijać czas czytaniem gazety: „Ania i Kuba – koniec pięknej bajki? Gwiazda serialu *Nasz dom* opowiada o rozstaniu z dziennikarzem sportowym. Ubierz się jak Natalia: piosenkarka zdradza tajniki swojej garderoby. Nie widzi świata poza Igusią: nową miłością życia Macieja Jankowskiego (41), znanego naszym czytelnikom z filmu *Kochaj albo rzuć*, jest jego dwuletnia córka. Przyćmij fajerwerki: zabłyśnij olśniewającą kreacją w sylwestra! W tym roku złoto i czerwień wracają do łask. Specjalnie dla Was przedstawiamy najnowsze trendy z wybiegów Mediolanu i Paryża!". Iwona zagłębia się w historię o rozstaniu bajkowej pary („Kuba stale miał pretensję, że zbyt wiele czasu poświęcam moim fanom". „Ania nie potrafiła zrozumieć, że bliskość jest dla mnie najważniejsza. Nie umiem dzielić się ukochaną z milionami ludzi". „Nadal jesteśmy przyjaciółmi, choć w moim życiu pojawił się ktoś nowy"), kiedy uchylają się drzwi i do sali wchodzi Marta. Na eleganckich butach ma niebieskie plastikowe ochraniacze, na twarzy – ślady łez.

Iwona chce jej od razu powiedzieć o swojej decyzji.

Kiedy modliła się na łóżku, przesuwając między palcami paciorki pierwszokomunijnego różańca, niedotykanego od wielu lat, czując na plecach nieprzyjazne, pogardliwe spojrzenie kobiety z sąsiedniego łóżka, poczuła, jak spływają na nią spokój i pewność. Nie odda tego dziecka. Zwróci wszystkie pieniądze, jakie otrzymała do tej pory, w ratach, może pożyczy od Beaty i jej męża, może znowu zaprosi agentkę Providenta do domu. Nie będzie lepszego życia dla dzieci, nie będzie ubranek, prywatnych lekarzy, sportowych butów dla Piotrka. No i co, przez tyle lat nie było! Ludzie mają gorzej, a żyją. Wróci do pracy, weźmie znowu do sprzedaży te ziołowe kosmetyki, zarobi na siebie i dzieci. Troje dzieci. Kiedy wczoraj zobaczyła krew na bieliźnie, nie pomyślała wcale o Marcie ani o umowie. Nie umiała myśleć o niczym, tylko powtarzała: „Moje dziecko, moje maleństwo, nie odchodź, zostań u mamy, nie mogę cię stracić". Dlatego że to wcale nie jest tak, jak sobie wmawiała, jakby opiekowała się cudzym dzieckiem. Jest inaczej, tak jak nie było z Julką i Piotrkiem, może dlatego że dwójki starszych nie oglądała co chwila na monitorze USG, nie słyszała bicia ich serc z głębi brzucha. Byli obcy, dopóki nie wyszli z niej na świat, a to dziecko jest rzeczywiste: ma twarz, bijące serce, ma już nawet imię. Kaja. Kajusia albo Kajetan. Z tym imieniem na ustach Iwona obudziła się pewnego ranka. We śnie biegała po korytarzach szkoły, w której pracuje, nawołując: „Kaja, Kajunia, gdzie jesteś?". Matka stanęła wtedy w drzwiach do pokoju:

– No, obudźże się wreszcie, kogo tam tak wołasz, spać nie można!

Iwona już zdecydowała: zatrzyma dziecko, bo to wydaje jej się jedynym właściwym rozwiązaniem. Bo kiedy trzyma się tej myśli, dziecko mocniej kopie, jakby nabierało większej chęci do życia, a na nią spływa błogi spokój, że wszystko będzie dobrze, uda się, jakoś przecież musi, nie ma tego złego. Tylko że kiedy patrzy na Martę, na jej brązowe oczy – teraz szparki w zapuchniętych, czerwonych powiekach – na jej dłonie tak mocno zaciśnięte jedna na drugiej, że kostki przeświecają biało przez skórę, to zupełnie nie umie jej tego powiedzieć. Powie jej później, po szpitalu, kiedy emocje opadną, kiedy znowu będzie je dzieliła bezpieczna odległość telefonicznego kabla, kiedy nie będzie musiała patrzeć jej w oczy. Marta chyba coś wyczuwa, bo wpatruje się w Iwonę z takim napięciem, jakby Iwona była chirurgiem, który właśnie wyszedł z sali operacyjnej, umazany krwią, żeby przekazać najgorsze wieści. Jej głos jest prawie niesłyszalny, kiedy wyrzuca z siebie, bez przywitania, bez oddechu, to jedno pytanie:

– Co z dzieckiem?

– Jeszcze nic nie wiadomo, ale wygląda, że nic złego się nie dzieje. Na dole coś mówili o krwiaku, o łożysku, ale nic konkretnie. Mam tu poleżeć parę dni i zobaczą, co dalej. Ale dziecko żyje... Pani Marto, niech pani usiądzie! – krzyczy Iwona, kiedy widzi, jak z twarzy tamtej odpływa cała krew, jak ta twarz staje się białą maską, w której lśnią prawie czarne oczy.

Coś się zmieniło.

I Marta o tym wiedziała już od chwili, kiedy stanęła w progu szpitalnej salki.

Kiedy mówiła o swoich odczuciach Filipowi – niezdarnie, bo to wrażenie zmiany było tak ulotne, że nie do końca potrafiła ubrać je w słowa – zbywał ją, niecierpliwie, czasem pobłażliwie. A nawet wtedy kiedy wydawało się, że uważnie słucha, znajdował później tysiąc wytłumaczeń.

– Jest zmęczona, boi się, nigdy wcześniej nie była w takiej sytuacji, ty zresztą też nie – mówił. – Ludzie zachowują się inaczej w stresie. Wyrabiasz sobie jakieś przekonania na podstawie miny czy spojrzenia. Jeśli masz wątpliwości, to z nią porozmawiaj.

Ale jak miała z nią porozmawiać, skoro za każdym razem, kiedy pojawiała się w szpitalu, prosto z pracy, wokół kłębił się tłum ludzi. Dzieci tamtej, chuda dziewczynka i blady, pokasłujący chłopiec, wpatrujące się w Martę z mieszanką nieufności i wyzwania. Rozpoznawała to spojrzenie, tak patrzył Niki w pierwszych miesiącach jej małżeństwa. Pytał spojrzeniem, czy ona chce mu zabrać ojca. Groził wzrokiem, chociaż poza tym starał się zachowywać najzupełniej normalnie. Matka Iwony, typowa starsza kobieta, w śmiesznej niemodnej garsonce ze złotymi guzikami. Spotkały się tylko raz, w progu. Oprócz tego na sali były zwykle jakieś sąsiadki, koleżanki z pracy, znajome ze sklepu, które na widok Marty zawsze przerywały rozmowę, milkły w pół słowa i rzucały oskarżycielskie spojrzenia spod rzęs umalowanych tanim tuszem. To niewiarygodne, ile Iwona miała takich znajomych z bloku, z klatki, z osiedla, ze sklepu, kobiet zadbanych tanim kosztem, wyglądających starzej niż na swoje trzydzieści parę lat, przynoszących w reklamówkach nowe numery kolorowych gazet, ciastka i mandarynki. Marta zastanawiała się, na kogo ona mogła liczyć, gdy leżała w szpitalu – wpadał Filip, teściowa, czasami Baśka, kiedy mogła wyrwać się od dziewczynek. Z każdym kolejnym pobytem coraz rzadziej. Sąsiadki? Znajome z osiedla? Nigdy. Przez siedem lat z trudem nauczyła się nazwisk kilku sąsiadów, tych najaktywniejszych na zebraniach wspólnoty, kilka znanych z widzenia osób pozdrawiała przelotnym „dzień dobry" przy skrzynkach pocztowych i śmietniku. Ile trzeba było lat, żeby bogata, czysta i ogrodzona Słoneczna Dolina wykształciła takie więzi jak uboga fabryczna kajzerówka z wielkiej płyty parę ulic dalej? Dopiero drugie pokolenie miało szansę na takie znajomości, zaczęte jeszcze w szkole... Ale osiedla takie jak Słoneczna Dolina rzadko mogły się doczekać drugiego pokolenia, bo gdy tylko mieszkańcy odpowiednio się dorobili, uciekali do nowo wybudowanych domów jednorodzinnych za miastem, a na ich miejsce wprowadzali się nowi, na dorobku, czasami w ciąży albo z niemowlętami, przybysze z innych, mniejszych miast, po studiach w stolicy albo jeszcze studenci, młode pary imprezujące od czwartku do niedzieli. Tymczasem kajzerówka przez lata dorobiła się więzi niemal plemiennych, jak na wsi, pań, które z okna obserwowały i komentowały życie, małżeństw sąsiadów, którzy chodzili do jednej klasy rejonowej podstawówki piętnaście lat wcześniej, a na zniszczonych, metalowych drabinkach placu zabaw, na wydeptanej trawie usianej psimi kupami chowało się już trzecie pokolenie. Stąd te sąsiadki i znajome otaczające wianuszkiem łóżko Iwony. Do tego dochodziła jeszcze ekspansywna, hałaśliwa rodzina drugiej pacjentki sali numer dwanaście – typowi zaprawieni w bojach polscy pacjenci, gotowi o każdy drobiazg „zrobić dym", „pokazać konowałom, gdzie ich miejsce", rozprawiający o „rzeźnikach, co za nasze pieniądze wille sobie budują, a pacjent dla nich tyle znaczy, co śmieć, śmieć z ulicy, ja to pani mówię". Dopiero kiedy „konowały" i „rzeźnicy" pojawiali się na horyzoncie, mąż, wujowie i szwagierki podnosili się z krzesełek, kłaniali się, wykrzykiwali: „Witam pana doktora, jak tam nasza Aldonka, kiedy do domu wyjdzie z maleństwem?".

Marta czuła się jak intruz, odizolowana od tego bujnego życia społeczno-towarzyskiego. Podchodziła niepewnie, siadała na ostatnim wolnym krzesełku albo na brzegu łóżka. Wtedy koleżanki Iwony podrywały się zakłopotane, rzucały coś w rodzaju: „No to pogadajcie na spokojnie, ja wpadnę znowu, jak będziesz wolna" albo: „To ja skoczę na dół kawkę wypić i zapalić i jeszcze wpadnę za godzinkę". Zostawały same, we dwie, w niezręcznej ciszy. Rozmowa ograniczała się do pytań o ostatnie badania (dziecko rozwija się prawidłowo, to ze mną było coś nie tak, nazwali to odklejeniem brzegu łożyska, ale ma się na nowo przykleić, tylko muszę spokojnie leżeć dwa–trzy tygodnie, a potem, jak mnie wypuszczą, mam leżeć w domu)

189

i czy czegoś Iwonie nie potrzeba. W domyśle – pieniędzy, więcej pieniędzy. Jeśli bowiem Marta gdzieś w głębi, podświadomie liczyła na to, że w czasie pobytu w szpitalu nawiąże głębszą więź z surogatką, zapewniając jej jedyne dostępne wsparcie i pomoc, to w obliczu licznych gości musiała zrozumieć, że te nadzieje były zupełnie nierealne. Iwona na pytanie o potrzeby zawsze odpowiadała, że dziękuje, dziećmi zajmuje się babcia, w pracy wszyscy wiedzą i pomagają, jak mogą. Kierownik sklepu nawet kwiaty przysłał, ale musiała je oddać, bo na oddziale nie wolno, za duże ryzyko bakterii. Sąsiadki przynoszą smaczne jedzenie, bo to szpitalne jest takie, że trudno wytrzymać, a doktor Górecki z kliniki był dwa razy, uspokoił ją i zapewnił, że ciąża powinna zakończyć się pomyślnie i w terminie. Wymieniały jeszcze zwykle kilka zdawkowych uwag o pogodzie, o warunkach w szpitalu i wtedy zwykle drzwi sali się uchylały, pojawiali się nowi odwiedzający, Marta żegnała się i wychodziła.

Wracając, często wybierała jak najdłuższą trasę, obserwowała Warszawę przez okna samochodu, rozmyślając przy spokojnej muzyce (Nosowska, Jopek, Norah Jones) sączącej się z płyty w odtwarzaczu. Zawsze po tych wizytach miała wrażenie, że coś jej umknęło, że Iwona już, już miała coś powiedzieć, coś ważnego, ale w ostatniej chwili rezygnowała.

Filip rozwiewał jej obawy:

– Pomyśl rozsądnie, czy ty naprawdę liczyłaś na to, że nawiążesz jakąś więź z tą kobietą? Zaprzyjaźnicie się? Ona nie chce się z tobą przyjaźnić, czuje się skrępowana. Potraktuj ją jak usługodawcę, który wykonuje dla ciebie jakieś zadanie, a kiedy je wykona, nigdy więcej go nie zobaczysz. Ona to robi dla swoich dzieci, chce poprawić swoje życie, które kiedyś tam poszło nie tak i doprowadziło ją z powrotem do punktu wyjścia, życia w tych koszmarnych blokach, z tymi koszmarnymi ludźmi...

– Oni nie są koszmarni. Czasem się zastanawiam, czy to nie my jesteśmy tymi koszmarnymi. Kupujemy sobie dziecko, tak jak kupuje się psa z hodowli. Nie znamy nawet naszych sąsiadów, ledwie ich kojarzymy. Czy ty wyobrażasz sobie, że mielibyśmy pilnować dzieci sąsiadom albo robić im zakupy? A oni tak robią, jak na wsi, jak u mojej babci, wszyscy się znają...

– Niepoważna jesteś. Kiedy, jak mielibyśmy się zapoznawać z sąsiadami? Przecież tu wszyscy ciężko pracujemy, tu na osiedlu nie ma ludzi, którzy siedzą na poczcie czy w mięsnym od ósmej do czternastej, a potem się obijają. Gdyby byli, to długo by tu nie pomieszkali. Pojawi się dziecko, to będziesz siedzieć w domu i zaprzyjaźniać się z mamuśkami i niańkami w piaskownicy, jeszcze ci się znudzi.

Mimo tych rozmów nie mogła przestać myśleć o Iwonie. O tej nieuchwytnej zmianie. O barierze między nimi, która nie zniknęła z postępem ciąży, a jakby przeciwnie, umacniała się i stawała coraz trudniejsza do pokonania.

Myślała o tym w samochodzie, jadąc przez zimową Warszawę, pokrytą rozmiękającym śniegiem, solą i błotem połyskującym w żółtym świetle latarń. Zimą tak łatwo było zapomnieć, że w tym mieście czasem bywa jasno – wychodziła do pracy w półmroku, wracała w ciemności, wydawało się, że trwa tu noc polarna, jak w Laponii. Myślała o tym w pracy. Początek stycznia był senny, spokojny, ludzie leniwie przyzwyczajali się do pracy i spokoju po długim okresie przedświątecznej gorączki, a potem świątecznego lenistwa, obżarstwa i sylwestrowych balów. Jednak Marta w tym roku zupełnie nie mogła się przyzwyczaić do powrotu do pracy, myślami stale błądziła wokół szpitala, Iwony, dziecka, które podobno „rozwijało się prawidłowo". Kiedy kilkakrotnie pomyliła się w ofercie i zestawieniu, szef wezwał ją do siebie.

– Słyszałem, że przygotowujecie się do adopcji dziecka? – zagaił na wstępie, kiedy już zaprosił ją, żeby usiadła, i zaproponował kawę z nowoczesnego ekspresu na kapsułki.

– To prawda – powiedziała. Taka wersja obowiązywała w firmie. Nikogo nie znała tu na tyle dobrze, żeby opowiadać o umowie z surogatką. Zresztą podejrzewała, że nawet w bastionie nowoczesności i zachodniego stylu życia, jakim była międzynarodowa korporacja, ten pomysł może spotkać się z potępieniem.

– Pani Marto – ciągnął szef – rozumiem pani trudności rodzinne („Akurat! Jak on, ojciec dwojga nastolatków w prywatnych szkołach, widujący dzieci wieczorami, mógłby cokolwiek rozumieć!"), ale chciałbym, żeby nie miały one aż takiego wpływu na pani pracę zawodową. Rozumiem, że zamierza pani opuścić firmę na jakiś czas, kiedy pojawi się dziecko, chciałbym jednak, żeby do tego czasu postarała się pani skupić na pracy. Do tej pory byliśmy bardzo zadowoleni z pani osiągnięć, mimo nieobecności i pobytów w szpitalu, teraz jednak obserwuję pewne... hm... załamanie wydajności.

„Mówi, jakby dyktował dokument – przemknęło jej przez myśl – jeden z tych dętych, napuszonych dokumentów napisanych okrągłymi zdaniami, misję, politykę czy inną »księgę«, niepotrzebnych nikomu poza »zespołem przydzielonym do ich zredagowania«, do opublikowania na stronie internetowej i do pobrania w intranecie. Coś, co pokazuje się klientom na dowód, że firma jest nowoczesna i zaangażowana, a w rzeczywistości dokument zarasta kurzem w segregatorze w kadrach. Tak naprawdę szuka tylko pretekstu, żeby mnie zwolnić, tak żeby pod żadnym pozorem nie wyglądało to na dyskryminację (»firma realizuje politykę równych szans, zdobyła także tytuł firmy przyjaznej rodzicom, promujemy różnorodność i wspieramy niepełnosprawnych pracowników«).

Już niedługo – pocieszała się, wbrew wewnętrznemu zwątpieniu i poczuciu, że coś jest nie tak. – Jeszcze kilka miesięcy. Będę matką, zostawię to za sobą, żaden nadęty bubek mówiący okrągłymi zdaniami nie będzie w stanie nic mi zrobić. Byleby przetrwać te kilka miesięcy".

Iwona nie odbierała telefonów.

Niedługo po Nowym Roku, kiedy dni zaczęły robić się dłuższe, a śnieg pokrył miasto grubą warstwą, rozjaśniając ponury zimowy świat, odesłano ją do domu. Krwawienia ustały, dziecko (dziewczynka, jak dowiedziała się z któregoś kolejnego badania) rozwijało się dobrze i codziennie czuła jego ruchy, zdecydowane, mocne, wyraźne szturchnięcia nieprzypominające już pękających banieczek.

Lekarz z kliniki zadecydował o wypisie, zalecił jej jednak pozostanie w domu do rozwiązania i unikanie wszelkiego wysiłku. Oznaczało to, że spędzała teraz całe dnie na rozłożonej wersalce, z gazetą w ręku albo przed telewizorem, w którym migały na zmianę wiadomości, seriale, programy publicystyczne. Ludzie tacy jak Iwona opowiadali w nich współczującej prowadzącej i niechętnej publiczności o nieszczęściach, jakie ich spotkały.

Kiedy ona się położyła, matka ostatecznie zrezygnowała z przedwczesnego umierania i wstała ze swojego łóżka – jakby były systemem naczyń połączonych, w którym tylko jedna z nich mogła być w danej chwili bez sił, a druga miała ich w dwójnasób. Matka zajęła się domem i gotowaniem, co oznaczało powrót do „tradycyjnej polskiej kuchni", od której „jeszcze nikt nie umarł" i koniec „tych nowomodnych wymysłów" z kefirem w zupie i przyprawami zamiast vegety. Gderając i wyrzekając na swój los, tłukła się po kuchni i pokojach z mopem („Kiedyś wystarczała ścierka, nie te sznurki na kiju!"), szmatą i odkurzaczem wodnym dla alergików („Za naszych czasów nie było alergików, to przez te samochody wszystko, i przez ruskich z ich Czernobylem!") kupionym na raty. Dzieci chętnie pomagały babci, babcina kuchnia im służyła, podobnie jak obecność mamy w domu i wiedza (na razie przekazana w tajemnicy) o tym, że dzidziuś jednak z nimi zostanie i będą mieli malutką siostrę. Piotrek szykował się do egzaminu szóstoklasisty, mamrotał nad testami próbnymi. Iwona usiłowała mu pomóc, ale odkryła z przerażeniem, jak przez te lata uciekła jej gdzieś podstawowa wiedza. Choć miała nie wydawać już pieniędzy, pod wpływem impulsu wykupiła korespondencyjny kurs niemieckiego i przedpołudniami, kiedy dzieci nie było, a matka przesiadywała w przychodni albo kościele, powtarzała mozolnie za kasetą: *Ich heisse Iwona, ich wohne in Warschau, ich habe zwei Kinder, ich habe kein Auto*". Dni mijały tak jeden za drugim, przerywane od czasu do czasu odwiedzinami koleżanek z pracy i z osiedla. Nie umiała sobie przypomnieć, czy kiedykolwiek w jej życiu wcześniej był czas, kiedy wolno jej było nic nie robić przez tak wiele dni. Może w szkole, kiedy chorowała na świnkę czy szkarlatynę, wtedy leżała pod kołdrą, czytając lektury, i tylko dwa razy dziennie wstawała, gdy przychodziła pielęgniarka zrobić zastrzyk. Potem, po szkole, już nie. Najpierw miała dziecko, potem drugie, stale robiła coś koło domu, praca, drugi etat. Nawet grypa i gorączka kładły

ją do łóżka tylko na parę godzin, wieczorem, byleby się wy-
pocić i rano wstać z nowymi siłami do tego wszystkiego, co
składa się na życie samotnej matki, samotnej, niezamożnej,
pracującej fizycznie matki. Nigdy też nie miała tyle czasu
na rozmyślania, nigdy wcześniej nie rozmyślała tyle o pod-
jętej decyzji. Kiedy mieli kupować mieszkanie, po prostu
zdała się na Darka. Gdy wyprowadzała się do matki po jego
wyjeździe, kiedy zadzwonił, że kogoś ma i chce rozwodu,
wszystko działo się jakby samo, poza nią, nie zależało od
niej i nie miała nic do gadania. Po prostu zdarzenia w jej
życiu prowadziły ją w jakimś kierunku, jak rzeka, która niesie ze sobą patyki, liście i zgubione przez kogoś kółko do
pływania. Teraz więc ogarnął ją lęk przed decyzją, jaką
sama podjęła. Może pierwszy raz w życiu tak naprawdę
sama. Dlatego nie odbierała telefonu – bała się, że Marta,
z jej wykształceniem i przewagą życiową, będzie umiała ją
zagadać, sprowadzić z powrotem na inny tor, wmówić jej,
że będzie najlepiej, jeśli odda jej dziecko. Kiedy rozlegał się
dzwonek (z aparatu bezprzewodowego, kupionego rodzicom jeszcze za czasów małżeństwa Iwony, żeby mogli wygodnie rozmawiać z foteli), odbierało któreś z dzieci i na
głos Marty albo Filipa nieodmiennie odpowiadało, tak jak je
nauczyła: „Mama śpi, oddzwoni". Albo: „Mama jest w łazience, zadzwoni do pani, jak wyjdzie". Rano, kiedy nie
było w domu nikogo, kto mógłby skłamać, po prostu wyłą-
czała aparat z kontaktu.

Pewnego popołudnia zadzwonił jednak ktoś obcy.

– Jakiś pan do ciebie! – krzyknęła Julka i przybiegła,
żeby podać mamie telefon. Iwona oparła się wygodniej
o poduszki, ściszyła telewizor. Była pewna, że to kierownik sklepu z pytaniem o zdrowie albo jeden z tych akwi-
zytorów, którzy oferują lokaty bankowe i polisy ubezpie-
czeniowe, nie mając pojęcia o tym, że osoby, do których

dzwonią, nie mają ani grosza do ulokowania. Jednak w słuchawce rozległ się przyjemny, głęboki męski głos:

– Witam, pani Iwono, z tej strony Andrzej Zawada, jestem prawnikiem państwa Olszańskich...

Dziecko kopnęło mocniej, jakby udzielił mu się przestrach matki.

– Słucham – wykrztusiła.

– Jak pani zapewne wie, jednym z punktów umowy, którą podpisała pani z panem Filipem Olszańskim i jego żoną Martą, jest informowanie moich klientów o przebiegu ciąży i umożliwienie im kontaktu podczas całego okresu ciąży. Czy jest pani świadoma, że taki punkt znalazł się w umowie, podpisanej dnia...

– Tak – przerwała mu z trudem, zahipnotyzowana tym potokiem słów.

Rzeczywiście, tak było napisane. W chwili podpisywania jednak najbardziej absorbował ją punkt, w którym wymieniono wynagrodzenie, cyframi i słownie.

– Tymczasem, pani Iwono, dowiaduję się od mojej klientki, że od pewnego czasu uniemożliwia jej pani kontakt i nie udziela informacji na temat rozwoju płodu i przebiegu ciąży. Poinformowano mnie również, że wbrew postanowieniom umowy nie ustaliła pani terminu kolejnej wizyty lekarskiej w klinice „Ab ovo" u doktora Mariana Góreckiego, który zajmował się implantacją zarodka i prowadzeniem ciąży. Pragnę panią poinformować, że dalsze takie postępowanie pociągnie za sobą odpowiednie konsekwencje, w tym wstrzymanie wypłaty uzgodnionego w umowie wynagrodzenia miesięcznego...

– Nie chcę tego wynagrodzenia – wpadła mu w słowo, powodowana nagłym impulsem. Nie miała siły bronić się przed przemową pełną skomplikowanych zdań i wyrażeń prawniczych. Chciała uciąć to jak najszybciej i skończyć z niepewnością. – Nie chcę pieniędzy, a to, co już dostałam, oddam co do grosza.

– Czy mam rozumieć, że zamierza pani dokonać jednostronnego zerwania umowy zawartej z panem Olszańskim i jego żoną Martą? – głos, dotąd ciepły i jowialny mimo groźnej treści, nagle ochłódł. – W takim razie muszę panią poinformować, że w świetle obowiązującego prawa...

– Niechże pan już przestanie! – krzyknęła. – Ma pan rozumieć, że nie oddam im mojej córki ani teraz, ani nigdy! I niech pan jej to powie – dodała – bo ja nie mam siły jej tego powiedzieć w oczy.

Nacisnęła czerwony przycisk kończący rozmowę, odrzuciła aparat na ławę, ukryła twarz w dłoniach i wybuchnęła płaczem. Kajunia się uspokoiła, jej ruchy stały się delikatne, jakby maleńka od środka głaskała mamę, próbując ją pocieszyć.

– Wiedziałam, że tak będzie, Iwuś. Ta cała historia z dzieckiem to było najgłupsze, co mogłaś wymyślić!

Beata siedziała przy ławie, popijając kawę. Iwona na tę okazję ubrała się i usiadła na pościeli przykrytej kocem. Brzuch nie pozwalał jej już włożyć normalnych ubrań, na szczęście znalazła w szafie stare dresy. Nie piła kawy – lekarz pozwolił tylko na jedną dziennie, tę wypijała rytualnie co rano nad gazetą. Piła napar z melisy osłodzony miodem, do tego skubała delicje wystawione w sklepowym pudełku. Na szczęście przy Beacie nie musiała się sadzić na elegancję, za długo się znały, żeby wystawiać gościnną porcelanę. Nie powinna jeść tyle słodyczy, wiedziała o tym, tak mówił ginekolog w rejonie, do którego chodziła raz na miesiąc, odkąd zrezygnowała z prywatnej kliniki. Wskazówka łazienkowej wagi dawno już przekroczyła magiczną liczbę 70 i nieubłaganie posuwała się coraz dalej, a do końca ciąży zostały jeszcze ponad trzy miesiące. Jednak nie mogła się powstrzymać, jadła te ciastka, żeby zająć czymś drżące, spuchnięte dłonie.

– I co ja mam teraz zrobić? Pokochałam ją... W szpitalu co dzień się modliłam o jej zdrowie... Nie mogłam znieść myśli, że mam ją stracić...

– Ech – Beata energicznie potrząsnęła głową – z tobą to same kłopoty. Nie martw się. Ja cię doskonale rozumiem. Nigdy nie wyobrażałam sobie, że można nosić dzieciaka w brzuchu i go nie pokochać, a potem oddać. Matka to matka. Ta matka, która nosi pod sercem, rodzi w bólach. Matka zastępcza to może być zamiast domu dziecka, ale nie do ciąży.

– Ale było nie było, to jest jej dziecko...

– Jej, nie jej. Co za różnica, czyje było na początku, liczy się, że w tobie siedzi i rośnie. Nie płacz, no – Beata objęła przyjaciółkę ramieniem – w razie czego, jakby trzeba było do sądu iść czy coś, to my zawsze będziemy za tobą, będziemy cię wspierać. Jakby coś, to mój brat zna jednego prawnika, żeby nie było, że tamci będą z adwokatem, a tobie przydzielą z urzędu takiego, co się na niczym nie zna. Coś się wymyśli. Ty jesteś dobra matka, to od razu widać po twoich dzieciakach. Czyste, grzeczne, zadbane. Piotruś najlepszy w klasie z polskiego, Julka zawsze taka uczynna, ledwie to od ziemi odrosło, a już wszystkim grzecznie mówiła dzień dobry, przepraszam, zakupy robiła mojej mamusi, kiedy leżała na nerki. Nikt ci dziecka nie odbierze, bo takiej matki to ze świecą szukać, a i życie cię nie rozpieszczało. Dziewczyny ze szkoły też na pewno pomogą, zaświadczą. Coś się wymyśli. Pamiętaj, Iwa, nie jesteś sama na tym świecie, może i tak ci się wydaje, odkąd ten twój Darek cię zostawił, ale jakby coś, to my tu wszystkie jesteśmy i nie damy ci zginąć.

CZĘŚĆ III

U CELU PODRÓŻY

Kilka kolejnych miesięcy jakby wpadło w czarną dziurę. Marta nie może sobie przypomnieć, jak funkcjonowała, jak żyła i wykonywała codzienne czynności od dnia, kiedy Andrzej przekazał im w skrócie treść rozmowy z Iwoną, do chwili gdy wynurzyła się ostatecznie na powierzchnię ciemnego morza łez, mgły i leków, żeby na nowo zaczerpnąć powietrza.

Kiedy zbyt mocno nakręcimy sprężynę w zegarze kilka razy z rzędu, wytrzyma. Dopiero za którymś razem ostatecznie się podda i pęknie z cichutkim jękiem, prawie niedosłyszalnym w chaosie codziennych odgłosów. Do naszych uszu dociera dopiero cisza, wyrwa w szumie, jaka powstaje, kiedy zabraknie stałego, miarowego tykania mechanizmu. Tak było i z Martą. Przez lata jej życie było podporządkowane jednemu celowi – spełnieniu jednego marzenia. Uważała, że jest w stanie zrobić wszystko dla tego marzenia, na końcu drogi czekało przecież urzeczywistnienie wizji. Wizji wypieszczonej przez te miesiące i lata, barwny film, w którym szła przez jesienny park opromieniony październikowym słońcem, trzymając za rękę Dziecko. Był to chłopczyk, a czasem dziewczynka – nie miało to jednak większego znaczenia, bo w wizji liczyła się łącząca ich więź, jak niewidzialna nić, łagodny ton słów wypowiadanych przez nią do Dziecka, ciepło jego miękkiej rączki i ufny uśmiech na drobnej twarzyczce. To był ostateczny *happy end*.

Lata wcześniej wizja obejmowała jeszcze wiele innych elementów – scenę porodu, kiedy przystojny lekarz i tęga położna zwilżają usta Marty wodą, a Filip zachęca: „Przyj, przyj!", karmienie piersią i maleństwo przytulone do jej skóry, jego usta gorączkowo poszukujące źródła pokarmu, ona w zaawansowanej ciąży, kupująca maleńkie ubranka i grzechotki, wędrująca kaczym chodem po sklepie, odprowadzana życzliwymi spojrzeniami sprzedawczyń i innych klientek. Stopniowo, z biegiem czasu, kiedy musiała po kolei odrzucać to, co niemożliwe, wizja skróciła się do jednej sceny, będącej esencją tego wszystkiego, o czym marzyła. Dziecko w wizji mogło mieć najwyżej dwa–trzy lata – nie potrafiła wybiec dalej w przyszłość, wyobrazić sobie nastoletniej kopii Nikodema, naburmuszonej przed komputerem, wracającej ze szkoły, kłócącej się o jedynkę z matmy albo pozwolenie na sobotnią imprezę. To, co sobie wyobrażała, w zupełności jej wystarczało. Przez lata małżeństwa z Filipem, lata pracy, starań, badań lekarskich i wizyt u kolejnych specjalistów, nie pozwalała sobie nigdy na zwątpienie dłuższe niż chwila rozpaczy czy przelotna myśl. Wszystko było podporządkowane temu jedynemu celowi i już, wreszcie wydawało się, że cel jest bardzo blisko, na wyciągnięcie ręki. Może gdyby zapłodnienie się nie udało, gdyby tamta zrezygnowała wcześniej, na samym początku, może wtedy Marta znalazłaby w sobie siłę, żeby po raz kolejny nakręcić wewnętrzną sprężynę i dalej dążyć, dopóki biologia i finanse pozwolą, dopóki jeszcze można było coś zrobić. Ale kiedy to się stało tak blisko celu, cała energia z niej uszła. Zegar ostatecznie się zatrzymał, a jego wskazówki na zmianę luźno zwisały albo chaotycznie kręciły się w kółko po tarczy usianej niezrozumiałymi symbolami.

Ten wieczór był ostatnim, który zapamiętała.

Pamiętała, że wyszła z pracy na lunch – miała dosyć barku w biurowcu, wolała choćby tłusty kebab albo niesmaczne sajgonki, byleby nie jeść w otoczeniu tych wszystkich twarzy z firmy, nie czuć zaduchu klimatyzacji filtrującej po raz setny to samo powietrze przesiąknięte zapachami potu, toneru z kopiarki i odświeżacza w toalecie. Jadła w wietnamskim barze wieprzowinę w pięciu smakach, choć trudno było doszukać się w niej choć jednego smaku, rozgotowany ryż i surówkę z kapusty. Zawsze w takich barach zastanawiała się, jak Azjaci mogą się zmuszać do tak brutalnego upraszczania swoich narodowych potraw, których „orientalny" smak zaledwie sugerował czerwony ostry sos z butelki z napisem „wyprodukowano w Radomiu". Jednak jadła, wpatrując się w twarze zupełnie obcych ludzi, zastanawiając się, czy też, tak jak ona, uciekli ze swoich szklanych klatek na tę namiastkę wolności.

Zadzwonił telefon. Długo szukała go w torebce, pamiętała to uczucie zakłopotania, kiedy aparat wygrywał jeden z popularnych przebojów, a ona nie mogła go znaleźć i uciszyć. Wreszcie odebrała. To był Filip. Przypominał jej o tym, że na dzisiejszy wieczór zaprosili swojego prawnika z żoną. Marta westchnęła po cichu, żeby nie usłyszał. Nie lubiła żony Andrzeja, nie lubiła jej krzykliwych, drogich ciuchów, bezbarwnej twarzy i nieustannej paplaniny o dzieciach i psach. Ignaś to, Rudi tamto, zrobił, zjadł, pobiegł. Opowieści bez puenty o tym, jak ktoś komuś (Dziecko psu czy odwrotnie?) wyjadał obiad z miski, a ktoś inny kogoś pogryzł (Pies dziecko? Chyba jednak dziecko psa). Nie znosiła jej uwag: „Sami zobaczycie, jak to jest". Albo: „Jak się mieszka w domu z taką menażerią, to człowiek dopiero widzi, co to jest prawdziwe życie". Andrzej temperował nieco te jej nietaktowne uwagi. Czasami miała wrażenie, że nawet on jej nie lubi, jej mąż, zdradzały to niekiedy drobne tiki: drgający mięsień na policzku rozciągniętym w pełnym czułości uśmiechu, przelotny grymas zniecierpliwienia. Tylko że panowie się zaprzyjaźnili. Marta zresztą też polubiła prawnika za jego jowialny, hałaśliwy sposób bycia, za ogromną inteligencję, która pozwalała mu rozmawiać na każdy temat, wreszcie za to, że sprawiał wrażenie tak po prostu, po ludzku, nie tylko zawodowo zainteresowanego ich sprawami. Zakończyła rozmowę z mężem, upewniwszy go, że składniki do kolacji są w lodówce, a kilka brakujących drobiazgów dokupi, wracając z pracy, i pod wpływem impulsu postanowiła zadzwonić do Andrzeja, opowiedzieć mu o dziwnej niezręczności, jaka wkradła się w ich kontakty z zastępczą matką, i poprosić go, żeby do spotkania zastanowił się nad tym. Zgodził się – to wtedy zatelefonował do Iwony.

– Przykro mi to mówić – powiedział przy kolacji, nakładając sobie sałatkę z awokado – ale jeśli ona się naprawdę uprze, to macie jakiekolwiek szanse dopiero po rozprawie w sądzie.

– Ile to może potrwać? – zapytał Filip, od razu pragmatyczny, nie tracąc czasu na długie dywagacje.

– Przy obecnej sytuacji w sądach rodzinnych... trudno powiedzieć. Rok. Kilka lat. Na pewno nie dostaniecie dziecka od razu po urodzeniu. Prawdopodobnie, jeśli w ogóle je dostaniecie, to wtedy, kiedy będzie już chodzić

do przedszkola, mówić do tamtej „mamusiu". O was będzie wiedziało tyle, że jesteście bardzo złymi ludźmi, którzy chcą je zabrać od mamy.

– Ale umowa... przecież mamy umowę! Jest agencja... –
Marta miała wrażenie, że pokój wiruje, a podłoga ugina się
jej pod stopami.

– Tak, macie umowę – prawnik patrzył na nią poważnie
znad okularów. – Tylko że ta umowa jest tak skonstruowa-
na, że ma być podkładką w razie gdyby ktoś się przycze-
pił. Ta umowa jest super, dopóki obie strony dobrowolnie
wypełniają jej postanowienia. Obawiam się jednak, że na
dziś w polskim prawie nie ma możliwości jej wyegzekwo-
wania. Chyba że zdecydujecie się na proces, na udział me-
diów, na przesłuchania.

– Ale to nasze dziecko! – Filip wstał. Teraz stali już wszyscy troje, opierając się mocno dłońmi o blat stołu, jakby
mieli za chwilę rzucić się do walki. Tylko czwarta osoba,
jakby tego wszystkiego nie zauważała, nadal opychała się
sałatką i domowymi grzankami, błądząc wzrokiem po stole.

– Tak, dla was to wasze dziecko. Tyle że my jesteśmy
lata świetlne za cywilizowanym światem. U nas matka to
wciąż ta, która urodziła, a *in vitro* oficjalnie nie istnieje,
jakbyśmy nadal byli w latach siedemdziesiątych. Możecie
oczywiście walczyć i ja was będę w tym wspierał, ale jeśli
ona się naprawdę uprze, nie będzie to łatwe. A nawet bardzo trudne.

– Jak trudne? – wydusiła przez zaciśnięte gardło Marta.

– Powiem tak: łatwiej byłoby wam pojechać do Chin
i ukraść tam sobie małego Chińczyka.

Zapadła cisza.

– A co, jeśli pójdziemy do sądu? – przerwał ją Filip.

– Wtedy macie jakieś szanse. Pamiętając oczywiście
o tym, że sądy rodzinne są zawalone przez alimenciarzy

i pary wykłócające się o to, czy tatuś ma z dzieckiem spędzać co drugą sobotę czy każdy trzeci czwartek miesiąca i kto dostanie po rozwodzie plazmę, a kto komplet garnków Zeptera. Jak już wyznaczą termin rozprawy, to wszystko zależy od sędziego. Do tego zlecą się media. „Wyborcza" nazwie was męczennikami restrykcyjnego prawa, tabloidy będą pisać, że kupiliście sobie dziecko jak towar, za trzydzieści tysięcy, a o tamtej, że sprzedała brzuch, bo zabrakło jej na leki dla umierającego syna alergika. Parę katolickich autorytetów wypowie się w telewizji o tym, że współczesna cywilizacja traktuje dzieci jak produkty w supermarkecie, z tego przejdą na cywilizację śmierci, aborcję, eutanazję i zakaz stosowania *in vitro*. Paru lewicowych komentatorów wypowie się na temat potrzeby dostosowania prawa do rzeczywistości. Codziennie będziecie mieli telefon z redakcji tego czy śmego. Jak włączycie telewizor, to będzie tam pani Iwonka płacząca w rękaw Ewy Drzyzgi, że źli ludzie chcą jej odebrać dzidziusia, a jak otworzycie gazetę, to dowiecie się z niej, że mieszkacie w getcie bogaczy, gdzie bezduszni ludzie, słusznie pokarani bezpłodnością, porywają niemowlęta nieszczęsnych wykluczonych. Jeśli jesteście w stanie to wytrzymać, to będę z wami przez cały proces, pozwę paru redaktorów, wystąpię w sądzie, mogę to wszystko zrobić za darmo, w zamian za darmową reklamę w mediach, ale łatwe to na pewno nie będzie.

Po tej rozmowie zapanowała ciemność.

Marta nie pamiętała końca tej kolacji. Coś chyba jedli, o czymś rozmawiali, pewnie były jakieś historyjki o psach. Pewnie bawiła rozmową tę żonę, podczas gdy mężczyźni nad koniakiem rozmawiali o polityce i prawie, ale resztę wieczoru i kolejne dni zasnuła mgła, z której, jak górskie szczyty z chmur, wyłaniały się pojedyncze wspomnienia.

Płakała. Zalewała się łzami za biurkiem, kiedy wszedł szef. Nie była w stanie odpowiedzieć na jego pytanie, co się stało. Wyszła z biura, mamrocząc coś o śmierci w rodzinie, a później jeździła po Warszawie bez celu, aż późnym wieczorem się zorientowała, że od dłuższego czasu siedzi w zaparkowanym samochodzie na osiedlu Iwony, ledwie paręset metrów od własnego domu, że wnętrze auta jest sine od dymu, a popielniczka pełna niedopałków.

Jakiś czas później odebrała telefon. Głos w słuchawce poinformował ją, że zostanie zwolniona z firmy ze względu na porzucenie stanowiska pracy bez wyjaśnienia. Wtedy dostrzegła, że leży w łóżku, w ubraniu, w którym najprawdopodobniej spała. Telefon pokazywał datę: środa, 23 lutego, a ona nie pamiętała, kiedy i jak minęły sobota, niedziela i pozostałe dni ani co w tym czasie robiła.

Po raz kolejny odzyskała świadomość w białym pokoiku. Za oknem świeciło słońce, zza półprzymkniętych drzwi dochodziły odgłosy kroków i przyciszonych rozmów. Chciała sięgnąć po telefon, sprawdzić datę i godzinę – coś jej mówiło, że zgubiła więcej niż kilka dni – ale na szafce przy łóżku nie było telefonu. Ręka bolała – prawdopodobnie dlatego, że nad łokciem wystawał z niej wenflon, do którego prowadził przewód kroplówki. Do pokoju weszła pielęgniarka.

– O, witam, pani Marto! – wykrzyknęła z uśmiechem. – Bałam się, że pani już tak będzie spała jak śpiąca królewna, przez sto lat! Zaraz przyślę doktora!

Lekarz, który wkrótce się pojawił, wyjaśnił jej, że została przywieziona przez męża po tym, jak przez kilka tygodni odmawiała wstania z łóżka, mycia się, picia i jedzenia.

– Kilka tygodni? Którego dzisiaj mamy? – wychrypiała cicho, bo gardło miała wysuszone.

– 30 marca, środa – uśmiechnął się lekarz.

– Gdzie ja jestem?

– W prywatnej klinice leczenia depresji i nerwic. Ma pani za sobą ciężki epizod depresyjny, ale mam nadzieję, że odpowiednie leczenie i terapia szybko postawią panią na nogi.

Miał rację z tym „stawianiem na nogi". Po pięciu tygodniach leżenia i odżywiania kroplówką ledwie miała siłę usiąść. Każdy gwałtowniejszy ruch powodował zawroty głowy i falę ciemności przed oczami. Dopiero po paru dniach mogła wstać i przejść kilka kroków do toalety, kurczowo ściskając ramię podtrzymującej ją pielęgniarki. Straciła dwanaście kilo i kiedy pierwszy raz zobaczyła się w lustrze, nie uwierzyła, że ten szkielet obciągnięty obwisłą skórą to trzydziestotrzyletnia Marta, szczupła, ale kobieca, wysoka i zgrabna, Marta, jaką widywała w lustrach jeszcze dwa miesiące wcześniej. Dostawała leki, dzięki którym zmartwienia wydawały się odległe. Leki jak gdyby przymykały drzwi w jej umyśle, tak by nie dochodził zza nich hałas, a tylko przytłumione dźwięki. Przywróciły jej też apetyt. Po dziesięciu tygodniach, wypełnionych niezliczonymi sesjami terapeutycznymi, na których wciąż na nowo opowiadała o wszystkim, co przywiodło ją na skraj przepaści, pozwolono jej wyjść do domu na przepustkę. Był długi majowy weekend.

Filip wynajął pomoc, panią z Ukrainy, która posprzątała mieszkanie, umyła okna i uprała wszystko, co się dało. W przedpokoju rozwiesił papierowy transparent z kolorowym napisem: „Witaj w domu!". Przez te wszystkie tygodnie odwiedzał ją każdego dnia po pracy, a w międzyczasie prowadził długie rozmowy telefoniczne z prawnikiem, z Iwoną, z lekarzami – żeby nie mieć tego strasznego poczucia trwania w zawieszeniu. Początkowo nikt nie wiedział, ile czasu Marta będzie nieświadoma, pogrążona w swoim świecie. Lekarze z prywatnej kliniki mieli rozmaite opinie, jedni mówili o kilku dniach, inni obawiali się, że nawet do końca życia. Jego życie toczyło się teraz między domem, pracą a szpitalem, z przerwami na wizyty syna.

Musiał przyznać sam przed sobą, że ulżyło mu, kiedy matka zastępcza oświadczyła, że nie zrzeknie się dziecka. Nie to, że nie chciał mieć dziecka. Chciał. Na początku, przez pierwsze lata. Miał nadzieję, że jako dorosły człowiek o ustabilizowanej pozycji będzie mógł być lepszym ojcem, w pełni przeżywać narodziny i pierwsze lata życia maleństwa. Narodziny Nikodema i okres jego niemowlęctwa były pasmem nieustannych kłótni i awantur z Niną, gróźb i wyrzutów, zdrad i ucieczek. Nie umiał cieszyć się synem, kiedy jego żona a matka dziecka robiła mu krzykliwe wymówki, zostawiała go, dwudziestoletniego, samego z niemowlakiem na długie godziny, a później wpadała we wściekłość, widząc w domu jego matkę. Wszystko robił źle, ale Nina nie pokazywała mu, jak ma zrobić to dobrze – wpadała w złość i wyzywała go od nierobów i wyrodnych ojców. Wreszcie się dowiedział, że nie wychodziła na kawki z koleżankami, a spotykać się z innym mężczyzną. Myślał wtedy, że po rozwodzie, kiedy będzie mógł spędzać pewien czas sam z dzieckiem, nawiąże z nim głęboką więź i zrobi to wszystko, co ojciec powinien robić z synem. Tylko że Nikodem znajdował się pod przemożnym wpływem matki, z którą spędzał większość życia, a ojca traktował jako odświętną atrakcję i rola Filipa sprowadziła się do zapełniania chłopcu czasu w możliwie najciekawszy sposób – tak żeby nie spędzał weekendów naburmuszony, zły, przed telewizorem albo wydzwaniając do matki. Prawdziwa więź zaczęła pojawiać się dopiero teraz, na progu dorosłości syna. Filip żałował tego wszystkiego, co go ominęło: wspólnych spacerów z wózkiem, rodzinnych wypadów do lasu, wakacji we trójkę, odpowiadania na pytania trzylatka i odrabiania lekcji z siedmiolatkiem, kołysania do snu i czytania na dobranoc.

Ale, na litość boską, nie za wszelką cenę! Mniej więcej po drugim poronieniu zorientował się, że to nie będzie łatwe. Z przerażeniem obserwował, jak jego żona pogrąża się w obsesyjnym myśleniu o dziecku, jak odgradza się od niego nieprzeniknioną barierą, jak reaguje rozpaczą na wszelkie sugestie zaprzestania starań czy po prostu odpoczynku. Seks stał się polem bitwy, na które wchodzili uzbrojeni w termometr, wykres temperatury i kalendarzyk. Rozkosz przestała być ważna, liczyło się tylko, że to „może dzisiaj", i coraz silniejsze uczucie porażki, kiedy znowu się „nie udawało". To wtedy zaczął uciekać od „obowiązku małżeńskiego" do Moniki. Rozdwoił się – w domu był pocieszycielem i dostawcą nasienia, potencjalnym ojcem i nikim więcej, z Moniką znowu mężczyzną. Kiedy wracał do domu, coraz później, i widział żonę pogrążoną, zależnie od momentu, albo w euforycznej nadziei, albo w głębokiej rozpaczy, najbardziej ze wszystkiego pragnął ją powstrzymać, pragnął zatrzymać to rozpaczliwe koło prób i niepowodzeń. Setki razy chciał jej powiedzieć: „Trudno, nie udało się, adoptujmy. Spróbujmy być szczęśliwi we dwoje, zatrzymaj się, zanim cię to zniszczy!". Ale nie miał odwagi. Słowa więzły mu w gardle, kiedy słyszał po raz kolejny: „Udało się!" albo: „Muszę jechać do szpitala, krwawię". Przecież przysięgali: na dobre i na złe. Najpierw było złe, potem widocznie miało przyjść dobre, więc czekał, wspierał, a kiedy nie mógł już wytrzymać, była Monika... I chociaż wiedział, że nie jest w porządku, do niedawna nie mógł zebrać sił, żeby to przerwać.

Teraz wreszcie miało być dobrze. Jednak ostatnia, rozpaczliwa próba nie powiodła się, Filip miał nadzieję, że po tej ostatecznej klęsce Marta otrząśnie się, zrozumie, że obsesja nie ma sensu, i znajdzie sobie w życiu nowy cel, możliwy do zrealizowania. Miał szczery zamiar ją w tym wspierać, pomóc jej przejść przez najgorszy okres, a później rozpocząć z nią nowe życie, może na spokojnie podjąć decyzję o adopcji – mieli przecież możliwości finansowe, żeby stworzyć dom co najmniej jednemu dziecku, które nie dostało szansy na dobre życie.

Nie był jednak przygotowany na to, co nastąpiło. Na całkowite załamanie nerwowe, na utratę pracy przez żonę, na to, że zmieniła się w brudny szkielet przykryty szczelnie kocem, leżący w ciemnościach całymi dniami i tulący do siebie jakąś tandetną plastikową zabawkę, która grała piskliwą melodyjkę z metalicznych, irytujących dźwięków. Zabawka miała, zdaje się, kołysać niemowlęta do snu – zastanawiał się, jakie normalne dziecko byłoby w stanie przy tym zasnąć. Wreszcie wezwał lekarza, zdobył skierowanie do kliniki i czekał na wieści.

Marta nie poruszała tematu dziecka i przez pewien czas myślał nawet, że mogła stracić pamięć albo wyprzeć niechciane wspomnienia gdzieś w najciemniejszy kąt umysłu, tak jak dzieci chowają wspomnienia o krzywdzie i molestowaniu. Psychiatrzy w klinice chętnie z nim rozmawiali, ale ich wyjaśnienia zostawiały mu w głowie jeszcze większy bałagan. Nie miał cierpliwości do tego roztkliwiania się nad ludzkim umysłem i uczuciami. Co było, to było, trzeba to wziąć na klatę i iść dalej, nie rozpamiętywać, nie pogrążać się w jakimś nie wiadomo czym. Nie pozwalać, żeby życie zwyciężyło ciebie – to ty masz zwyciężać życie, znajdować rozwiązania i drogi naokoło przeszkód. Widocznie kobiety tak nie potrafiły, a może po prostu Marta tak nie potrafiła. Wolałby nawet, gdyby zapomniała o wszystkim, tak byłoby łatwiej. Ale ona nie zapomniała. Chyba czekała tylko na odpowiedni moment. Rozpakowała torbę, nastawiła pranie, zaparzyła sobie kawy z ekspresu, usiadła przy kuchennym stole i zadała pytanie, z którym czekała od chwili, kiedy obudziła się w szpitalu:

– Nasze dziecko już się urodziło, prawda?

Urodziło się, o czym wiedział z weekendowego dodatku do gazety, z fotografiami noworodków. „Szpital na Inflanckiej, 18 kwietnia, Kaja Maria, 2580 gramów, 50 centymetrów". Drobniutka, bo urodzona trochę przed terminem, ale nie na tyle, żeby ją nazywać wcześniakiem. Z zamazanego, czarno-białego zdjęcia patrzyły bystre ciemne oczka w maleńkiej twarzyczce. Zdusił w sobie impuls, żeby odwiedzić Iwonę w szpitalu, z kwiatami albo paką pieluch jednorazowych, żeby zadzwonić z pytaniem o zdrowie. Zdusił w sobie wszystkie uczucia, jakie budziło w nim dziecko z fotografii, z premedytacją. Mógł wnieść sprawę o ustalenie ojcostwa, mógł po prostu poczuć się odpowiedzialny za ten niespełna trzykilogramowy kłębuszek swoich genów, ale to byłoby rozdrapywanie ran, więc zdecydował, że wymaże to dziecko z pamięci. Gazetę wrzucił do firmowej niszczarki i tak długo przyciskał włącznik, aż całe sobotnio-niedzielne wydanie zamieniło się w cieniutkie jak anielskie włosy paseczki papieru.

Marta odczytała odpowiedź z wyrazu jego twarzy.

„Muszę je zobaczyć", postanowiła w myślach.

To wtedy podjęła decyzję.

Wtedy wykiełkował zalążek planu, który doprowadził ją aż na tę stację kolejową, na której stoi teraz z torbą podróżną na ramieniu, kołysząc wózek z krzyczącym niemowlakiem w jasnym kombinezonie. Pociąg już dawno odjechał dalej, w stronę innych, nieznanych miejsc. Ona musi jeszcze tylko przejść na przystanek pekaesu, kupić bilet i zaczekać na autobus.

Matka Iwony szalała z rozpaczy. Doszło do tego, że córka ją pocieszała, choć sama była jak sparaliżowana. Takie rzeczy widuje się w telewizji, piszą o tym w gazetach, ale przecież nigdy nie przydarza się to nam ani naszym bliskim. Dopóki się nie przydarzy. A wtedy to o nas piszą w gazetach.

– Gdybym tylko nie wyszła! Gdybym zostawiła Kajusię w domu, przecież tylko na chwilę szłam, do sklepu!

Matka szlochała, roztrzęsiona, mimo że nafaszerowana kroplami na serce i środkami na uspokojenie. Młoda policjantka siedząca po drugiej stronie biurka z laminatu uśmiechała się bezradnie, z uprzejmości, chcąc okazać, że nie potrafi pomóc w żaden sposób, dopóki nie usłyszy całej historii.

– Czy ktoś mógł mieć powód, żeby zabrać pani wnuczkę? – zapytała wreszcie łagodnie.

– A pewnie! – starsza kobieta się żachnęła. – Ta... ta... słów mi brak na tę kobietę! Odkąd tylko Kajusia się urodziła, wystaje pod naszym blokiem, dzwoni do drzwi, telefonuje. Już nawet jej mąż mówił, żeby dała spokój, przepraszał za nią! Już się ugięłam, wpuściłam ją do domu, jak malutka miała miesiąc. Pieniądze przyniosła, gadała dużo, jak to będzie wspomagać, opiekować się, jak to nic moja Iwonka nie musi jej oddawać, byleby pozwoliła popatrzeć czasem na malutką. Iwonka się postawiła, powiedziała jej, że dziecko ma jedną matkę i to jest ta matka, która nosiła w brzuchu i rodziła, że nie pozwoli na żadne wspomaganie i opiekowanie, a pieniądze odda co do ostatniego grosika, choćby miała zdechnąć.

– Mamusiu, niech mamusia już nie przesadza... – Iwona dotknęła lekko ramienia matki. – Powiedziałam, że nie chcę jej pieniędzy i żeby więcej nie przychodziła. Ona na to zagroziła sprawą o ojcostwo, a ja powiedziałam, że proszę bardzo, niech wnosi, nie boję się jej i jej prawnika. Zresztą, gdyby nawet, to nikt jej nie da dziecka do adopcji, przecież ona ledwo co wyszła z psychiatryka. Niech mamusia lepiej opowie, jak to się stało.

– Jak się stało, jak się stało! Normalnie się stało! Stałam do kasy, oglądałam się co chwilka na Kajunię w wózku, wózek tyłem stał, ale taka była cichutka, cieszyłam się, że tak spokojniutko zasnęła, bo coś ostatnio marudna się zrobiła, zęby jej chyba idą. Nawet jej kupiłam tych chrupek kukurydzianych, niech tam sobie pomasuje te dziąsełka, może jej co ulży. Odeszłam od kasy, zaglądam, a wózek pusty, dziecka nie ma! Podniosłam krzyk, ale nikt nic nie widział, tylko ten ochroniarz z osiedla powiedział, że jedna młoda, wysoka wsiadła do samochodu z niemowlakiem i odjechała, ale przecież tu każda ma niemowlaka, pieniądze mają, to i robią te dzieci bez opamiętania, wszystkie albo z brzuchem, albo z wózkiem, nawet te stare, co już wnuki powinny chować. Kto to widział, czterdzieści lat i niemowlak w wózku...

– Mamo! – przypomniała Iwona.

– Dobrze już, dobrze. Wysoka, powiedział, młoda, samochód srebrny, mały, tyle mówił, a potem się zleciały te
różne młode, zaczęły na mnie, że tak jest, jak się dziecka
nie pilnuje. A one to niby jak pilnują, może lepiej? Pod
sklepem nieraz zostawiają, a do pilnowania tylko starszy
dzieciak stoi, co sam ledwie od ziemi odrósł.

– Mamo!

– Dobrze – policjantka uspokoiła je ruchem ręki, oszołomiona tym potokiem słów. – A czy któraś z pań może mi
opowiedzieć, o co chodzi z tymi dwiema matkami, sprawą
o ojcostwo i oddawaniem pieniędzy? Czy panie są komuś
coś winne i ten ktoś mógłby porwać dziecko, żeby wymu-
sić zwrot pieniędzy? Po kolei poproszę.

– Żona jest w pracy – powiedział Filip do słuchawki. Nie był zadowolony: telefon wyrwał go z telekonferencji. Telekonferencje przypominały rytuał jakiejś obcej religii, najwyższy kapłan w postaci siwego, rumianego Amerykanina o sztucznych włosach w nienaturalnym brązowym kolorze i sztucznych śnieżnobiałych zębach, wygłaszał jedyne prawdy z płaskiego ekranu, który na tę okazję zjeżdżał spod sufitu, a siedmiu wpatrzonych w niego dyrektorów chórem odmawiało litanię: *„Yes, David, that's right, David, sure, David"*. Potem każdy po kolei składał sztucznemu Davidowi swoją daninę z cyferek i sprawozdań, napisanych przez sekretarki, które z tej okazji poprzedniego dnia siedziały w firmie do późnej nocy, życząc Davidowi nagłego ataku apopleksji albo żeby piorun go raził na polu golfowym. Na koniec boski David wygłaszał motywacyjne krótkie przemówienie i znikał z ekranu, żeby pojawić się w innym biurze, gdzieś w innym zakątku świata, gdzie zgromadzeni wierni już na niego czekali. W samym środku tego rytuału do salki zapukała Ania z recepcji, wsadziła głowę w uchylone drzwi i pokazała Filipowi na migi telefon. Zbył ją machnięciem ręki, ale wtedy jej wargi ułożyły się w bezgłośne: to po-li-cja. „Marta!", pomyślał od razu, musiała coś sobie zrobić albo miała wypadek. Przeprosił gestem ręki, rzucił w stronę ekranu: „Emergency!". I wybiegł z sali.

– Podinspektor Joanna Baran, komenda rejonowa, czy pan Filip Olszański?

– Tak – wymamrotał. – Czy coś się stało?

– Czy mógłby pan nam powiedzieć, gdzie obecnie przebywa pańska małżonka, pani Marta Olszańska?

– Żona jest w pracy.

Marta wróciła do pracy miesiąc wcześniej, o zwolnieniu nie było już mowy, kiedy porzucenie stanowiska pracy okazało się załamaniem nerwowym. Szef Marty dużo mówił o wspieraniu niepełnosprawnych pracowników i tworzeniu im dogodnych warunków. Co sprowadziło się do tego, że ze stanowiska kierowniczki działu przeniesiono Martę do innej sekcji, gdzie wykonywała proste prace za połowę poprzedniego wynagrodzenia, a korzyścią z tego miał być spokój, mniej stresu i możliwość pracy w elastycznych godzinach. Teraz, w południe, powinna być w pracy.

– Czy coś się stało? – powtórzył pytanie.

– Czy pańska żona pracuje w firmie BGM Consulting? – odpowiedziała policjantka pytaniem na pytanie. Miała młody głos, musiała mieć najwyżej dwadzieścia kilka lat. – W firmie poinformowano mnie, że pani Olszańska wzięła dzisiaj urlop na żądanie z powodu nagłej wizyty lekarskiej. Czy wiedział pan o tym?

– Nie... – wyjąkał, zaskoczony.

Rano Marta jak co dzień wzięła prysznic i ubrała się w jeden ze swoich kostiumów do pracy. Kiedy wychodził, jak zwykle wcześniej od niej, kończyła kawę przy kuchennym stole, umalowana, uczesana, zaczytana w jakimś tygodniku. Pocałował ją przelotnie w policzek, rzucił: „Pa, kochanie", i wyszedł. Gdyby mógł wiedzieć... Gdyby coś podejrzewał... Ale nic nie wskazywało na to, żeby miała nie iść do pracy. Powiedziałaby mu przecież, gdyby coś się wydarzyło, zawsze też mówiła o zaplanowanych wizytach u psychiatry, który „pomagał jej przepracować traumę" i „odnaleźć siebie". Może coś się stało po jego wyjściu, jakiś wypadek, który sprawił, że nagle potrzebowała lekarza?

– W domu. Czy dzwoniła pani do domu?

– Tak, ale pod numerem domowym nikt nie odbiera.

Coś musiało się stać. Zemdlała, może zasłabła! Była już po trzydziestce i od ostatniego poronienia brała tabletki antykoncepcyjne, a do tego paliła, to mógł być udar. Przed oczami przesunęła mu się wizja Marty leżącej bez przytomności na kafelkowej podłodze kuchni, telefon wypadł jej z ręki po tym, jak zadzwoniła do firmy. Musiał natychmiast pojechać do domu, sprawdzić! Tylko dlaczego ta policjantka poszukuje Marty? Gdyby był wypadek albo gdyby ją znaleźli, nie dzwoniliby z takimi pytaniami.

– Dlaczego właściwie pani poszukuje mojej żony? – zapytał.

– Musimy ją przesłuchać. Pana zresztą też. Czy mógłby pan podjechać na komendę w ciągu dwóch godzin?

– Tak, oczywiście... – odparł, oszołomiony tym wszystkim. Trudno, David nie dostanie od niego dzisiejszej ofiary z cyferek, musiał natychmiast jechać do domu.

Jadąc, gorączkowo wybierał numer komórki Marty, raz za razem, ale słyszał tylko długi sygnał, znak, że nikt nie odbiera. Raz usłyszał: „Abonent znajduje się poza zasięgiem sieci. Spróbuj wybrać numer ponownie". To było dziwne, choć z drugiej strony, jeśli pojechała do kliniki, mogła stracić zasięg. Albo wyłączyć telefon, to też było możliwe.

Przed blokiem rzucił mu się w oczy brak samochodu Marty. Parkowali w garażu podziemnym na zmianę, bo wykupili tylko jedno miejsce. Marta zwykle stawiała srebrną micrę niedaleko bramy, przy śmietniku. Twierdziła, że tam najłatwiej zaparkować, a autko jest najbezpieczniejsze, bo ochroniarze zwykle w pobliżu zatrzymują się na papierosa. Tym razem jednak przy altance z kontenerami na śmieci parkowało stare, odrapane zielone audi o przyciemnianych szybach, prawdopodobnie niewiele młodsze od swojego właściciela, który siedział w środku, słuchając hip-hopu. Filip zjechał do garażu, mając jeszcze nadzieję, że zobaczy srebrny samochodzik na ich miejscu pod ścianą, ale i tam było pusto.

W domu wszystko wyglądało normalnie, jak zwykle. Ani śladu tego, czego się obawiał – bezwładnej postaci leżącej nieruchomo na podłodze, wśród rozlanej kawy i rozsypanych dokumentów. Filiżanka po kawie zniknęła z kuchennego blatu, znalazł ją w zmywarce. Było nienaturalnie czysto, jakby Marta przed wyjściem dodatkowo posprzątała, nawet w łazience nie było śladu po typowym porannym bałaganie. Telefon stacjonarny pulsował czerwonym światełkiem oznaczającym nieodebrane połączenia.

Znalazł kartkę w sypialni.

Marta zostawiła ją opartą o ekran komputera. Był włączony, ale na monitorze uruchomił się wygaszacz, kolorowe gwiazdy przechodzące w kwiaty i sześciany przesuwały się powoli po ciemnym tle.

Muszę wyjechać na kilka dni. Wrócę, kiedy zrobię to, co mam do załatwienia. Nie szukaj mnie.

Kocham cię, M.

Litery, zapisane znajomym, okrągłym charakterem pisma, wirowały mu przed oczami. Podniósł mrugający telefon i wybrał numer komendy policji.

Wszystko się zmieniło.

Marta nie była w miasteczku od wielu lat. Miejsce przesiadki, dworzec autobusowy (na który dziadek Felicjan przyjeżdżał swoją syrenką, a potem polonezem, tym samym, który roztrzaskał się o drzewo zaledwie dwa lata po kupieniu, w rozpaczliwej próbie ucieczki przed nadjeżdżającą z przeciwka ciężarówką, kierowaną przez pracownika budowy mającego ponad dwa promile alkoholu we krwi, o czym Marta dowiedziała się po długim czasie z urywków rozmów dorosłych podsłuchanych na rodzinnych spotkaniach, kiedy jej poskręcane śrubami nogi dawno zdążyły się zagoić) prawie zatarł się w jej pamięci po tych wszystkich latach, kiedy przyjeżdżali tu samochodem, do babci i jej sióstr, najpierw we troje, potem tylko Marta z ojcem. Później miejsce matki zajął Filip, wreszcie ojciec przestał przyjeżdżać albo jeździli dwoma samochodami, w jednym Marta z mężem, w drugim ojciec z drugą żoną.

Dworzec – a właściwie biletowa budka i dwa przystanki, całość była mniejsza od niejednej warszawskiej pętli autobusowej – mieścił się na tyłach ryneczku, oddalony od stacji kolejowej o kilkaset metrów. Żeby tam dotrzeć, musiała przejść przez dwie ulice, zabudowane szpetnymi blokami z lat sześćdziesiątych (wielka płyta pokryta odłażącą farbą) i rynek. Na rynku nie było śladu po błocie i kocich łbach, które pamiętała z dzieciństwa – cały plac wyłożono betonową kostką w geometryczne wzory z czerwieni i szarości. Betonowe donice, w których latem prawdopodobnie rosły kwiaty, okalały betonową fontannę na środku placyku. Stare drzewa zniknęły, zamiast nich plac otaczały nowoczesne latarnie stylizowane na zabytkowe – mimo wczesnej pory kuliste klosze już jarzyły się sztucznym pomarańczowym światłem. Wokół rynku odnowione kamieniczki i kilka nowszych budynków, na jednym z krótszych boków dumny neogotycki kościół sąsiadujący z urzędem gminy. Partery kamieniczek zajmowały sklepy i usługi – na zmianę tania odzież, wszystko po pięć złotych, bank, apteka, znowu tania odzież (właściwie „Ciuszek za grosik – luksusowa firmowa odzież używana prosto z Anglii"). Wszystko razem stwarzałoby pozory „malowniczego miasteczka" w sam raz na pocztówkę, gdyby nie szpetne bloki wyzierające zza kamieniczek, kominy upadłych zakładów chemicznych na horyzoncie i pijak śpiący na samym środku betonowego rynku, na jednej ze stylizowanych ławeczek, pod którą rozlewała się ciemna plama moczu.

Marta przeszła przez prawie pusty plac, po którym snuło się kilka starszych kobiet z siatkami na zakupy, ominęła z daleka śpiącego, zatrzymała się z wahaniem przed sklepem spożywczym. Pompowane koła wózka obracały się na betonie gładko, z cichutkim mechanicznym dźwiękiem – to musiało uśpić malutką, bo teraz już nie płakała, leżała spokojnie pod kocykiem. Błogosławiła w duchu kartę kredytową i supermarkety, wynalazki nowych czasów:

kupiła wózek w Warszawie, po drodze na stację, w centrum handlowym, razem z paczką pieluch jednorazowych, butelkami i mlekiem w proszku. Ubranka gromadziła już od jakiegoś czasu. Pierwsze kupiła, powodowana irracjonalnym impulsem, tłumacząc sobie, że kupuje je na prezent dla Kai, kolejne tak samo, w sieciówkach, które oprócz ubrań dla dorosłych sprzedawały też niemowlęce ubranka. Wreszcie, kiedy uzbierała ich całą szufladę, zrozumiała, że od początku wiedziała, po co je kupuje, tylko nie umiała się do tego przyznać nawet sama przed sobą. Teraz więc, uzbrojona w nowiutki wózek i podręczną torbę pełną niemowlęcych akcesoriów, wjechała do sklepu, ostrożnie, żeby nie zbudzić dziecka.

Na szczęście nie był to jeden z tych coraz bardziej popularnych sklepów samoobsługowych, a porządny, staroświecki sklep z ladą i młodziutką sprzedawczynią (córka właściciela?), która podawała towary klientom, jak za dawnych czasów. Marta nie musiała, więc zostawiać wózka przy wejściu. Gdyby musiała, w ogóle nie weszłyby do sklepu, była zdeterminowana, żeby nie spuszczać dziecka ani na sekundę z oka. Kupiła paczkę krakersów, baton z orzeszkami i butelkę napoju gazowanego jakiejś lokalnej marki. Przy tym ostatnim sprzedawczyni przewróciła oczami.

– Pani chyba nie powinna pić tego paskudztwa.

– Jak to? – Marta spojrzała na dziewczynę z niedowierzaniem.

– No, mówię, bo pani pewnie piersią jeszcze karmi, a to niedobre dla dzidziusia. Będzie miał kolki.

– Nie karmię – odpowiedziała stanowczo.

– A, to w porządku. Ale tak wcześnie pani odstawiła? Bo moja bratowa już trzeci rok karmi i nic nie może, ani coli, ani czekolady, ani nawet smażonego, dlatego powiedziałam... Podobno trzeba karmić, na odporność, ile się da.

Czyli to tak jest być matką.

Kiedy masz dziecko, nagle wszyscy dookoła, nawet far-
bowana na czarno siksa za ladą, mówią ci, co masz robić,
bo wiedzą lepiej. Matka to takie stworzenie, które w chwili urodzenia dziecka straciło zdolność decydowania o sobie i racjonalnego myślenia. Teraz inni decydują za nią, co
jej wolno, a czego nie, co jest dobre dla dziecka, a co mu
szkodzi, i nie zawahają się wyrazić swojej opinii w każdej
chwili.

Marta była ciekawa, czy matki, takie prawdziwe matki,
które chodziły w ciąży, rodziły, znały swoje dzieci od
pierwszych sekund ich życia, też to zauważają? Czy przyj-
mują to naturalnie, jak deszcz, nie zwracają na to uwagi
i dostosowują się do sytuacji? Nie mogła się tego dowiedzieć, nie miała kogo zapytać. Przeczuwała też, że zadając
takie pytanie, napotka puste spojrzenie rozmówcy, który
nie zrozumie ani pytania, ani sensu jego zadawania. Tak
jest, bo tak.

Wyszła ze sklepu i podążyła na dworzec pekaesu.

Dopiero w autobusie poczuła zdenerwowanie. Takie
prawdziwe, dławiące – strach i chęć wyskoczenia na najbliższym przystanku i powrotu do domu. Nikt nie wiedział
o jej przyjeździe, nikt jej nie oczekiwał. Iwona prawdopodobnie zgłosiła już sprawę na policję, wiadomość o porwaniu dziecka mogła już pojawić się w radiu i telewizji.
Nie podejrzewała pasażerów autobusu do Radzikowa o na-
łogowe oglądanie tvn24, ale nie mogła wykluczyć, że coś
słyszeli.

Jednak nie wzbudzała podejrzeń, raczej zainteresowanie i życzliwość. Kierowca pomógł jej złożyć stelaż wózka,
tak że niemowlę w gondolce leżało teraz na siedzeniu
obok niej. Dwie starsze panie wracające ze szpitala, w którym odwiedzały kuzynkę, przesiadły się, pozwalając jej

zająć wygodne podwójne miejsce. Jakaś matka uciszała swojego kilkulatka gadającego na cały głos: „Cichutko, obudzisz dzidziusia!".

Czyli to była ta druga strona bycia matką – może i interesowali się wszystkim, co robisz, komentowali i doradzali, ale z drugiej strony wykazywali ogromną bezinteresowną życzliwość dla kobiety, która przekazuje dalej geny społeczności i zapewnia jej trwanie.

Autobus toczył się wolno, zatrzymując się w kolejnych wsiach i miasteczkach, przechodzących płynnie jedno w drugie, bez wyraźnej granicy. Nie rozpoznawała miejsc – to nie była główna droga krajowa z Warszawy, którą jeździła samochodem, tylko jedna z tych dróg lokalnych, łatanych przez lata kolejnymi prostokątami asfaltu, wijąca się między drzewami i polami. Rozpoznała dopiero Przywodzie, tu jako dziecko jeździła z dziadkami nad zalew. Na wąziutkiej plaży porośniętej trawą rozkładali kraciasty koc, na nim termos, zimne kotlety i jajka na twardo zawinięte w papier, przezroczysty i gładki od tłuszczu, do tego krojony chleb i pomidory z babcinego ogródka, gryźli je jak jabłka, posypywali solą. Marta w kostiumie kąpielowym uszytym przez babcię ze starej sukienki wskakiwała do wody, dziadek stał na brzegu, pilnując. Kiedyś, gdy przyjechali tu całą rodziną, popłynęła z ojcem na wyspę na zalewie, założyli się o lody, kto pierwszy dopłynie. Wyspa, z daleka bajkowe, nieznane terytorium, z bliska okazała się górką gęsto porośniętą pokrzywami i krzakami. Trzciny przy brzegu nie pozwalały wyjść na ląd, na którym walały się potłuczone szkło i stare gazety wokół wypalonego śladu po ognisku. Ojciec kupił wszystkim lody – kręcone, waniliowe, o smaku skondensowanego mleka, z automatu, w wafelkach, a do termosu wzięli wtedy jeszcze piętnaście gałek kakaowych, na deser po obiedzie. Lody kupowało się gdzie indziej, w Nowej Wsi, w cukierni na rynku obok ogromnego ceglanego kościoła.

Kiedy autobus minął tabliczkę z napisem „Nowa Wieś", wiedziała już, że do celu podróży zostało zaledwie kilkanaście minut. Chęć powrotu minęła. Była tu, gdzie zaplanowała, tak miało być. „Skoro coś zaczęłaś, to musisz skończyć – powtarzała babcia, wiejska nauczycielka zahartowana w bojach z setkami krnąbrnych dzieciaków, i wciskała jej na przykład do ręki odłożoną robótkę. – Chciałaś się nauczyć szydełkować, to teraz nie jęcz, że ci się znudziło, tym sposobem niczego się nie nauczysz". A później kładła na honorowym miejscu na kredensie te wymęczone, krzywo wydziergane, marszczące się serwetki z taniej anilanowej włóczki kupionej w geesie. Jedyną ich wartością było to, że zostały ukończone, a nie porzucone gdzieś w kącie na wieczne zapomnienie.

Za oknem pojawił się znajomy widok – most nad rzeczką i kawałek rzadkiego lasku, do którego dziadek zabierał ją na grzyby. Babcia potem suszyła je na nitkach rozpiętych między słupkami płotu a gankiem, a zimą dodawała do wigilijnego barszczu. Zaraz za laskiem Marta zobaczyła domy – nowe, o spadzistych dachach i kolumienkach przed wejściem, miniaturowe dworki polskie dla mniej zamożnych, z katalogu seryjnie projektującej je firmy, i te starsze, klocki z pustaków, otynkowane po zmianie ustroju na wściekłe kolory, obłożone tłuczonymi szkiełkami, ogrodzone siatką. Na każdym domu szyld: fryzjer, hurtownia zabawek, tania odzież, naprawa kosiarek.

Autobus zwolnił, przepuszczając grupę dzieci wracających ze szkoły, i wjechał w zatoczkę przy kościele i remizie. Piekarnia, szkoła podstawowa i sklep wielobranżowy naprzeciwko tworzyły centrum wioski, w której poza kilkoma ulicami domków nie było już prawie nic więcej.

Drzwi otworzyły się z hydraulicznym sapnięciem. Marta wyniosła gondolkę, kierowca pomógł jej zmontować wózek, zamknął drzwi i odjechał.

Dziecko obudziło się z płaczem. Chyba była najwyższa pora na zmianę pieluchy.

– Już, już, wytrzymaj jeszcze chwilkę, malutka! – wyszeptała Marta, kołysząc wózkiem w nadziei, że to uspokoi niemowlę.

Całą sobą czuła sztuczność swojego zachowania. Była pewna, że każdy obserwator zauważyłby, że dziecko nie jest jej, tak była niezdarna w swoich próbach nawiązania z nim kontaktu. Na szczęście nie było obserwatorów, to znaczy nie widziała ich, ale wiedziała, że za zasłonkami okien parterowych domków czają się po cichu starsze panie o wszystkowidzących oczach. Pamiętała z dzieciństwa babcię i jej siostrę, siedzące przy oknie, wygodnie, z łokciami opartymi na poduszkach, komentujące szczegółowo wszystkie przechodzące osoby: „A ta, ta tu, w czarnym płaszczu, czy to nie jest czasem wnuczka tej Cześki? Ta, co miała do Australii jechać? I popatrz tylko, nie pojechała. Może później pojedzie? A patrz, jak to idzie, jak patrzy hardo. Ta Cześka zawsze miała przewrócone w głowie, lepsza od wszystkich, bo ma brata w Australii". Dlaczego więc miałaby zakładać, że nikt jej nie widzi? To nie było anonimowe warszawskie osiedle, tylko żywa malutka społeczność powiązana mnóstwem krzyżujących się nitek, sieci uraz, sympatii, przyjaźni. Szła dalej, energicznie kołysząc wózkiem. Za zakrętem drogi dostrzegała już dom dziadków – prostą drewnianą chałupę malowaną raz na jakiś czas na brudnobrązowy kolor, z zielonymi obramowaniami wokół okien. Po podwórku biegały dwie nieduże kury. Na środku studnia, od wielu dziesiątek lat nieczynna, przykryta deskami, żeby nikt do niej nie wpadł. Ciemna od wielu lat deszczów i wiatrów stodoła, kiedyś pełna aromatycznego siana, dzisiaj pusta. Spichlerz z kamieni polnych – na dole kurnik, na górze miejsce na ziarno, na górę wstawiała z babcią inkubator z kurczaczkami, tam się grzały, maleńkie, dopóki nie były na tyle silne, żeby je wypuścić. Z kurczaczkami było łatwiej, każda kura potrafiła znieść jajo i wysiedzieć – może poza tą złą, czarną, co dziobała Martę po nogach i niosła się na złość w pokrzywach za stodołą. Czarna skończyła jako niedzielny obiad, jedli ją z satysfakcją po dokonaniu słusznej zemsty, jej zemsta była taka, że mięso było łykowate i żylaste, niesmaczne. Tak czy owak, kura, która nie chciała się dopasować, została wyeliminowana, a pozostałe posłusznie znosiły jaja w kurniku.

Marta zawahała się, zanim nacisnęła klamkę. To była ostatnia chwila. Jeszcze mogła odejść z powrotem na przystanek. Tyle że musiała przewinąć i nakarmić maleńką. A zresztą jej donośny płacz z pewnością zaalarmował już babcię i nie było odwrotu.

Dopiero kiedy zajrzał do szuflady, zrozumiał, że Marta zniknęła na dobre. Brakowało żółwika, paskudnej grającej zabawki. Oczywiście wiedział, że nie powinien był zaglądać do tej szuflady, tak jak ona nie powinna była grzebać w jego szufladzie ze zdjęciami, wspomnieniami małżeństwa z Niną, ale wiedział też doskonale, że ona tam zaglądała – może z poczuciem winy, może ze wstydem, ale na pewno to robiła. Poza tym sytuacja była zbyt poważna. Wyobraźnia podsuwała mu wizje, w których jego żona zabija dziecko i siebie, ginie w wypadku samochodowym – krwawe, smutne obrazy pełne ognia i rozpaczy.

Nie rozumiał, co się wydarzyło. Przecież wszystko było tak dobrze, wydawało się, że wróciła do siebie po koszmarnym epizodzie depresji. Jadła. Piła. Pracowała. Rozmawiała. Chodziła na terapię. Czasami zdarzało się nawet, że się uśmiechała. Nie kochali się, to prawda, od wielu miesięcy, ale to nie była wyłącznie jej wina – to on obawiał się, że ją skrzywdzi nieostrożnym ruchem czy słowem, że może nie być jeszcze gotowa. Nie rozmawiali o dziecku, udawali, że nic się nie wydarzyło. Nie poruszał tematu w obawie przed wywołaniem upiorów i w nadziei, że Marta pomalutku akceptuje sytuację. Zasypiała otumaniona tabletkami, dzień rozpoczynała od tabletki na poprawę nastroju. Pozornie wszystko szło ku lepszemu, dlaczego więc to zrobiła? Dlaczego teraz? Czy to możliwe, że przez te miesiące rekonwalescencji tak naprawdę układała w głowie plan ucieczki?

Policjantka na komendzie denerwowała go. Głupia gówniara, ledwo po szkole, a traktowała go z góry, jak nauczycielka: „Jasiu, jak mogłeś nie wiedzieć, że Staś uciekł z lekcji?".

– Mówię pani po raz dziesiąty, nie miałem pojęcia, że ona coś takiego planuje. Zresztą – dodał bez przekonania – kto mówi, że to Marta zabrała dziecko, może po prostu wybrała się do kina czy na zakupy i zaraz wróci...

– Naprawdę myśli pan, że żona mogła nie mieć nic wspólnego z porwaniem Kai?

Nie mógł odpowiedzieć twierdząco, choćby starał się z całych sił.

I ta Iwona. Zadziwiająco spokojna, jak na matkę, której porwano dzieciaka. Już jej matka, ta starsza, ruda, była bardziej roztrzęsiona. To ona mdlała, płakała i trzeba ją było uspokajać kroplami na serce. Iwona po prostu czekała w korytarzu na jakieś wieści, w bezruchu, obok niej na twardych krzesełkach dwoje dorastających dzieciaków, przytulonych. Nie chciał na nią patrzeć, ale jednocześnie nie potrafił oderwać od niej wzroku.

Odwiedził ją kilkanaście dni po narodzinach dziecka, z nadzieją, że uda mu się jeszcze coś zmienić. Że kobieta zorientuje się po powrocie do domu ze szpitala, że decyzja o zatrzymaniu małej nie była dobra, że zadanie wychowania trójki dzieci w jej sytuacji ją przerośnie. Nie wspominał Marcie o tej wizycie – była tuż po pobycie w klinice, krucha jak delikatne szkło, rozedrgana, pod watą pozornego spokoju osiągniętego dzięki lekom. Planował jej powiedzieć tylko, gdyby się udało. Wróciłby do domu w chwale, przynosząc dobre wieści.

Oczywiście się nie udało.

Przyjęła go, przyjęła kwiaty, które oddała matce do wstawienia do wazonu. Przez cały czas rozmowy siedziała, karmiąc dziecko piersią. Patrząc na nią, od razu zrozumiał, że nic z tego nie będzie – więź, która łączyła ją z tą maleńką istotą, była niemal namacalna, lśniła jak aura otaczająca je obie niczym złote aureole na ikonach Madonny. Twarzyczka dziecka była jeszcze czerwona, pomarszczona, ciemne oczka patrzyły prawie rozumnie, z tą mądrością, jaką przypisuje się niemowlętom, a która wynika z nieumiejętności skupienia wzroku. Kaja nie była podobna do nikogo z nich, mogła być czyimkolwiek dzieckiem. Nie odnajdywał w niej nawet śladu rysów swoich ani Marty, kiedy tak leżała przy piersi, najedzona, przysypiając. Może to miało przyjść z czasem, a może rodzice po prostu patrząc na swoje dziecko, wyświetlają sobie na nim taki obraz, jaki chcą zobaczyć: włoski zupełnie jak mamusia, nosek po tacie, choć postronny obserwator nie zauważa podobieństw?

Chciał zagrozić jej sprawą o ustalenie ojcostwa. Badaniami genetycznymi, sprawą w sądzie rodzinnym, tylko że nie umiał – nie potrafił dostrzec w ramionach Iwony swojej córki, widział jedynie córkę tej obcej kobiety, nieładnej i prawie mu nieznanej.

Iwona wstała, odłożyła córkę do łóżeczka, przykryła ją delikatnie kocykiem i pogładziła czubkami palców po miękkiej główce, z pewnością i prostotą matki trojga dzieci, która zna już wszystkie potrzebne słowa i gesty, nie musi uczyć się niczego, bo wszystko już wie. Wtedy zrozumiał, że są skazani na przegraną. Kobieta wyjęła z szuflady tysiąc złotych w stuzłotówkach, starannie złożonych i przewiązanych gumką recepturką.

– Oddaję część długu – powiedziała.

Nie przyjął.

– Niech to będzie... dla córki – wymamrotał tylko.

Nie certowała się, po prostu schowała pieniądze z powrotem do szuflady.

– Niech będzie, skoro pan tak chce.

Od tamtego dnia nie widział jej ani dziecka, wyrzucił z pamięci tę upokarzającą scenę.

Gdyby jeszcze nie mieszkała tak blisko! Gdyby nie wystarczyło wyjść z bezpiecznych, ogrodzonych enklaw osiedla i przejść na drugą stronę ulicy, żeby stanąć pod jej domem!

Rozważał przeprowadzkę, żeby oszczędzić sobie i żonie nieuniknionych spotkań z tą kobietą. Mogli znów pomyśleć o budowie domu. „Tylko po co komu dom dla dwóch osób?", pomyślał z goryczą. Mogli mieć dom i kupić psy – psy zapełniłyby go hałasem, psy są prawie jak dzieci, głupsze dzieci, które nigdy nie dorastają, nie wyprowadzają się z domu, oszczędzają dorosłym rozczarowania.

Na razie niepokój o Martę nie pozwalał mu jasno myśleć. Filip siedział na krzesełku zaledwie kilka metrów od Iwony, zastanawiając się, jakim cudem jest tak spokojna: czy wzięła jakieś leki, czy może matczyna intuicja podpowiada jej, że dziecku nie stała się krzywda. Wiedziony impulsem, usiadł bliżej.

– Chciałbym panią przeprosić – powiedział bez sensu, za co miał przepraszać.

235

– Nie ma za co – odpowiedziała. – Chyba nie miał pan pojęcia, co się szykuje.

– Martwię się – wyrzucił z siebie. – Martwię się o żonę, że może zrobić krzywdę sobie... i dziecku.

Czego się właściwie spodziewał, że ta kobieta, którą wykorzystali, będzie go pocieszać? I to w chwili, kiedy sama umiera z niepokoju? Po pocieszenie powinien zadzwonić do swojej matki. Ale Iwona patrzyła na niego spokojnie.

– Nie zrobi Kai krzywdy – powiedziała cicho. – Przecież ona uważa się za jej matkę.

Chciał coś odpowiedzieć, ale w tej chwili uchyliły się jedne z drzwi, a młoda policjantka zamachała do niego, niecierpliwie, żeby wszedł. Poderwał się z krzesła.

– Samochód pana żony znaleziono na parkingu pod Dworcem Centralnym. Przypadkiem, akurat była jakaś awantura z tymi bezdomnymi „parkingowymi" i ktoś z drogówki zauważył poszukiwany wóz. Proszę się teraz zastanowić, dokąd żona mogła pojechać pociągiem.

Kobieta stojąca w drzwiach, na progu będącym jednocześnie najwyższym z trzech schodków, wydawała się zakonserwowana w czasie. Przygarbiona sylwetka otulona wielką wełnianą chustą narzuconą na wełniany sweter, narzucony na bezkształtną spódnicę. Jako dziecko Marta myślała (przynajmniej jesienią i zimą), że gdyby zdjąć z babci te wszystkie warstwy ubrań, to w środku nic by nie zostało. Nikt już nie ubierał się w ten sposób oprócz najstarszych mieszkanek wsi, donaszających swetry wydziergane czterdzieści lat wcześniej, chusty i szale kupione w prezencie komuś innemu i workowate spódnice nigdy niewychodzące z mody, bo nigdy do niej nie weszły. W tych wszystkich warstwach babcia wyglądała jak worek ziemniaków z ludzką twarzą, pomarszczoną i ogorzałą od słońca. Ile mogła mieć lat? Osiemdziesiąt dwa, osiemdziesiąt osiem? Ojciec miał sześćdziesiąt jeden, więc wszystko pomiędzy osiemdziesiątką a dziewięćdziesiątką było równie prawdopodobne. Oczywiście miała dowiedzieć się tego dopiero po śmierci babci, kiedy zobaczy datę urodzenia wyrytą na lastrykowym nagrobku, tonącym pod zwałami sztucznych kwiatów.

Kobieta zmrużyła oczy, które raziło zachodzące listopadowe słońce, zlustrowała spojrzeniem wózek i sylwetkę gościa, aż wreszcie, pomału, podpierając się laską, zeszła ze schodków i ruszyła w stronę furtki.

– To przecież Martusia! Wejdź dziecko, wejdźże! A gdzie auto zaparkowałaś?

– Przyjechałam autobusem – wymamrotała Marta na powitanie. – Przyjechałam przedstawić babci prawnuczkę.

Dom pachniał tak jak dawniej. Przez te wszystkie lata przesiąkł wonią kiszonej kapusty z beczki stojącej od lat pod schodami na strych, jabłek w skrzynkach, gazet płonących w kaflowym kuchennym piecu i kwaśnego mleka. Zapach kojarzył się Marcie z dzieciństwem, wakacjami, rodzinnymi spotkaniami świątecznymi z gromadą kuzynów i kuzynek, letnim zbieraniem wiśni i jesiennym jabłek – dziadek stał na drabinie, ona z koszykiem pod drzewem zbierała owoce, które spadły za wcześnie i nie nadawały się już do skupu. Te były na szarlotkę, na suszenie na piecu i pogryzanie w listopadowe wieczory.

W kuchni ciepło biło od kaflowego pieca. Cerata na stole zdarta od wielu lat szorowania. Małe tranzystorowe radyjko pamiętające lata siedemdziesiąte, kiedy zostało kupione jako prezent dla dziadków, a w radyjku nieodmiennie od lat program pierwszy, stacja starych ludzi. Gazeta z krzyżówką, obok długopis.

Koła wózka zaskrzypiały na drewnianej podłodze przykrytej linoleum i rozmaitymi chodniczkami, dla ocieplenia. Dziecko się uspokoiło. Marta nerwowo szukała w torbie pampersów. Znalazła, przeprosiła babcię, która już szykowała herbatę i ciasto, położyła dziewczynkę na kanapie w dużym pokoju (meblościanka, stół na wysoki połysk, a na stole, o zgrozo, jedna z serwetek wyprodukowanych przez trzynastoletnią Martę z jadowicie żółtego kordonka). Dziewczynka podczas przewijania zagulgotała, popatrzyła na Martę okrągłymi niebieskimi oczkami, po czym ponownie wybuchnęła płaczem. Marta podniosła ją niezgrabnie, jak lalkę, przytuliła, ale ciałko dziecka było napięte, główka odchylała się do tyłu w proteście, szeroko otwarta buzia odsłaniała różowe dziąsła, w których tkwiły dwa małe ząbki. Nie było jej wszystko jedno, kto ją przytula, nawet teraz, po podróży, kiedy powinna po prostu pragnąć przytulenia i nakarmienia, płakała.

– No, już, już, cichutko, nie płacz – szeptała Marta, spocona i zdenerwowana, kołysząc dziecko, poklepując delikatnie po pleckach, gładząc. Ale to nic nie dawało, Kaja nie chciała się uspokoić i przerywała wrzask tylko na nabranie powietrza.

Babcia Ada zajrzała do pokoju.

– Jak dziewczynka? No, daj mi ją tu na chwilę, niech się przyjrzę!

Babcia rozsiadła się na fotelu przy piecu, wyciągnęła ręce. Marta włożyła dziecko w te ręce, które pewnie i mocno przytuliły niemowlę.

– Ona już duża jest. Ile ma, pół roku? I żadnych wiadomości, dopiero teraz przyjeżdżasz, bez męża, autobusem, sama? Nawet kartki nie przysłałaś, telegramu, że mam prawnuczkę? – babcia zadawała pytania z wyrzutem, patrząc uważnie na twarzyczkę dziecka, szukając w niej podobieństwa do kogoś z rodziny. – Oczy ma twoje, bez dwóch zdań. A wrzeszczy jak twój tata, płuca ma mocne jak on. Cała reszta to twój mąż, nawet włosów ma malutko jak on.

Czyli było między nimi jakieś podobieństwo! A może to tylko złudzenie?

Marta przypomniała sobie dawno czytany artykuł o ewolucyjnych uwarunkowaniach ludzkiego zachowania. Było tam napisane, że krewni matki zwykle dopatrują się w nowo narodzonym dziecku podobieństw do ojca – nie dlatego że te podobieństwa naprawdę istnieją, ale po to żeby go upewnić, że dziecko jest jego genetycznym potomkiem, aby nie podejrzewał matki o zdradę i nie wyładował swojej złości na dziecku. Matka była pewnikiem, jej nie trzeba było uspokajać wyszukiwaniem wspólnych cech. Dziecko, które wyszło z jej brzucha, musiało nosić jej geny. Zwierzęta mieszkające w jaskiniach, zagryzające obce potomstwo i parzące się jak psy, na widoku, to wszystko nadal tkwi w nas, ludziach, płytko ukryte pod powłoką cywilizacji. Liczą się geny i przeniesienie ich dalej – jak, z kim, to już nie takie ważne.

– Herbaty ci zrobię. – Babcia oddała wnuczce dziecko, które natychmiast znowu wybuchnęło płaczem, i wyszła do kuchni. Po kilku minutach wróciła, niosąc tackę z dwiema szklankami i talerzykiem, na którym leżało pokrojone ciasto drożdżowe, ze sklepu. Dawno temu babcia co sobotę piekła ciasto w starym prodiżu, co wiązało się z wielkimi przygotowaniami: Marta pomagała wyrabiać ciasto, zaglądała, czy dobrze wyrosło, przykryte ściereczką w dużej drewnianej misce, dodawała rodzynki i orzechy, które wcześniej pracowicie siekała. Teraz już babcia nie miała na to siły, musiała jej wystarczyć cukiernia przy kościele.

Wszystko w tym miejscu przypominało Marcie dzieciństwo. Długie wakacje spędzane w sadzie i na podwórku, wyprawy z tutejszymi kuzynami na glinianki i stopem do kina w pobliskim miasteczku. Dzisiaj każde z nich żyło gdzie indziej i inaczej. Jedna z kuzynek wyjechała do Anglii, druga po studiach w Lublinie zamieszkała tam z mężem, robiła doktorat. Tutaj został tylko kuzyn Paweł, zawsze trochę powolny i ciężko myślący, ale utalentowany, zajmował się odnawianiem starych mebli i sprzętów, które później za ogromne pieniądze sprzedawał do galerii i ekskluzywnych sklepów. W prezencie ślubnym podarował Marcie i Filipowi lustro w masywnej drewnianej ramie, niepasujące do ich mieszkania, stało oparte o ścianę za szafą i czekało na godne miejsce. Każdy mebel, każdy drobiazg (blaszana puszka niegdyś pełna posklejanych i twardych landrynek, ramka ze zdjęciem ślubnym dziadków) przywoływał wspomnienia długich, upalnych, letnich dni, jesienne zbiory owoców, zimowe zabawy z dziadkiem na śniegu. Czy po to tu przyjechała? Żeby odetchnąć powietrzem dzieciństwa? Żeby przez osmozę, z powietrza, przekazać swojej-nieswojej córce choć odrobinę z tych korzeni, dziedzictwa? Czy może przyjechała się wyspowiadać? Ale jeszcze nie przyszedł czas na spowiedź. Nie dzisiaj.

Niemowlę zmęczyło się płaczem, rozglądało się bystro dookoła. Jakby to było, mieć ją na stałe, spędzać całe dnie i tygodnie patrząc, jak leży, macha nóżkami, jak wyrzynają jej się zęby, jak osiąga maleńkimi, niedostrzegalnymi kroczkami coraz to nowe etapy rozwoju, z nieświadomego stworzonka stając się rozumnym człowiekiem? Uczyć się ją kochać i rozumieć, instynktownie odczytywać przyczyny płaczu i rozpoznawać emocje po skrzywieniu buzi, układać do snu i karmić piersią?

Nie wiedziała tego i miała się nigdy nie dowiedzieć. Postanowili przecież z Filipem nie wracać do tego, nie występować do sądu o prawa, nie egzekwować zawartej umowy. Myśleć o tym jak o kolejnej nieudanej próbie, ostatniej i definitywnie kończącej etap starań o dziecko. Poszukać sensu w życiu bez dzieci. Dom, psy, wyjazdy, prace społeczne, życie towarzyskie. Może starać się o adopcję, kiedy rany nieco się zabliźnią. Tylko że ilekroć myślała o maleńkiej Kai, odczuwała taką pustkę i głód, jakby wyrwano z niej jakiś ważny, niezbędny do życia organ. Leki i rozmowy z lekarzem trochę tłumiły to przerażająco silne uczucie, ale nigdy nie pozwalały mu zniknąć. Tego ranka, kiedy zobaczyła dziewczynkę pod opieką babci, a praktycznie bez opieki, bo babcia zawzięcie dyskutowała z kasjerką, nie zwracając najmniejszej uwagi na wózek, zadziałała instynktownie, bez namysłu. Zrobiła pierwsze, co jej przyszło do głowy.

Uciec i zostać z córką gdzieś daleko, gdzie nikt nie będzie ich szukał. Zaszyć się tu, na wsi, gdzie nikt poza babcią i kuzynem jej nie zna, i przeżyć swoje życie z córką. Udawać, że jest w pełni i przez cały czas jej matką, nauczyć się ją kochać i patrzeć, jak dorasta. Przeżyć to życie, którego tak pragnęła, a które miało być na zawsze zamknięte, do którego już, już miała wejść, a na koniec boleśnie rozbiła nos o zamknięte drzwi.

Ucieczka była niemożliwa.

Jeśli nawet jeszcze nie pokazano, to z pewnością w wieczornych serwisach informacyjnych pojawi się wiadomość o porwaniu dziecka (podejrzana Marta O. była niedawno hospitalizowana z powodu depresji, policja obawia się, że mogło dojść do najgorszego). Miała dzień, może dwa dni, na pewno nie więcej. Mogła tylko spędzić je tutaj, rozmawiając z babcią i oddychając powietrzem dawnych lat, a jutro wsiąść w powrotny autobus. Albo zadzwonić do Filipa i poprosić go, żeby je odebrał i odwiózł dziecko tam, gdzie było jego miejsce – do kobiety, która je urodziła.

Na razie piła herbatę. Babcia parzyła ją tak samo jak przed laty – fusy w szklance z plastikowym koszyczkiem, cytryna pokrojona w plasterki, dużo cukru. Na spodeczku domowa konfitura z wiśni. Gorący płyn był cierpki i parzył w usta, tak jak kiedyś. Gdy była bardzo mała, przelewano jej herbatę po odrobinie na spodeczek, żeby nie poparzyła się, pijąc. Czy Kaja będzie piła herbatę ze spodeczka? Czy pozna smak domowych konfitur? Czy ktoś nauczy ją piec ciężkie, pachnące ciasto drożdżowe? Wiedziona impulsem, odłamała kawałeczek ciasta i wsunęła do otwartej buzi dziewczynki. Malutka obróciła okruchy w buzi i wysunęła języczek z wyrazem komicznego obrzydzenia na twarzy.

Wieczór nadszedł niespodziewanie szybko. Rozmawiały o nowinkach w rodzinie. Babcia jak zwykle była skarbnicą wiedzy o wszystkim, co działo się wśród innych ludzi: kto się ożenił, kto już powinien się ożenić, bo dziecko w drodze, kto ma kłopoty. Marta z ulgą poddała się rytmowi tej rozmowy, płynącej lekko, prześlizgującej się po ostrych krawędziach wydarzeń. Co jakiś czas przerywała, żeby pobujać, nakarmić, przewinąć dziecko, które na jej widok za każdym razem podnosiło krzyk, prężyło się i zaczynało wierzgać nóżkami. Babcia obserwowała te zmagania bez słowa, z pozornym spokojem, tylko co jakiś czas badawczo przyglądała się wnuczce.

Pościeliła im na rozkładanej kanapie. Początkowo malutka miała spać w wózku, ale Marta się obawiała, że wypadnie i że będzie jej za ciasno, zdecydowała więc, że będzie spała obok niej, od ściany, pod babciną pierzyną. Długo nie mogła zasnąć.

Nie wiedziała, co ją obudziło: płacz dziecka czy kaszel dobiegający z niedużej odległości? W pomieszczeniu panowała całkowita ciemność – taka, jaka jest możliwa tylko na wsi, z dala od latarni, oświetlonych bloków i innych świateł wielkiego miasta. I cisza w tle, nieprzerywana szumem samochodów ani tym szmerem kilkunastu telewizorów, pralek, rozmów, windy, jaki zawsze panuje w bloku, nawet w środku nocy. W tej ciszy ktoś kaszlał, sucho, miarowo, duszącym kaszlem, który nie przynosi ulgi. W tej ciszy płakało niemowlę.

Babcia! Kaja!

Marta sięgnęła po butelkę z mlekiem modyfikowanym, naszykowaną przed snem, stojącą na stole obok wersalki. Przytuliła dziewczynkę. Dziecko było rozgrzane i spocone, najwidoczniej pierzyna okazała się za ciepła nawet jak na późną jesień. Wierciło się niespokojnie, również kiedy miało już smoczek w buzi, ale wreszcie zasnęło. Marta wstała i na palcach przeszła do drugiego pokoju.

Babcia Ada siedziała na łóżku, zanosząc się suchym kaszlem. Kolejne ataki niemal zginały ją wpół. Była zaskakująco drobna i krucha tylko w nocnej koszuli i narzuconym na ramiona szalu, po zdjęciu wszystkich warstw ubrania z krępej postaci zostało niewiele. Jej pokój pachniał starością – naftaliną, kurzem, ludzkim ciałem.

– Obudziłam cię – wysapała staruszka pomiędzy kolejnymi atakami kaszlu. – I maleństwo chyba też?

– Babciu – Marta usiadła na brzegu łóżka, obejmując starszą kobietę ramionami – co się dzieje?

– Co ma się dziać, dziecko? – babcia wzruszyła ramionami. – Starość, ot co. Co noc mnie tak dusi, aż wreszcie zadusi.

– A u lekarza babcia była?

– Jakiego tam lekarza – kobieta machnęła ręką. Tym gestem, tak dobrze znanym Marcie od wielu lat, babcia zbywała wszystkie rady, do których nie miała zamiaru się zastosować. – Byłam, raz. Chciał mnie kłaść do szpitala na badania, prześwietlać, kłuć. Podziękowałam mu. W szpitalu to się umiera, a ja wolę umrzeć we własnym łóżku, spokojnie. No, starczy tego, idź już spać – szorstko odprawiła wnuczkę. – Ja tu jeszcze sobie pokaszlę, aż zasnę. Ty idź tam, bo dziecko samo zostało.

Ranek przyniósł jasność – blask słońca wlewał się mimo zaciągniętych zasłon – i bolesną świadomość.

Marta obudziła się wcześnie, zaraz po szóstej, ze zrozumieniem, jak bardzo bezsensowna była decyzja o zabraniu dziecka. Nie istniał żaden możliwy sposób, żeby naprawić to, co się stało, ani żeby zniknąć i udawać, że jest matką dziewczynki. Nie w dzisiejszym świecie, gdzie każdy człowiek ma numer, dokument, jest zarejestrowany w kilku miejscach i od urodzenia wpisywany do najróżniejszych ksiąg. Nawet tutaj, w Radzikowie, gdzie czas pozornie się zatrzymał, nie mogła być matką tej maleńkiej, śpiącej teraz spokojnie dziewczynki, która pachniała lekko skwaśniałym mlekiem i czymś jeszcze, czymś nieuchwytnym, ale nieodparcie kojarzącym się z niewinnością. Dorastając, zaczynamy śmierdzieć. To wszystko, co nas skaża od wewnątrz: krzywdy wyrządzone innym, złość, strach, wina, wydostaje się przez pory skóry, naznaczając nas nieświeżym zapachem gnijącego ciała, który pracowicie zmywamy żelami pod prysznic i mydłami, zabijamy dezodorantami, ale wystarczy chwila nieuwagi, żeby wydostał się na nowo. Dzieci pachną inaczej, bo są niewinne.

Śniadanie: kilka kromek chleba, masło, pomidory i ser. Takie same jak w mieście, ze sklepu. Czasy wiejskiego chleba i masła ubijanego samodzielnie bezpowrotnie odeszły w przeszłość. Role się odwróciły – dzisiaj to wielkomiejskie gospodynie domowe pieką chleb i robią twaróg własnoręcznie, a jeżeli nie robią, to kupują takie naturalne, tradycyjne produkty w specjalnych sklepach ze zdrową żywnością, za ceny wielokrotnie wyższe od normalnych, i mówią przy tym wiele o ekologii i powrocie do korzeni.

Za to kobiety, które przez całe życie musiały samodzielnie wytwarzać żywność, nareszcie z ulgą zaopatrują się w gotowe wyroby w wiejskich sklepikach.

Jadły w milczeniu. Starsza kobieta w świetle dnia nie wyglądała już krucho, na powrót otuliła się spódnicami, swetrami i kamizelami. Dziecko wierciło się w wózku, popłakując.

– Wiesz, Martusiu, ja tak sobie myślę, że ty mi czegoś nie mówisz. – Babcia przerwała milczenie. – Pół nocy nie spałam, bo mnie dusił ten kaszel, i tak sobie myślałam o tobie. Dlaczego nie napisałaś, że macie córeczkę? Dlaczego przyjeżdżasz bez Filipa, nagle, autobusem? Dlaczego nie przyjechaliście na Wielkanoc? Henio, znaczy się twój ojciec, wspomniał tylko, że jesteś w szpitalu, ale nie mówił w jakim. A przecież pochwaliłby się, gdyby został dziadkiem. On może nie potrafi tego okazać, ale bardzo jest za tobą, dziecko. Jesteś jego jedynaczką i bardzo cię kocha. Może nie mówi wiele, skryty jest, taki był od maleńkiego, ale powiedziałby własnej matce, że została prababcią. I teraz przyjeżdżasz sama z takim dużym dzieckiem, jakby nigdy nic, a ten dzieciaczek wyraźnie ciebie unika, odwraca się, płacze. Coś mi tu, dziecko moje, nie pasuje, wydaje mi się... – staruszka przerwała dla nabrania oddechu, po czym spojrzała Marcie prosto w oczy, kończąc zdanie: – Coś mi się wydaje, że tu jest coś nie tak. Myślę, że to dziecko nie jest twoje.

Bladoniebieskie oczy starej kobiety wpatrywały się w twarz wnuczki badawczo, z zaciekawieniem, ale i współczuciem. Marta próbowała wytrzymać ten wzrok, ale nie potrafiła. Jako dziecko też nie umiała, czerwieniła się, wybiegała z pokoju albo wybuchała płaczem. Teraz czuła przede wszystkim ulgę, że nie musi już dłużej kłamać. Łzy kapały na kanapki z pomidorem i na ceratę.

Opowiedziała wszystko, od początku do końca. Historia była nieskładna, przerywana wybuchami płaczu. Dziecko, nakarmione, zasnęło wreszcie, pojękując tylko cichutko, kiedy kobiety zaczynały mówić głośniej.

– Dlaczego nie opowiedziałaś mi tego wcześniej, moje dziecko?

– Nie umiałam...

– Nigdy nie umiałaś, od małego. Zawsze odpowiadałaś krótko na pytania: „Dobrze, w porządku". A ja, stara, zawsze myślałam, że po prostu za rzadko się widzimy, żebyś mogła mi ufać. Po wypadku to już była tragedia z tobą, prawie wcale się nie odzywałaś... Czasem trzeba opowiedzieć, co nas boli, bo to nas zabija od środka.

Marta chlipnęła tylko w odpowiedzi. Staruszka podniosła się i ruszyła do pokoju.

– Zaczekaj no tu chwileczkę. Coś ci pokażę.

Dał się słyszeć zgrzyt otwieranych szuflad, szelest papierów i po chwili Ada wróciła, trzymając w pomarszczonych, wykrzywionych artretyzmem palcach nieduży kartonik. Podsunęła go Marcie pod nos.

– Masz, popatrz.

To było zdjęcie.

Stara, zniszczona fotografia. Na niej chudziutki chłopiec, może trzy-, czteroletni. Wielkie ciemne oczy w ogolonej na łyso głowie zdawały się jeszcze większe. Fotografia musiała być zrobiona w czasie wojny, wtedy golono dzieci w obawie przed wszawicą i tyfusem. Chłopczyk patrzył poważnie, bez uśmiechu, prosto w obiektyw. Obok niego stała kobieta, w której z trudem można było rozpoznać babcię Adę – wysoka, postawna, z niemowlęciem na ręku. Ciemne włosy spięte w surowy nauczycielski kok, ale wrażenie surowości znikało, gdy spojrzało się na jej twarz – wpatrywała się z ogromną czułością w trzymane zawiniątko.

– Kto to jest? – zapytała Marta, wskazując na niemowlę. – Ten trzyletni to ojciec, prawda? Ale przecież tato nie ma rodzeństwa...

– Teraz moja kolej na opowieść. – Babcia Ada uśmiechnęła się smutno, przesuwając lekko palcem po brzegu fotografii. – Urodziłam Henia, znaczy twojego tatę, na początku wojny. W domu, tak się wtedy rodziło, dzisiaj się rodzi w domu dla mody, wtedy nie było szpitali... Zresztą, kto myślał o szpitalu, wzywało się akuszerkę i się rodziło. Na tym łóżku, na którym śpię, go urodziłam. Trzy dni wyłam z bólu, bo się ustawił pośladkowo do wyjścia, nie główką jak zwykle. Dzisiaj w takich przypadkach usypiają, robią cięcie i nic złego się nie dzieje, wtedy... ech, szkoda gadać. Henio musiał być bardzo silny, bo się urodził wreszcie całkiem zdrowy, tylko trochę sinawy na początku, ale potem już dobrze oddychał i nie było z nim kłopotów. A ja... No cóż, dziecko, wtedy na wsi nie było kroplówek, transfuzji, antybiotyków. Była wojna, ludzie ginęli za Polskę, nikt nie miał głowy myśleć, że jakaś położnica umiera przy porodzie. Straciłam mnóstwo krwi, mdlałam, dwa tygodnie leżałam bez sił, a potem parę miesięcy chodziłam, trzymając się ścian. Dziadek ściągnął lekarza z miasta i dowiedziałam się, że nie będę mogła mieć więcej dzieci. Powiedział mi, że mam pilnować Henia jak oka w głowie, bo to moje jedyne i ostatnie dziecko.

– To kim jest... – Marta nie dokończyła pytania, wskazała tylko wzrokiem na niemowlę na zdjęciu.

– Jakiś czas później Niemcy zabrali jedną z nauczycielek z Przywodzia. Ktoś doniósł, że prowadziła tajne nauczanie – ciągnęła starsza kobieta, ze wzrokiem utkwionym gdzieś w dali, za oknem. – To była młodziutka dziewczyna, może dwadzieścia cztery, pięć lat. Skierowali ją tu

248

z Kujaw, wyszła za mąż i została. Przyjaźniłyśmy się, znaczy ja byłam ta starsza, mądrzejsza, tak jakby wzięłam ją pod opiekę. Przypominała mi Helę, moją młodszą siostrę, która umarła na szkarlatynę, kiedy miała dwanaście lat. Ja tu miałam całą rodzinę, ta Zosia była zupełnie nowa, obca, żal mi jej było. Kiedy ją wywieźli do obozu, miała maleńkie dziecko. Siostra jej męża przyniosła do mnie to maleństwo, z płaczem, żebym się zaopiekowała.

– I to jest to dziecko.

– Tak. To jest Kazio – staruszka przerwała na chwilę, zamyśliła się.

Marta nie śmiała jej przerywać.

– Wzięłam go. Była wojna, wszyscy chodzili głodni, była bieda, ale nie wiodło nam się źle. Wielu we wsi miało gorzej, twój dziadek zawsze pomagał. Mieliśmy dwie kozy, krowę Niemcy zabrali, pomyślałam, że ta koza jakoś to maleństwo wykarmi. I tak Kazio został z nami. A ja po urodzeniu twojego taty, kiedy wiedziałam, że nie mogę mieć więcej dzieci, miałam jakąś taką pustkę w sobie. Patrzyłam na dzieci i złość we mnie rosła, nienawiść taka. Sąsiadka, Cela, ta co po wojnie, kiedy męża jej zabili, wyjechała budować Nową Hutę i tam została, stale zachodziła w ciążę i stale miała skrobanki. Babka przyjeżdżała z walizeczką, Cela się kładła na stole w kuchni i tam raz, dwa, robili zabieg. Z pięć razy. Cela mówiła, że jak to tak, na wojnę dzieci sprowadzać na świat, a ja jej nienawidziłam z całej duszy. Żartem mówiłam jej: „Urodź, urodzisz i mnie oddasz na wychowanie", a w duchu najchętniej bym ją widłami zabiła, taką złość w sobie miałam, że ona może i nie chce, a ja chcę i nie mogę. Więc ten Kazio mi spadł jak z nieba. Zakochałam się w nim. Nie był jak Henio, o nie. Henio zawsze miał pierwsze miejsce, o niego się trzęsłam i chuchałam. Nie pozwalałam mu samemu wychodzić, chociaż wtedy tak się o dzieci nie dbało, włóczyły się po wsi, pasały gęsi, boso, zasmarkane po pas. A Henio był jak pański synek, w domu siedział, tak się bałam go stracić. Zaś Kazio był jak skarb, który dostałam na przechowanie. Wszyscy go pokochali. Twój tato po dziś dzień się z nim spotyka, traktuje go jak brata.

– Zaraz, zaraz... To dziecko to jest wujek Kazik? – Marta przywołała z pamięci obraz przyjaciela ojca, łysawego, grubego inżyniera, który tak często gościł w ich domu, że w dzieciństwie nazywała go wujkiem. Z wujkiem i trójką jego dzieci jeździli na grzyby. Kiedyś widywała go też u babci, przychodził zawsze z kwiatami, całował ją w rękę, a babci wtedy podejrzanie szkliły się oczy... Teraz wszystkie kawałki układanki wskoczyły na swoje miejsce. – Babcia jest jego przybraną mamą?

– Byłam, Martusiu, byłam. Przez długie dwa i pół roku. Tak się do niego przywiązałam, że chwilami, okropny wstyd to powiedzieć, ale marzyłam, że Zosia nie wróci z obozu. Tylu przecież nie wracało... Patrzyłam, jak Kazio stawia pierwsze kroki, jak uczy się mówić... Nie zapomnę tego dnia, kiedy powiedział do mnie „mamo". Popłakałam się jak bóbr. Stał o, przy studni, tłukł piąstką w cembrowinę, takie tłuściutkie miał te piąstki, i krzyczał do mnie: „Mamo!". Mógł mieć półtora roku, nie więcej.

– Ale jego mama wróciła, prawda?

– Wróciła. Najpierw przyszedł list, z amerykańskiego obozu dla wyzwolonych, gdzieś na południu Niemiec. To już było chyba rok po wojnie, te listy wtedy szły miesiącami. Niemcy ją przepędzili chyba przez wszystkie obozy, aż wreszcie gdzieś w Bawarii Amerykanie ich wyzwolili. Może widziałaś te amerykańskie zdjęcia, te szkielety w pasiakach, tam była i Zosia, mama mojego Kazia. Pisała w liście, że ma możliwość wyjechać do Ameryki, ale nie wyjedzie, bo w Polsce zostawiła synka, i że jak tylko nabierze sił, to wróci, że ma nadzieję, że Kazio zdrowy. Mam jeszcze gdzieś ten list. A potem wróciła, to było zimą czterdziestego siódmego. Jakoś przyjechała z tych Niemiec, pociągami, autobusami, furmankami, parę tygodni się tłukła. Chciała przyjechać na Boże Narodzenie, ale kiedy tu dotarła, musiał być koniec stycznia albo nawet luty... Jej mąż ciężko chorował, walczył w lesie i go postrzelili, nigdy nie doszedł do siebie, umarł krótko po wojnie. Zosia wróciła, zostawiła rzeczy w domu: tobołek tylko, z koszulą na zmianę i amerykańskim proszkiem do zębów, co dostała w obozie, i zaraz przyszła tutaj, do nas. Nie poznałam jej, kiedy stanęła przy furtce. Nie miała jeszcze trzydziestu lat, a wyglądała jak staruszka, chuda, pokurczona, z takim głodem w oczach...

W oczach starej kobiety na chwilę pojawiły się łzy, otarła je niecierpliwie grzbietem dłoni.

– I zabrała mi mojego Kazia. Widzisz, Martusiu, tyle lat minęło, a ja stale mówię o nim „mój" Kazio. Tyle że on nie był mój, nigdy. Nasz czas się skończył, kiedy jego prawdziwa matka wróciła do domu. Z początku strasznie płakał, nie chciał iść do niej na ręce, szarpał się. Wołał „mamo" do mnie i krzyczał: „Nie chcę do obcej pani!", a mnie pękało serce, bo wreszcie musiałam to powiedzieć: Kaziu, to jest twoja prawdziwa mama, to nie jest obca pani. Ta mama nosiła cię pod sercem, ta mama urodziła w bólu i wykarmiła piersią, ja tylko... pomogłam.

– I poszedł?

– Poszedł. A potem nigdy już nie było tak samo. Henio strasznie rozpaczał po „braciszku", więc widywaliśmy się bardzo często, w każde święta, imieniny, nawet niedziele chłopcy byli razem, ale Kazio mówił do mnie „ciociu" i całował w rękę, a Zośka... Ja już na tę Zośkę nie mogłam patrzeć. To niegodne i niechrześcijańskie, ale znielubiłam ją całkiem, kiedy wróciła.

Zapadła kolejna chwila ciszy.

Dobiegała jedenasta. Marta pomyślała o pracy – o nie-odebranych telefonach, niezałatwionych sprawach, ale ta myśl szybko zniknęła, zastąpił ją obraz babci oddającej dwuletniego chłopczyka w ręce jego prawowitej matki. Co czuła? Czy też pragnęła, najbardziej ze wszystkiego, prze-stać istnieć? Z drugiej strony, babcia nadal jeszcze miała Henia, swojego rodzonego syna, na którego mogła przelać całą miłość. Nie miała pustych rąk i pustego, jałowego brzucha.

– Ale wiesz, dziecko – babcia podjęła wątek – ze wzglę-du na Kazia nie żałuję, że go oddałam. Dobrze, że jego matka wróciła. Zosia to była twarda, silna kobieta, po wy-wózce, po obozie przeżyła jeszcze czterdzieści lat... Zresztą możesz ją pamiętać, przychodziła tu czasem, taka duża, gruba, zupełnie nie jak po obozach. Zresztą podobno do śmierci nie wyrzuciła nawet obierki od ziemniaka, tak pa-miętała tamten głód. Dobrze się stało, że mój Kazio wrócił do swojej mamy, bo miejsce dziecka jest przy matce.

– Babciu, ale ja... ja jestem matką Kai. Genetycznie. A mój Filip jest ojcem. Gdyby nie my, toby jej nie było...

– I tak by jej nie było, bobyś znowu poroniła. – Brutalna szczerość to przywilej bardzo starych ludzi. – Ona tu jest z nami tylko dlatego, że ktoś inny został jej matką. A ty, dziecko – pomarszczony palec wycelował w Martę – boisz się jej, nie wiesz, jak ją dotknąć, przewinąć. Ona się boi ciebie i płacze. Jeśli mnie pytasz o zdanie, oddaj ją tej, któ-ra ją urodziła i kocha, a kiedy ci będzie źle, pomyśl, że ta malutka nosi po świecie cząstkę ciebie. Oddaj ją i przyjedź tutaj, do mnie, uspokoisz się, uciekniesz od tego wszyst-kiego. Ja już jestem w tym wieku, że przyda mi się pomoc w domu. I przyjemniej mi będzie umierać, kiedy będę miała wnuczkę przy sobie – oczy staruszki zalśniły humorem. To też przywilej starych ludzi, mówić o swojej śmierci jak inni mówią o planach na przyszły wtorek.

Marta głośno zaszlochała, aż tym razem dziecko się obudziło. Jej plan, który wykluł się w pociągu, bo wcześniej był tylko mglistym zarysem, był prostszy: przyjedzie tu, zostawi dziecko w domu babci, wyjdzie i zabije się, gdzieś, po cichu, zakończy cały ten bezsens, dokończy to, czego nie udało się zrobić sąsiadce w depresji. Teraz zobaczyła, jak bardzo plan był idiotyczny, niedojrzały, nastoletni. Babcia przeżyła prawie sześćdziesiąt lat po tym, jak oddała ukochane dziecko jego prawowitej matce, i przeżyła swoje życie dobrze, z siłą i uśmiechem. Dała ludziom tak wiele – co roku, w imieniny, przychodziła delegacja dawnych wychowanków wiejskiej podstawówki, ludzi, którzy dzięki babci byli inżynierami, dziennikarzami, kierownikami, choć do szkoły biegali boso, a lekcje odrabiali, kiedy już spędzili krowy z pastwiska i wykonali tysiąc innych wiejskich obowiązków. Nie byłoby tych ludzi, gdyby babcia postanowiła zamknąć się w sobie, odgrodzić od świata albo tchórzliwie odebrać sobie życie. Nie byłoby też wiejskiej biblioteki przy szkole ani koła wzajemnej pomocy dla mieszkańców, gdzie można było wymienić kilka godzin pracy za pożyczkę, ubranka dla dzieci albo cokolwiek, czym ktoś inny mógł się podzielić. Bez babci Ady świat byłby gorszym miejscem.

Już miała coś powiedzieć, kiedy dojrzała przez okno duży czarny samochód z paką z tyłu, który właśnie parkował przy bramie.

Trudno z kimś nie rozmawiać, kiedy jedzie się trzy godziny w jednym samochodzie. Choć właściwie jest to możliwe – najlepszym przykładem był Niki, który na pewnym etapie przed każdą podróżą wkładał do uszu słuchawki od discmana, MP3, potem iPoda, w miarę rozwoju techniki, a zagadnięty burczał z tylnego siedzenia: „Co? Nie słyszę!". Jednak dorośli ludzie, zgromadzeni w tak ciasnej przestrzeni, jaką jest wnętrze największego nawet samochodu, siedząc obok siebie, czują się niezręcznie i próbują zapełnić czymś milczenie, zanim jego warstwy narosną, zmieniając się w mur.

Filip nie tracił czasu. Po kilkunastu próbach połączenia się z Martą, po rozmowie z jej ojcem w Warszawie i matką gdzieś w Columbus, Ohio („Ohio, jestem w Ohio – mówiła z przesadnym akcentem nowej imigrantki – Nie, nic nie wiem, nie dzwoniła, nic nie mówiła. Zniknęła? No, gdyby tu się wybierała do mnie, to musiałaby wizę dostać przecież, i nikt by jej nie wpuścił do nas, do USA, z obcym dzieckiem"), przyjaciółkami, z których żadna nic nie wiedziała (słowo: żadna było tu przesadą – przyjaciółki były dwie i chyba tylko z nazwy, bo nie rozmawiały z Martą od wielu miesięcy), wsiadł w samochód, podjechał pod blok Iwony (ocieplony w ramach programu modernizacji dzielnicy i odmalowany we wzory w kolorach pomarańczowo-żółto-zielonym) i zadzwonił domofonem.

– Chyba wiem, gdzie ona mogła pojechać, jest tylko jedno miejsce. To kawałek drogi, jakieś dwie–trzy godziny. Jeśli pani chce, pojedziemy tam po nią razem – powiedział w głośnik domofonu. Kilka minut później matka jego dziecka była już na dole.

W samochodzie patrzył z ukosa na tę kobietę, korzystając z okazji, kiedy wreszcie mógł jej się spokojnie przyjrzeć. Przy podpisywaniu umowy, przy wizytach lekarskich, zawsze były stres, nerwy i pośpiech. Teraz widział kobietę w wieku Marty, ale wyglądającą starzej. Najwyraźniej nie miała za wiele czasu, żeby zadbać o siebie. Na jej twarzy już rysowały się zmarszczki typowe dla czterdziestolatek i starszych kobiet, bruzdy biegnące od skrzydełek nosa do kącików ust. O takich zmarszczkach mówi się, że wyżłobiły je łzy. Jej włosy miały ten charakterystyczny żółty kolor blond, który powstaje w wyniku farbowania tanią farbą w domu. Gdyby tylko zadbała o siebie, mogłaby być jeszcze atrakcyjna.

Iwona też przyglądała się mężczyźnie za kierownicą. Widziała władzę – w jego ruchach, w tym, jak trzymał kierownicę i przerzucał stacje radiowe, w miarę jak warszawskie zanikały i zmieniały się w skrzeczący szum. Widziała niepokój – w tym, jak ocierał czoło grzbietem lewej dłoni. Strach – kiedy dzwonił telefon komórkowy. Ten silny, władczy mężczyzna aż się kulił, najwidoczniej ze strachu, że dostanie złe wieści o żonie. Iwona jakoś nie czuła strachu. Nie wierzyła, żeby ta kobieta, Marta, mogła cokolwiek złego zrobić dziecku, które uważała za swoje. Tęskniła za Kajusią, za jej bezzębnym uśmiechem i dotykiem cieplutkich rączek, ale nie miała żadnych złych przeczuć. Matka czuje, jeśli coś ma się stać. Tak sobie powtarzała.

Za oknem przesuwały się przedmieścia Warszawy – brzydka, chaotyczna mieszanka billboardów, reklam i chałupniczo wykonanych szyldów. Hurtownie, domki, centra handlowe, sąsiadujące ze sobą bez ładu i składu. Gdzieś za tym marketem budowlanym zjeżdżało się w prawo do rodziców Darka, do domu, w którym przeżyła trzy najlepsze lata swojego życia, wierząc w przyszłość czekającą tuż za zakrętem. Od Darka nie było żadnych wieści. Ostatnie, co przysłał, to pięćdziesiąt euro „dla dzieci" na Wielkanoc. Dzieci pewnie już zapomniały, jak ojciec wygląda, ona też już tylko patrząc na ślubne zdjęcie, przypominała sobie twarz byłego męża.

– Mogliśmy być tacy jak wy... – powiedziała, przerywając ciszę w aucie. – Zabrakło nam tylko trochę szczęścia, trochę pieniędzy i odrobiny czasu.

Mężczyzna spojrzał na nią z zainteresowaniem.

– Wiem, co pan widzi – ciągnęła Iwona. – Widzi pan przegraną. Nieudacznika. Samotną matkę, która nic nie potrafi w życiu poza sprzątaniem i rodzeniem bachorów. Tacy jak pan uważają, że bezrobotni, bezdomni, samotni, niezamożni mają takie życie na własne życzenie. Że za słabo się starali, nie robili niczego, żeby poprawić swój los. Myślicie, że każdy, jeśli odpowiednio ciężko się postara, będzie miał stołek w wielkiej firmie, czarne auto z napędem na cztery koła i mieszkanie za płotem, z ochroniarzem i strumyczkiem przez podwórko. A to nieprawda. Czasami można się starać z całych sił, a wystarczy, że zabraknie jednej malutkiej cegiełki, jedna drobna rzecz pójdzie nie tak i lądujemy znowu na polu z napisem start. Coraz dalej za wami. Aż wreszcie nie mamy już siły was gonić. Nie mamy siły nawet gonić naszych marzeń. I zostajemy tam, skąd wyszliśmy, pokonani, chociaż przecież się staraliśmy, tak samo jak wy. To niesprawiedliwe i być może nie zgadza się z pańskim widzeniem świata, ale nic się na to nie poradzi.

– Co poszło nie tak? Czego pani zabrakło? – zapytał Filip tak cicho, że ledwie dosłyszała te słowa przez szum silnika.

I tak, od Warszawy do zjazdu na Przywodzie i Radzików, opowiedziała mu całe swoje życie: o ojcu tłukącym pięścią w stół, kiedy powiedziała mu o ciąży, o mieszkaniu u teściów, o wspólniku hazardziście, porzuconych studiach, na które nie było już pieniędzy ani czasu, o wyjeździe Darka, a wreszcie o rozwodzie.

– Dzieci – powiedziała. – To jedyne, co mi się w życiu udało. Ojciec miał rację. Jedyne, co potrafię, to rodzić dzieci. Patrzę na nie i modlę się, żeby im się powiodło w tym wyścigu, żeby za dwadzieścia lat nie wylądowały przegrane, w tym samym mieszkaniu, w którym ja będę za życia pochowana jak moja mamusia. Żeby choć one nie musiały oglądać waszego życia przez szybkę jak ja. Żeby nie sprzątały brudów po waszych dzieciach i nie kłaniały się waszym dzieciom w pas, pytając je codziennie: „Co pani podać?". Tego samego pragnął dla mnie mój ojciec, ale nie wyszło.

– Więc dlaczego? – Filip zadał to pytanie, które chciał zadać od początku, przez zaciśnięte zęby. – Dlaczego nie oddała nam pani naszej córki? Przynajmniej ona miałaby to wszystko od razu. Mogłaby pani być o nią spokojna, dalibyśmy jej wszystko, co najlepsze, o wiele więcej, niż pani może jej dać.

– Nie mogłam. Po prostu nie mogłam. I dalej nie mogę. Myślałam, że to nic takiego, że po prostu ją oddam zaraz po urodzeniu i zapomnę, ale nie umiałam. Teraz też nie mogę jej oddać.

– Nie rozumiem tego! – uderzył płasko dłońmi w kierownicę.

– A pewnie, że nie. Pan nie jest kobietą. Nigdy nie nosił pan dziecka pod sercem. Do tego pan jest przyzwyczajony: jak chcę koteczka, to kupuję koteczka, wszystko jest tylko kwestią ceny. Myślałam, że też tak potrafię, że będę twarda i oddam wam to dziecko za parę miesięcy lepszego życia, ale nie umiem. Żal mi pana żony, ale dla mnie to jest moje dziecko. I proszę wierzyć, nigdy bym się nie zgodziła, gdybym wiedziała, że tak będę czuła.

– Moglibyśmy iść do sądu. O ustalenie ojcostwa – powiedział to bez przekonania.

– Możemy iść – pokiwała głową. – Ale pani Marta chyba nie chce. I pan też nie za bardzo. Gdyby pan rzeczywiście chciał, to już dawno byłaby sprawa w sądzie.

Nie znalazł na to odpowiedzi. Może rzeczywiście nie chciał. Może wiedział, że teraz, po tym jak Marta spędziła kilkanaście tygodni w klinice psychiatrycznej, byłoby bardzo trudno odebrać Iwonie dziecko. Może nie chciał przechodzić przez upokarzający proces zeznawania, badań, pyskówek na sądowym korytarzu, ciągnący się w nieskończoność, podczas gdy dziecko będzie rosło, zmieniało się i coraz mocniej przywiązywało do kobiety, która je urodziła. Teraz, po tym, co zrobiła Marta, wszelkie szanse zmalały do zera. Zostają tylko dom, psy, ewentualnie adopcja – za kilka lat, kiedy Marta w pełni wróci do zdrowia.

Dojeżdżali. Zjazd z drogi głównej na Przywodzie pojawił się tuż za zakrętem. Dzisiaj dziadek Marty miałby szansę przeżyć wypadek, uratowałaby go poduszka powietrzna i wyremontowana droga krajowa, z nowymi pasami do wyprzedzania, wysepkami i rondami. Dwadzieścia lat temu było inaczej. Zjechali w boczną drogę, między drzewami, nad zalewem. Jeszcze kilka kilometrów. Filip zerknął kątem oka na towarzyszkę podróży. Dostrzegł, że zaciska palce na uchwycie taniej torebki tak mocno, aż pobielały jej kostki.

– Ona musi tu być – powiedział pocieszająco. – Nie ma innego miejsca, dokąd mogłaby uciec.

Zaparkował auto pod bramą na podwórko i dopiero teraz poczuł obezwładniający strach. Przez chwilę siedzieli w samochodzie, nic nie mówiąc. Później drzwi się otworzyły i na najwyższym schodku stanęła stara kobieta okutana w swetry i szale. Dla utrzymania równowagi oparła się bokiem o framugę. Trzymała na rękach niemowlę okryte kocykiem.

– Zostanę tu na jakiś czas – powiedziała Marta do męża. Szli wolno drogą wzdłuż rzadkiego lasku dzielącego Radzików od sąsiedniej wsi. Iwona z dzieckiem została w domu babci. Rozmawiały w kuchni, nad herbatą. O czym? O małym Kaziu? O macierzyństwie? O winie i przebaczeniu? Marta nie wiedziała. Maleńka Kaja na widok Iwony rozpromieniła się, przestała płakać i przywarła do matki całym ciałkiem. Mogła mieć geny Marty, ale była tylko jedna osoba, którą uważała za najbliższą, i to nie była jej genetyczna matka.

– Na długo?

– Nie wiem. – Zawahała się. – Tam, w Warszawie, nic dla mnie już nie ma. Tylko złe wspomnienia. I te wszystkie szpitale, te groby naszych nienarodzonych dzieci. Warszawa jest dla mnie jak wielki cmentarz.

– Moglibyśmy razem... – zabrakło mu słów.

Czy jeszcze mogli cokolwiek, kiedykolwiek, razem? Czy większa część ich małżeństwa też nie była takim cmentarzem? Przez ostatnie lata jechali kolejką górską od straty do nadziei, teraz wysiedli z wagonika i przyglądali się sobie uważnie, jak nieznajomi.

– Wiem, że nie mogłeś już tego wytrzymać i byłeś z inną kobietą – powiedziała Marta spokojnie. – Wiedziałam to od początku i nawet nie umiem ci mieć tego za złe.

– Skończyłem z Moniką – wykrztusił, zaskoczony.

– To też wiem – uśmiechnęła się smutno. – Może gdybyśmy dostali to dziecko, naszą córkę, byłoby inaczej. Może udałoby nam się odnaleźć. Poznać się na nowo, nie oskarżać w milczeniu i nie obwiniać o stracone szanse. Ale jeśli znowu będziemy razem, w pustym domu, czasem tylko z twoim synem, to będzie jak dawniej. Strata, pretensja, uraza.

– Moglibyśmy spróbować... – powiedział niepewnie.

– Nie teraz. Może za jakiś czas – zakończyła rozmowę. – Zabierz ją z dzieckiem do Warszawy, a ja tu zostanę. Możesz mi przysłać jakieś ubrania, kosmetyki, parę książek. Mam trochę oszczędności na koncie. Babcia Ada jest coraz słabsza, ktoś musi się nią zaopiekować. Tu też jest życie. Może tylko tutaj.

Wracali powoli. Drogą przejechała cysterna z mlekiem, za nią sznur samochodów, nikt nie odważył się wyprzedzić ciężarówki na krętej szosie. W lasku unosiła się mgła, nadając mu nierzeczywisty wygląd, jak z baśni. Marta pochyliła się nagle i zaraz wyprostowała, trzymała w ręku grzyb o brązowym, okrągłym kapeluszu.

– Prawdziwek – powiedziała. – Może ostatni w tym roku, i to przy samej drodze.

Szła dalej, trzymając grzyb ostrożnie, za nóżkę. Filipowi wydała się przeraźliwie samotna na tle zagajnika. Chciał ją objąć, ale nie znalazł w sobie odwagi – ten jej niewidzialny mur znowu był tam gdzie zawsze.

Później Marta stała z babcią na schodach i machała Filipowi i Iwonie na pożegnanie, kiedy odjeżdżali wielkim czarnym samochodem. Co za ironia – ten samochód, z paką, podobny do amerykańskich farmerskich półciężarówek, był na swoim miejscu właśnie tutaj. Do takich miejsc został zaprojektowany, nie do poruszania się pomiędzy jednym podziemnym garażem a drugim w stołecznych korkach, a mimo to wracał tam, na miejsce na parkingu pod blokiem.

Marta objęła babcię Adę ramieniem i patrzyły razem, jak samochód znika w oddali, aż wreszcie nie słyszały już warkotu potężnego silnika.

Ranki na wsi są inne niż w mieście. Na osiedlu Marta zrywała się na sygnał budzika, a potem w pośpiechu pokonywała kolejne etapy przygotowań do wyjścia. Szybka kawa, prysznic, ubranie, makijaż, oczekiwanie na windę. Już po godzinie wyjeżdżała z podziemnego garażu, uzbrojona w teczkę z dokumentami i uśmiech namalowany szminką. Chyba że akurat przebywała na którymś z wielu zwolnień lekarskich albo w szpitalu, gdzie przebudzenie oznaczało termometr i obchód. W każdym razie ranki w mieście zawsze stanowiły najmniej przyjemną część dnia – pełne pośpiechu, nerwowego pokrzykiwania, naciskania na pedał gazu i mamrotania obelg pod adresem innych kierowców.

Tu jest inaczej. Przede wszystkim od wiosny słońce doskonale zastępuje budzik, a pierwszą rzeczą, jaką Marta słyszy, nie jest irytujący, natarczywy sygnał, tylko śpiew ptaków i odgłosy silników aut jadących szosą. Trzeba napalić w piecu – co prawda wodę na kawę można zagotować na gazowej kuchence zasilanej gazem z butli, ale bez ognia w piecu domek będzie przeraźliwie zimny i nieprzy-jazny – więc Marta wygrzebuje się spod pierzyny, wstaje i rozniеca ogień. Babcia Ada zwykle już od jakiegoś czasu nie śpi, ale babci coraz ciężej wstawać po nocach wypeł-nionych atakami kaszlu. Lekarz w szpitalu w miasteczku, gdzie zawiozła ją Marta, stwierdził co prawda, że to nie rak, tylko najzwyklejsza rozedma płuc, kłopoty z sercem i starość oraz zapisał leki, ale uprzedził też, po cichu, że czas babci dobiega już końca.

– Myślę, że przy dobrej opiece może żyć jeszcze rok, dwa – powiedział – ale nikt nie jest wieczny. Możemy oczywiście pomyśleć nad namiotem tlenowym czy miej-scem w domu opieki... ale wiem z doświadczenia, że star-si ludzie czują się lepiej, mogąc umrzeć we własnym domu. Mogę pani podać namiary na pielęgniarki...

– To nie będzie potrzebne – przerwała mu Marta. – Od pewnego czasu mieszkam z babcią, myślę, że potrafię się nią zaopiekować.

I rzeczywiście, jak do tej pory idzie jej dobrze. Babcia Ada nie straciła jasnego umysłu, wstaje z łóżka na śniadanie i obiad, sama się obsługuje w łazience, a w swoim łóżku czyta gazety i książki, jakie wnuczka znosi jej z biblioteki.

Ta praca spadła Marcie jak z nieba.

Późną jesienią kierowniczka i jedyna pracownica wiej-skiej biblioteki rozchorowała się na wyjątkowo ciężką gry-pę, a później wylądowała w szpitalu z zapaleniem płuc. Babcia, która jakimś sposobem, prawie nie wychodząc z domu poza coniedzielnym nabożeństwem, na które za-biera ją samochodem kuzyn Marty Paweł, zna wszystkie wieści z życia wioski, natychmiast się o tym dowiedziała. Pewnego dnia wstała, ubrała się w jedną ze swoich najlep-szych wełnianych spódnic i zapowiedziała:

– Idziemy w odwiedziny do Celi.

Odwiedziny polegały na tym, że obie staruszki popijały kawę z fusami i jadły delicje, których nie powinny jeść (jedna ze względu na cukrzycę, a druga z powodu problemów z wątrobą), a Marta siedziała obok, w milczeniu przysłuchując się rozmowie. Kiedy wydawało jej się, że omówiły już ważniejsze wydarzenia z życia wszystkich mieszkańców Radzikowa i okolic, babcia szturchnęła Martę jak dziecko, które ma pochwalić się ocenami w dzienniczku.

– Powiedz no, Martusiu, jak by ci się widziało pomagać Celince w bibliotece? Powiedzmy, raz na dwa, trzy dni.

– Dobrze – wyjąkała, zaskoczona. Wtedy odezwała się pani Celina, jeszcze bardzo blada po chorobie:

– Przyjdź no w poniedziałek, otwieram o dziesiątej, wszystko ci pokażę.

I tak się zaczęło.

Oczywiście w innej sytuacji nie byłoby to możliwe – praca przy książkach wymagałaby specjalistycznego wykształcenia i dyplomu zdobytego na kierunkowych studiach, ale w czasach kiedy młodzi wyjeżdżali ze wsi do dużych miast albo za granicę i brakowało odpowiednio kwalifikowanych rąk do pracy, w okręgowej dyrekcji bez większego trudu udzielono warunkowego pozwolenia na zatrudnienie Marty jako „pomocy bibliotecznej". Wynagrodzenie, które w Warszawie byłoby śmiesznym dodatkiem „na waciki", tutaj miało całkiem realną siłę nabywczą, poza tym nie było tu sklepów i „galerii", które w mieście stwarzają wrażenie, że nieustannie potrzebujemy czegoś nowego. Razem z emeryturą babci dysponowały sumką pozwalającą im na spokojne życie, choć bez większych wydatków.

Praca bibliotekarki różniła się od pracy w korporacji pod każdym możliwym względem. Bez szefa (chyba żeby za szefową uznać panią Celinkę, która odbywała rekonwalescencję w pokoiku na zapleczu, popijając kawę i ucinając sobie pogawędki z zaprzyjaźnionymi czytelniczkami), bez okna z widokiem na korek. W ciasnej bibliotece panowała przyjemna cisza, drobinki kurzu unoszące się z szorstkich papierowych okładek wirowały w smugach słonecznego światła wpadających przez okna. Czytelnicy napływali falami: młode kobiety z małymi dziećmi przed południem, uczniowie po szkole, starsze panie po obiedzie. Zasób książek był ograniczony – najwięcej miejsca zajmowały lektury szkolne, a po nich romanse, najchętniej wybierane przez staruszki, jednak pani Celina starała się przynajmniej raz w miesiącu zamówić kilka nowości, na które później zbierała zapisy wśród czytelników. Tych było zaskakująco wielu, jak na tak niewielką miejscowość.

Raz w miesiącu w bibliotece odbywało się spotkanie klubu dyskusyjnego. Panie, odświętnie ubrane na tę okazję, zjawiały się z zadaną lekturą pod pachą i w pokoiku na zapleczu omawiały to, co przeczytały. Marta nie była tam potrzebna, ale często przysłuchiwała się rozmowom. Kobiety mówiły nieporadnym, ale pełnym emocji językiem o uczuciach, bohaterach, akcji. Oburzały się, kiedy coś wydało im się „sztuczne", i ocierały oczy, kiedy coś je poruszyło. Były zaskakująco autentyczne i Marta złapała się na tym, że prawie ich nie znając, już zdążyła je polubić.

Poza pracą czas upływał jej na domowych czynnościach. Rozpalała w piecu, robiła zakupy w sklepiku, szykowała obiady. Co jakiś czas wybierała się do dyskontu w Przywodziu po większe zakupy spożywcze, wtedy przydawał jej się samochód. Sprowadziła go z Warszawy, kiedy tylko zdecydowała się zostać na wsi, jednak srebrne autko przez większość czasu stało bezużyteczne na podwórzu – wszędzie było za blisko, żeby uruchamiać samochód. Więc tylko zakupy i wyjazdy z babcią do lekarza, poza tym chodziła piechotą, chłonąc zapachy i widoki znane jej z dzieciństwa.

Warszawa, osiedle, praca, mieszkanie i szuflada pełna pamiątek – to wszystko było gdzieś za nią, z tyłu, daleko, jakby w innym życiu albo we śnie. Nadal nie wiedziała, czy zostanie tu na zawsze, czy tylko będzie towarzyszyć babci Adzie w jej ostatnich dniach, a później wróci. Decyzję odkładała na później. Filip nie naciskał. Z rzadkich rozmów telefonicznych wynikało, że chyba ma kogoś i że to raczej nie jest nowa sprawa, ale on też był częścią tego innego świata, który zostawiła za sobą. Był zamgloną sylwetką, machającą na peronie, podczas gdy pociąg odjeżdża gdzieś w dal.

Jechała sama i tak już miało zostać.

Po tych wszystkich latach chyba pogodziła się z tym, że nie będzie matką. Że zawsze w oczach świata i swoich będzie tylko półkobietą i nigdy nie znajdzie tego miejsca w świecie, jakie przysługuje, niejako automatycznie, kobiecie, która urodziła.

Kobiety dzielą się na matki i niematki – te pierwsze godne szacunku, te drugie oceniane jako nieodpowiedzialne, niedojrzałe, zainteresowane tylko zabawą i karierą, wieczne dziewczynki. Mówi się o nich ze współczuciem podszytym pogardą, jak kiedyś, wiele lat temu, o starych pannach. Kimś takim była i miała już zostać. Czasem jeszcze śniła o podróży pociągiem z Kają, o tym jednym dniu, kiedy miała córkę tylko dla siebie. „Schrzaniłam ten dzień, zmarnowałam szansę, bądźmy szczerzy – mówiła sobie w myślach – to dziecko może i ma moje geny, ale nie uważało mnie za matkę, wystarczyło zobaczyć, jak rozpromieniło się i przestało płakać na widok kobiety, która je urodziła, jak wtuliło się w nią całym ciałkiem, nareszcie szczęśliwe i spokojne. Może gdybym miała więcej czasu, gdyby pozwolono mi i Kai lepiej się poznać, może po jakimś czasie udałoby nam się dojść do tego etapu spokojnego porozumienia bez słów, pełnego zaufania i miłości". Jednak kiedy o tym myślała, przypominała sobie historię babci o Kaziu i łzy napływały jej do oczu. Czy zgodziłaby się tęsknić przez całe życie w zamian za dwa lata spędzone z córką?

„Jest, jak jest, nie będzie lepiej, nie będzie gorzej. Oto twoje życie, takie dostałaś, innego nie będzie. Nie będzie lepsze i tylko od ciebie samej zależy, czy nie będzie gorsze". Czasem wydawało jej się, że słyszy w głowie głos, który nakłania ją do zaakceptowania tego, co ma. Czasem, kiedy oglądała programy o rozmaitych ludzkich dokonaniach – chłopiec bez nogi, który zdobył biegun, niewidomy śpiewak uczący się prowadzić samochód, niepełnosprawna umysłowo piosenkarka ze Szkocji – czuła żal i zazdrość, że im udało się przekroczyć biologiczne granice narzucone przez los, a jej nie. „Z drugiej strony – myślała – jeśli los matki nie jest moim powołaniem, to może jest nim coś innego, co dopiero powinnam odnaleźć, zamiast spalać się w nieustannym dążeniu do niespełnialnego?"

Pewnego dnia w bibliotece pojawiło się kilkoro dzieci. Chłopcy w wieku około dziesięciu–jedenastu lat nie różnili się pozornie niczym od pozostałych uczniów, którzy przychodzili po lektury. Dopiero po dłuższym przebywaniu w ich obecności dostrzegła coś nieuchwytnego, jakąś aurę smutku i powagi, która ich otaczała. Mieli dorosłe oczy, bez iskierek uśmiechu, oczy, które wyglądały, jakby widziały już więcej niż niejeden dorosły. Inni uczniowie też musieli to wyczuwać, bo zauważalnie izolowali się od tej grupki w czasie powrotów ze szkoły. W bibliotece byli trochę skrępowani obecnością nowej osoby – najwyraźniej spodziewali się pani Celiny, ale ona akurat wyszła. Po jej powrocie Marta opowiedziała jej o dziwnej gromadce dzieci.

– To z bidula – wyjaśniła starsza bibliotekarka.

– Skąd? – Martę zdziwiło nieznane jej słowo.

– Z domu dziecka, w Przywodziu. Paru chodzi do naszej szkoły. Dobre dzieciaki, ale bardzo skrzywdzone przez los. Jak nie dzieci, dorosłe jakieś takie...

Tej nocy Marta nie mogła zasnąć. Przez cały czas widziała w wyobraźni oczy tych dzieci. Po raz kolejny uderzyła ją niesprawiedliwość tej sytuacji: ci, którzy pragną dziecka najbardziej na świecie, nie mogą go mieć, podczas gdy tylu ludzi dookoła po prostu go nie chce, a nawet jeśli chce, to nie potrafi się nim zająć. Krzywdzą je do czasu, kiedy przychodzą urzędnicy i zabierają dziecko do placówki, w której teoretycznie jest mu lepiej i ma wszystko, co potrzebne do życia, ale brak mu ludzkiej miłości i troski. Wcześniej często uczestniczyła w zbiórkach pieniędzy, kupowała prezenty dla wychowanków domów dziecka, firma prowadziła nieustające akcje pomocy – ale zawsze to były jakieś anonimowe, dalekie dzieci, bez twarzy i imion. Tu zobaczyła je pierwszy raz naprawdę: Damian, Mateusz, Krzyś, Paweł.

Nie miała szans na adopcję i doskonale o tym wiedziała. W takiej sytuacji jak teraz, zawieszona gdzieś między małżeństwem a separacją, mieszkająca kątem w przedwojennej chatce ciężko chorej babci, z pracą, która ją satysfakcjonowała o wiele bardziej niż korporacyjne zajęcie, ale dawała tylko tyle pieniędzy, żeby mogły z babcią za nie przeżyć, z niedawnym epizodem depresyjnym w papierach – nikt nawet nie dopuściłby jej do rozpoczęcia procedur adopcyjnych, odpadłaby na pierwszym etapie. Zresztą zda-

wała sobie sprawę, ile wysiłku wymagałoby oswojenie i po-
kochanie takiego pokaleczonego, opancerzonego dziecka,
zmiękczenie skorupy, którą się otoczyło w obronie przed
światem, i nie była pewna, czy jest na to gotowa.

Były jednak inne sposoby, żeby pomóc. Pomóc inaczej,
niż tylko anonimowo wpłacając kwotę czy przekazując
kupione drogie zabawki, żeby pozbyć się wyrzutów sumienia bogatej mieszkanki stolicy. Pewnej nocy wymyśliła
plan. Kiedy rankiem opowiedziała o nim pani Celi, ta nie
była przekonana.

– Jak to sobie wyobrażasz? – zapytała. – Nie mamy tu
tyle miejsca, żeby wszystkie dzieci przyszły. Ich tam jest
chyba sześćdziesięcioro, bo sporo ludzi powyjeżdżało do
pracy za granicę, pozostawiali dzieciaki w domach, podobno domy dziecka pękają w szwach.

– Nie tu. Będę jeździć do Przywodzia. Będę taką ob-
woźną biblioteką, a przy okazji będziemy im czytać książki na głos, urządzać konkursy, pomagać w nauce, chwalić
ich, głaskać po głowach.

– Marta... – starsza kobieta uważnie jej się przyjrzała –
jesteś pewna, że tego chcesz? Wiesz, że dyrekcja pewnie
tego nie zaakceptuje. Nie mamy funduszy, wszystko idzie
na nowości i na promocję czytelnictwa w szkole. Będziesz
musiała to robić po godzinach, w czasie wolnym, za darmo. I po tym wszystkim, co przeszłaś, stale będziesz mieć
kontakt z tymi dziećmi.

– Jestem pewna – powiedziała stanowczo i pewnie.

– Rób, jak uważasz. Myślę, że to dobre. Wszystko, co
możemy dla nich zrobić, jest dobre. – Kierowniczka wreszcie się uśmiechnęła. – Zawsze mówiłam Adzie, że z ciebie
jest dobra dziewczyna.

Marta miała więc plan. Dwa dni później była po rozmowie z dyrektorką domu dziecka, która wydawała się wzru-

szona i obiecała udostępnić świetlicę raz w miesiącu na „Spotkanie z książką". Miała za sobą też miłą rozmowę z jedną z autorek książek dla młodzieży, która obiecała przyjechać na spotkanie z dziećmi z Przywodzia. Poświęcała wszystkie popołudnia i wieczory wolne od zajęć w domu na przygotowywanie spotkania.

Musiała jednak przerwać pracę na kilka dni, aby przyjąć gości.

Ten pociąg nie toczył się powoli przez szarość, wydawał się raczej gnać jak szalony przez bujnie zielone lasy i pola. Za oknem przesuwała się zieleń, zieleń i jeszcze więcej zieleni. Majowy weekend wypadał tak, że wystarczyło wziąć trzy dni wolnego, żeby zyskać tydzień urlopu, i Iwona skwapliwie to wykorzystała.

Kaja miotała się po przedziale, badając wszystko, czego mogła dotknąć, polizać, wziąć do ust. Miała rok i miesiąc. Wcześnie, bo już w wieku dziesięciu miesięcy, zaczęła chodzić, wymawiała też pojedyncze słowa. Jej ciemne włoski zjaśniały i zgęstniały, nabierając koloru orzechowego, czarne oczka patrzyły bystro na świat. Była zupełnie niepodobna do dwójki starszego rodzeństwa – bardziej sprężysta, nabita, energiczna. Przy Julce, siedzącej obok i zatopionej w lekturze, wydawała się wulkanem energii. Julka nigdy taka nie była. Zawsze spokojna, rozsądna, przeżyła całe dzieciństwo bez guzów i siniaków, tymczasem Kaja w każdej sytuacji pakowała się w kłopoty. Piotrek to co innego, to chłopiec. Teraz, wy-

272

czerpany nauką, odmówił wyjazdu na wieś. Został z babcią w domu.

– Mama, to! – zażądała Kaja, pokazując paluszkiem na czerwoną walizkę jednego z pasażerów.

– To? – Iwona się zdziwiła. – To nie nasza walizka.

– Nie ika? – dziewczynka popatrzyła na nią okrągłymi oczkami i natychmiast zainteresowała się czymś innym. – To!

– Piękne ma pani córki – odezwała się siedząca naprzeciwko kobieta w średnim wieku. – Ile mają lat?

– Starsza dziesięć, młodsza rok i miesiąc.

– Piękne dziewczynki, ale zupełnie niepodobne do siebie. – Kobieta najwyraźniej się nudziła. – Ta starsza to jak skóra zdjęta z pani, a ta młodsza pewnie w tatusia poszła?

Iwona tylko skinęła głową. Mogłaby opowiedzieć tej obcej kobiecie historię Kai, ale miała już dosyć opowiadania. Znajome matki, sąsiadki, koleżanki z pracy, wszystkie słuchały, kiwały głowami, wtrącały: „A nie mówiłam?" albo: „Podziwiam cię", tonem, który nie pozostawiał wątpliwości co do tego, że w rzeczywistości ich uczucia były bardzo dalekie od podziwu.

Po historii z porwaniem Kai do Iwony zaczęli wydzwaniać dziennikarze. Tłumaczyła wszystkim, że jej matka się pomyliła, oddała dziecko tamtej pod opiekę i zapomniała, bo przecież ma już swoje lata. Wreszcie dali jej spokój. Nie było wiadomości w mediach ani reportaży w gazetach, nie wystąpiła też w programie telewizyjnym, do którego ją zapraszano, tytuł: *Rozmowy przy kawie*, temat: *Urodziłam cudze dziecko*. Obejrzała ten program. Wystąpiła w nim pierwsza surogatka, która nie oddała dziecka, która ciągle jeszcze walczyła w sądzie o prawo do zatrzymania Michałka. I inna, która oddała i dopiero po wielu miesiącach zatęskniła tak bardzo, że wpadła w depresję. Prowadząca ocierała łzy pomiędzy zadawaniem wstrętnych, wścibskich pytań, publiczność klaskała albo wypowiadała swoje zdanie z pewnością i przekonaniem typowym dla ludzi, którzy nie mają pojęcia, o czym w ogóle mówią. W międzyczasie puszczano reklamy kawy rozpuszczalnej i tamponów zaprojektowanych przez kobietę-ginekologa. Miała dosyć.

„To nasza historia, zostawcie nas w spokoju!", chciała powiedzieć towarzyszce podróży, ale Julka ją wyręczyła.

– Mama nie lubi o tym mówić – powiedziała spokojnie, na chwilę unosząc głowę znad książki.

– O waszym tatusiu? – zainteresowała się kobieta, oczy jej zabłysły.

– Nasz tatuś pracuje za granicą – wyjaśniła Julka ze zniecierpliwieniem.

Teraz już cały przedział wdał się w dyskusję.

– Panie, co za czasy. Mieliśmy w tej wolnej Polsce żyć jak królowie, nareszcie na swoim. A co się porobiło? Ojciec musi dzieci zostawić i jechać do pracy u obcych, bo u nas pracy nie ma.

– Święta racja. Naobiecywali, naobiecywali, a musimy u obcych żebrać o pracę.

– Przepraszam bardzo – Iwona wzięła Kaję na ręce i zaczęła przepychać się w stronę drzwi. – Muszę przewinąć małą. Julka, chodź, pomożesz mi.

Resztę podróży przestały na korytarzu, starając się nie słuchać dyskusji dobiegającej z przedziału. Właściwie nie stały nawet, tylko biegały tam i z powrotem za Kają, która niestrudzenie przemierzała korytarz na krótkich nóżkach, zaglądając do otwartych przedziałów.

Im bardziej pociąg pospieszny zbliżał się do stacji docelowej, tym bardziej Iwona miała ochotę wrócić do domu. Po tym, jak odebrała Kaję Marcie i wróciła samochodem Filipa do Warszawy, pragnęła tylko jednego: wyprowadzić się, nie

274

zostawiając adresu, przeciąć wszystkie nici łączące ją z tymi ludźmi, którzy dali jej najwspanialszy dar – córkę. Choć zamierzali tylko wykorzystać ją jak narzędzie, a zużytą wyrzucić, opłacając poniesione koszty. Jakby ciążę i urodzenie dziecka można było przeliczyć na pieniądze, na przyjemnie miękkie, mięsiste zielone stuzłotówki i brązowe, sztywne od nowości dwusetki, nigdy nieużywane. Jakby można było skalkulować to, co czuła, kiedy Kaja przestała się ruszać w jej brzuchu, kiedy zasygnalizowała zamiar odejścia strumyczkiem jasnoczerwonej krwi, kiedy brzuch napinał się rytmicznie pięć miesięcy przed czasem, o wiele za wcześnie. Chciała uciec od tych ludzi, od ich wiecznego nadzoru, przypomnień o wizytach lekarskich, telefonów, urazy i smutku. Oddać im pieniądze i przeciąć wszystkie więzy. O ileż byłoby łatwiej, gdyby mieszkali w innym mieście! Jak wielkiego zbiegu okoliczności trzeba było, żeby wybrać akurat parę mieszkającą prawie w sąsiednim bloku, na nowym ekskluzywnym osiedlu pyszniącym się ogrodzeniem przed biedną kajzerówką pamiętającą czasy prosperity państwowych zakładów w sąsiedztwie!

Kaja była najlepszym, co mogło jej się jeszcze przytrafić. Promykiem na tle jednostajnej szarości życia, toczącego się w rytmie codziennych podróży między blokiem, szkołą a sklepem. Od kiedy córka pojawiła się na świecie, Iwona nie pragnęła już tego mitycznego innego życia na osiedlu, z zakupami w galerii handlowej i parkowaniem samochodu w podziemnym garażu. Tamto inne życie tylko wydawało jej się tym prawdziwym i pożądanym. A tymczasem było obrazkiem za szybą, dekoracją na wystawie luksusowego sklepu, piękną reklamą zupełnie zwyczajnego towaru.

Prawdziwe życie to było gderanie matki za ścianką działową, codzienna praca w szkole, powroty do domu, do dzieci pochylonych nad zeszytami, do ciepłego, słodkiego zapachu ciałka najmłodszej córki. Wszystko inne było pięknym kłamstwem. Zanurzyła się w więź z dzieckiem, pozwoliła się oplątać tej pierwotnej zależności, płynącej z biologicznej jedności. Mimo to stale wiedziała, że z tamtymi ludźmi łączy ją na zawsze coś więcej – tak cienkie, że niewidzialne gołym okiem nici kodu genetycznego, zapisane w każdej komórce ciała jej córki jedynym i niepowtarzalnym charakterem pisma.

Nici, choć tak delikatne, jednak pętały. Nie pozwalały się oddalić. Uprowadzenie Kai przyjęła jak coś, co od początku miało się zdarzyć, jak nieuchronne fatum. Tak mogli się czuć bohaterowie baśni, którzy obiecywali siłom ciemności pierworodnego syna w zamian za pomoc w jakichś doraźnych działaniach czy wyplątaniu się z kłopotów. Było od dawna i z góry przewidziane, że ktoś wreszcie zabierze jej Kaję, i tak też się stało. Jednak na szczęście złe siły okazały się nie tak złe jak w baśniach i pozwoliły jej odzyskać dziecko – łaska, jaka nie była dana wielu piękniejszym od niej złotowłosym księżniczkom.

Kiedy wracali z Filipem z Radzikowa, Kaja zasnęła na tylnym siedzeniu, a w mężczyźnie jakby pękła jakaś tama. Mówił bez przerwy. O sobie, o żonie, o małżeństwie, które jakoś niepostrzeżenie ze związku dwojga ludzi zamieniło się w związek trojga, w którym jedno – dziecko – było stale nieobecne, jak gdyby zmarło albo wyjechało, a jednak wciąż czuł jego niewidoczną obecność, przy stole, w pokoju, nawet w małżeńskim łóżku. Opowiadał o swoim synu, który zdawał na studia, o ognistym i pełnym kłótni związku z Niną, która teraz, tuż przed czterdziestką, urodziła synowi przyrodniego braciszka. Mówił o Marcie, której nie powiedział ani słowa o dziecku byłej żony ani o narodzinach kolejnych dzieci znajomych i krewnych, bo każda taka historia byłaby jak gruda gliny rzucana na grób ich nienarodzonych dzieci. O miłości, której pragnął. O prze-możnym pragnieniu, żeby raz wreszcie, choć na moment, być tym, który jest przedmiotem opieki, a nie opiekunem. Mówił długo, cicho, na tle muzyki sączącej się z radia, aż wreszcie, w ciemnościach, w korku pod Jankami na zbie-gu szosy krakowskiej i katowickiej, zamarł w pół słowa i spojrzał na Iwonę nieprzytomnie.

– Nie wierzę, że to wszystko pani tak po prostu opowie-działem – stwierdził, jakby dopiero zdał sobie sprawę z tego, gdzie się znajduje.

Iwona zastanawiała się, czy przez ostatnie dwie godzi-ny jechał na jakimś wewnętrznym autopilocie, podpowia-dającym mu kierunek. Darek też tak czasem robił... Potrząsnęła głową, żeby odsunąć od siebie myśl o byłym mężu, jedynym mężczyźnie, którego znała na tyle blisko, żeby móc zastanawiać się nad jego zachowaniami i sła-bostkami. Wtedy pomyślała, że z Filipem łączy ją tak samo intymna więź, był przecież genetycznym ojcem dziecka, które urodziła i miała wychowywać.

– Jeśli to nie zabrzmi głupio... – zaczął Filip i natych-miast urwał rozpoczęte zdanie, ale patrzyła na niego cierp-liwie, czekając, aż skończy, więc ciągnął dalej: – Jeśli pani pozwoli... w jakiś sposób jednak Kaja jest też i moim dziec-kiem, więc chciałbym... – znowu urwał, potrząsnął głową, w świetle żółtych latarni zauważyła, że jego kłykcie są bia-łe od zaciskania na kole kierownicy. – Chciałbym mieć z nią jakiś kontakt, zadbać o to, żeby jej było dobrze.

– Oczywiście – powiedziała tylko, a później już nie było czasu na słowa, bo Kaja się obudziła i wrzask głod-nego dziecka wypełnił małą, zamkniętą przestrzeń sa-mochodu.

Nie miała nic przeciwko temu. Przeciwko spotkaniom z nim. Wydawał jej się tak bezbronny i wystawiony na ciosy pod nieudolnie przybraną skorupką człowieka sukcesu, że nie musiała się go obawiać.

Przyjęła ofertę pomocy, przyjmowała comiesięczne wpłaty na konto („Proszę to traktować jak alimenty"), przesyłała mu mailem z pracy, z pracowni informatycznej, bo tam po południu, kiedy nie było lekcji, można było połączyć się z internetem, zdjęcia rosnącej córki. Wpłaty przelewała na konto oszczędnościowe, tłumacząc się budowaniem kapitału dla Kai, na czarną godzinę. Zaakceptowała obecność Filipa w swoim życiu, był jak cień na ścianie, którego nie sposób się pozbyć, ale po pewnym czasie przestaje się go zauważać.

Ale zaproszenie od Marty to było co innego. Z początku nie chciała go przyjąć, chciała po prostu oddzwonić z wyjaśnieniem, że nie może przyjechać. Wtedy wtrąciła się jej matka. Mówiła dużo o zmianie klimatu, okazji do odpoczynku, spokoju na wsi i chrześcijańskim pojednaniu, aż wreszcie Iwona uległa, kupiła bilet na pociąg, wzięła wolne, spakowała walizki i wsiadła do pospiesznego Warszawa – Lublin razem z tłumem innych majowych urlopowiczów, studentów wracających do domów w małych miasteczkach na odpoczynek, spotkanie z kolegami z liceum i maminy obiad, młodych małżeństw odbywających comiesięczne pielgrzymki do rodzinnych domów, do rodziców i teściów, opiekunek i gospoś z bogatych osiedli wracających do rodzin. W miarę jak pociąg zbliżał się do celu, coraz bardziej żałowała, że uległa. Bała się tego spotkania. Instynktownie przytuliła córkę i jak zwykle w kontakcie fizycznym z nią bardzo silnie odczuła łączącą je więź – tak pierwotną i fizjologiczną, że odsuwała na dalszy plan kwestie genów, nie dając przystępu żadnym wątpliwościom. Co dziwne, Iwona nigdy wcześniej nie czuła takiej więzi ani z Piotrkiem, ani z Julką. Może dlatego że nigdy się nie bała, że ich straci.

Ludzie zaczęli powoli wychodzić na korytarz, ciągnąc za sobą walizki i torby, ustawiając się w kolejce do drzwi. Jakiś młody mężczyzna pomógł Iwonie zdjąć z półki na bagaż leciutki, rozkładany wózek spacerowy, zaoferował też poniesienie walizki. Pociąg zwalniał, aż wreszcie z piskiem zatrzymał się na dworcu.

Niewielki srebrny samochód, świeżo umyty na tę okazję, parkował na tyłach dworca. W osobie, która przy nim stała, tylko bardzo dobry znajomy albo bardzo uważny obserwator rozpoznałby tę chudą, neurotyczną kobietę, która przemierzała wieczorami ścieżki osiedla Słoneczna Dolina. Włosy Marty, uwolnione od kasztanowej farby i surowych fryzur profesjonalistki, opadały miękką, jasnobrązową falą na ramiona, które zaokrągliły się przez te kilka miesięcy. Nie umalowała się. Nie musiała, jej twarz promieniała oczekiwaniem i nadzieją. Ktoś, kto przyjrzałby się bliżej, dostrzegłby z pewnością „kurze łapki", poziome zmarszczki na czole i zacżątki bruzd opadających od skrzydełek nosa ku podbródkowi, ale Iwona nie patrzyła aż tak uważnie – wbrew jej woli napływające do oczu łzy przesłoniły jej pole widzenia.

– Cieszę się, że pani przyjęła moje zaproszenie – powiedziała Marta na powitanie, otwierając drzwi auta i składając siedzenie pasażera, żeby Julka mogła wygodnie usiąść na tylnym siedzeniu.

– Może... – zaproponowała nieśmiało Iwona – mogłybyśmy mówić sobie na „ty"? Byłoby wygodniej.

Marta uśmiechnęła się z wdzięcznością.

– Cieszę się, że przyjechałaś.

– I ja się cieszę. – Iwona chciała jeszcze coś dodać, ale przerwał jej niecierpliwy głosik Kai, wskazującej na Martę paluszkiem:

– To to? Pani?

– To... – kobiety popatrzyły na siebie niepewnie, nie wiedząc, co odpowiedzieć dziecku, które wpatrywało się w nie natarczywie.

– To twoja druga mama, krasnalu – odezwała się Julka z tyłu.

– Nie mama – zaprzeczyła Kaja z całą stanowczością roczniaka.

– Ciocia – roześmiała się Marta, ujmując pulchną łapkę w dłoń. – Ciocia Marta.

Uruchomiła silnik i samochód ruszył do Radzikowa. Do domu babci Ady i dziadka Felicjana. Do domu.

ROK PÓŹNIEJ

– Damian, Mateusz, chodźcie no tu! Uszy czyste? Ręce czyste?

Dwaj chłopcy posłusznie wbiegli do domu, po drodze kopiąc piłkę aż pod ścianę starej stodoły. Od drzwi skierowali się do łazienki, urządzonej w miejscu, gdzie dawniej była komórka, przy schodach na strych. Dźwięk włączanego bojlera powiedział Marcie, że rzeczywiście myją ręce, ale i tak na wszelki wypadek zajrzała skontrolować, czy użyli mydła. Na widok dwóch rozczochranych głów pochylonych nad umywalką poczuła ucisk w sercu.

Dzisiaj wszystko miało się rozstrzygnąć. Wysprzątała dom, kilkakrotnie sprawdzając każdy zakamarek, zabezpieczenia kontaktów i butli gazowej, apteczki i szuflady na chemikalia. Ugotowała obiad z dwóch dań, co rzadko jej się zdarzało, nawet kiedy miała chłopców – wolała patrzeć, jak grają w piłkę, niż siekać warzywa do zupy. Upiekła ciasto, skontrolowała zeszyty. Wszystko musiało być bez zarzutu przed wizytą kuratorki i kobiet z ośrodka pomocy społecznej.

Wypatrzyła chłopców na jednym z pierwszych spotkań czytelniczych w domu dziecka w Przywodziu. Starszego znała już z biblioteki, pojawiał się kilkakrotnie. Rozczuliło ją, że w odróżnieniu od pozostałych chłopców wchodził pomiędzy regały, zamyślał się, po czym, pozornie na chybił trafił, wybierał jakąś książkę, otwierał i zaczynał czytać na stojąco, nieświadomy otaczającego go świata. Rozpoznawała w tym ślad siebie samej z dzieciństwa – ten „tryb przetrwania", wyłączania się i otaczania niewidzialnym murem izolującym ją od świata zewnętrznego w szpitalu i później, kiedy rodzice się rozwodzili. Po jakimś czasie Damian przytomniał, podchodził do biurka z rozpoczętą książką i prosił o wypożyczenie. Zwykle czekał na moment, kiedy pani Celiny nie było w zasięgu wzroku, bo ta miała bardzo surowe zasady dotyczące wypożyczania książek uczniom.

– Co to ma być – zrzędziła – gdzie takiemu dzieciakowi dawać Hemingwaya, nic nie zrozumie, a poniszczy, zaplami. Za mały jesteś na to, chcesz przygód, to dam ci *Winnetou*! – oznajmiała tonem nieznoszącym sprzeciwu. Wtedy Marta wstawiała się za nim:

– Pani Celu, on już *Winnetou* czytał dwa razy! Jak my mu nie damy Hemingwaya, to skąd ma wziąć?

– Ostatni raz – zapowiadała wtedy kierowniczka. – A jak poniszczysz, to odpracujesz w bibliotece!

– Dobrze, psze pani – zgadzał się potulnie, a kiedy wychodził z książką w plecaku, oczy błyszczały mu, jakby znalazł skarb, który pozwolono mu zabrać do domu.

Wtedy, na spotkaniu, też stawił się pierwszy. Zaproszona autorka, sympatyczna okrągła wrocławianka w okularach, która pisała mądre i pełne humoru powieści dla młodzieży, dopiero rozpakowywała się za prowizorycznym stolikiem, kiedy Damian wszedł do świetlicy, ciągnąc za sobą mniejszą kopię siebie.

– Pani Agnieszko, widzę, że niektórzy już nie mogą się doczekać spotkania! – zagaiła jedna z wychowawczyń, a pisarka roześmiała się w odpowiedzi.

Damian zarumienił się i wymamrotał coś pod nosem, ale do końca spotkania nie spuszczał oczu z autorki, podobnie jak jego młodszy brat. Po zakończeniu, czerwony jak burak, podszedł do pisarki, ściskając w ręku egzemplarz jej najnowszej powieści, i mruknął prawie niesłyszalnie:

– Czy może pani podpisać? Kupiłem z pieniędzy, co mi babcia przysłała na Wielkanoc...

Marta z końca sali widziała łzy wzruszenia w oczach autorki.

I tak się zaczęło. Stopniowo obaj chłopcy się ośmielali, zaczynali uśmiechać. Damian zwyciężył w konkursie czytelniczym, po czym oddał bratu nagrodę. Po spotkaniach zostawali dłużej, żeby porozmawiać z Martą, aż wreszcie to ona wybrała się na rozmowę z dyrektorką.

Matka chłopców wyjechała w świat natychmiast po otwarciu granic. Ojciec pił. „Niewydolny wychowawczo", zapisano w aktach. Pod tym określeniem kryły się kilkudniowe nieobecności w domu, ślady pasa na plecach synów, brudne ubrania i butelki po tanim winie w każdym kącie domu, obiady złożone z wczorajszych ziemniaków i łyżki najtańszej margaryny. Sąd zaocznie odebrał obojgu prawa rodzicielskie, ustanawiając rodziną zastępczą na wpół ślepą, z trudem wstającą z łóżka babcię chłopców, mieszkającą dwieście kilometrów od Przywodzia, pod Piotrkowem, w chałupie bez ogrzewania i ubikacji, żyjącą z kilkuset złotych renty. Babcia zrzekła się praw i w ten sposób chłopcy trafili do „bidula". Drugą babcię najłatwiej było spotkać kompletnie pijaną, kiedy opróżniała kolejną butelkę z ojcem Damiana, a swoim synem.

– Będę szczera – powiedziała dyrektorka, starsza, surowa kobieta o wyglądzie nauczycielki matematyki – z pani historią, w separacji, ma pani zerowe szanse na adopcję, ale może pani powalczyć o rodzinę zastępczą. Będę za panią, bo szkoda mi tych dzieciaków. Dla niektórych to już nie ma szans, mają po dwanaście, trzynaście lat, a są zdemoralizowani jak starzy złodzieje, za długo tu byli, za wiele widzieli po domach. Ale tych dwóch w dobrym domu mogłoby jeszcze wyjść na ludzi. Niech pani się nie łudzi, z nimi też potrzeba będzie mnóstwo pracy. Na razie może pani na próbę wziąć ich parę razy na przepustkę, na sobotę i niedzielę, a potem zobaczymy.

Pierwsza przepustka wypadła niedługo przed śmiercią babci Ady, zimą. Babcia, jak wielu starych ludzi, doczekała do Bożego Narodzenia, poszła nawet na pasterkę. Umarła na początku lutego, w łóżku, na zapalenie płuc. Rankiem tego dnia Marta się obudziła i początkowo nie wiedziała, co jej przeszkadza. Dopiero po chwili uświadomiła sobie – to była cisza. Zabrakło odgłosów suchego kaszlu i świszczącego oddechu, które stały się tak naturalną częścią domu, jak cichutki warkot lodówki czy tykanie zegara. Zanim wstała, żeby zajrzeć do pokoju babci, już wiedziała.

Chłopcy płakali po staruszce razem z nią, choć widzieli ją tylko raz. Niedługo później zaczęli pojawiać się w domu w każdy weekend i święto, wnosząc do starej chatki śmiech i kłótnie, odgłosy, jakich tu nie słyszano od czasów Henia i Kazia. Stopniowo każdy ich powrót do domu dziecka zostawiał nieznośną pustkę. W dawnym pokoju babci pojawiły się ich rzeczy – maskotka Mateusza, stary pluszowy pies z oberwanym kłapciatym uchem, stosik książek kupowanych dla Damiana w „Taniej książce" w miasteczku i w dyskoncie przy okazji spożywczych zakupów, zapomniane trampki, skarpety w koszu na brudy. Nocą, nasłuchując ich oddechów i krzyków przez sen, Marta czuła się wreszcie na miejscu. W dni, kiedy nocowali w domu dziecka, budziła ją znowu ta nieznośna cisza oznaczająca nieobecność.

Dzisiaj, w pierwszym dniu wakacji, wszystko miało się rozstrzygnąć. Chłopcy usiedli przy kuchennym stole, nakrytym z tej okazji nową niebieską ceratą w żółte cytryny, którą babcia kiedyś kupiła „na okazje". Byli zdenerwowani, podobnie jak Marta, ale z ich twarzy zniknął już ten przerażający wyraz smutku i przedwczesnej dorosłości. Patrzyli na siebie wzrokiem pełnym miłości i nadziei, a ich oczy błyszczały tak, jak powinny błyszczeć oczy każdego jedenastolatka i siedmiolatka w pierwszym dniu wakacji.

Zza kuchennego okna dobiegł warkot silnika. Przed bramą zatrzymało się białe podniszczone cinquecento, z którego wysiadły dwie kobiety w średnim wieku. Za nimi, z tyłu, wygramoliła się dyrektorka domu dziecka, trzymając w ręku teczkę z dokumentami.

– Jak myślisz, ciociu, uda nam się tu zostać? – zapytał cicho Damian, wpatrując się w Martę.

– Musi się udać. Musi – odpowiedziała, przytulając go do siebie.

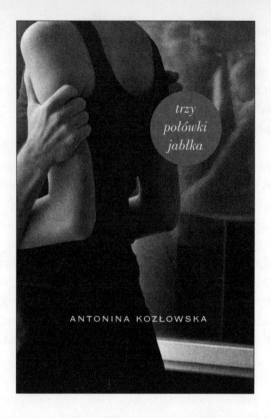

trzy
połówki
jabłka

ANTONINA KOZŁOWSKA

Intrygująca powieść o miłości i trudnych życiowych
wyborach.

Teresa ma pracę, męża i dwójkę dzieci. Jest szczęśliwa.
Tylko czasami zastanawia się, czy z innym mężczyzną jej
życie nie byłoby ciekawsze.
Niespodziewanie upomina się o nią przeszłość.
Przypadkowe spotkanie z Marcinem, jej młodzieńczą
miłością, przywołuje wspomnienia i na nowo budzi
wzajemną fascynację. Teresa staje przed wyborem: rzucić
się w ramiona dawnego ukochanego i przekreślić ostatnie
dziesięć lat czy być dalej wierną żoną i zmagać się
z ciągłym uczuciem niespełnienia?

czerwony
rower

ANTONINA KOZŁOWSKA

Poruszająca i bardzo prawdziwa opowieść o dorastaniu
i kobiecej przyjaźni.

Karolina – córka ubeka, dziennikarka.
Beata – wnuczka bogatych dziadków, żona biznesmena.
Gośka – córka badylarza, dziś szczęśliwa żona i matka.
Znają się od czwartej klasy podstawówki, razem dorastały.
Przeszłość je naznaczyła i wciąż rzuca cień na ich
dorosłe życie. Kiedy ich dawny sekret może wyjść na jaw,
wracają wspomnienia...

Wydawnictwo Otwarte sp. z o.o.,
ul. Kościuszki 37, 30-105 Kraków. Wydanie I, 2010.
Druk: Colonel, ul. Dąbrowskiego 16, Kraków.